Der Autor

Professor Dr. Peter Krüger, geb. 1935 in Eisenach, seit 1975 auf dem Lehrstuhl für Neuere Geschichte II (19. und 20. Jahrhundert) an der Universität Marburg. Promotion 1962 mit einem Thema aus der Geschichte des 16. Jahrhunderts, Mitarbeiter bei den ›Dokumenten zur Deutschlandpolitik‹, 1966–74 Mitherausgeber der ›Akten zur deutschen auswärtigen Politik 1918–1945‹, Habilitation an der Universität Köln 1972. Veröffentlichungen u. a.: ›Eichendorffs politisches Denken‹ (1969); ›Deutschland und die Reparationen 1918/19‹ (1973); ›Die Außenpolitik der Republik von Weimar‹ (1985); zahlreiche Aufsätze, vornehmlich zur Geschichte der internationalen Beziehungen in Europa im 20. Jahrhundert.

Deutsche Geschichte der neuesten Zeit
vom 19. Jahrhundert bis zur Gegenwart

Herausgegeben von Martin Broszat,
Wolfgang Benz und Hermann Graml
in Verbindung mit dem Institut für Zeitgeschichte, München

Peter Krüger:
Versailles
Deutsche Außenpolitik zwischen Revisionismus und Friedenssicherung

Deutscher
Taschenbuch
Verlag

Originalausgabe
Dezember 1986
2. Auflage Mai 1993: 11. bis 13. Tausend

Umschlaggestaltung: Celestino Piatti
Umschlagbild: Vossische Zeitung
vom 24. Juni 1919
Gesamtherstellung: C. H. Beck'sche Buchdruckerei,
Nördlingen
Printed in Germany · ISBN 3-423-04513-2

Inhalt

Dieses Buch handelt von den Belastungen, den Erfolgen und dem schließlichen Scheitern eines außenpolitischen Neuanfangs in Deutschland. Es handelt von dem Druck eines verlorenen Weltkriegs auf eine besiegte Nation und von dem deutschen Versailles-Trauma, seiner Entstehung und seinen Auswirkungen, also auch davon, inwieweit es die öffentliche Meinung prägte, gepflegt wurde und die Außenpolitik beeinflußte. Nationalistische Ansprüche, Begeisterung und Ehrenvorstellungen ersetzten schon im Kaiserreich außenpolitisches Verständnis der meisten Deutschen und mußten häufig als Kompensation für die Unzulänglichkeiten des politischen und gesellschaftlichen Systems herhalten. Dies führte beim Zusammenbruch von 1918 zu ungewöhnlich tiefen Erschütterungen, die sich in der Reaktion auf den Versailler Vertrag fortsetzten. Mit solchen ererbten und neuen Belastungen mußte die in der Niederlage als Notgeburt entstandene, ungeliebte Republik außenpolitisch leben und trotzdem versuchen, einerseits den drückenden Friedensvertrag zu revidieren und den deutschen Wiederaufstieg in die Wege zu leiten, andererseits eine moderne, den veränderten inneren und äußeren Verhältnissen angemessene Außenpolitik zu entwickeln. Wie weit also war diese Außenpolitik in der Lage, sich derjenigen der parlamentarischen Demokratien des Westens an die Seite zu stellen, den Bedürfnissen einer industriell hochentwickelten Großmacht zu entsprechen und vor allem eine einigermaßen überzeugende Position einzunehmen in der grundlegenden Auseinandersetzung unserer Zeit zwischen dem unvermindert starken, traditionellen Nationalismus und den wachsenden Anforderungen weitgehender internationaler Verflechtung? Welche Einstellungen waren in der außenpolitisch unzureichend gebildeten Öffentlichkeit verbreitet?* Die Notwendigkeit internationaler Verständigung und Konzessionsbereitschaft bedeutete ja keineswegs, wie eine häufige Verleumdung es wollte, den Verzicht auf die hartnäckige Verfol-

* Diese Probleme setzen hier andere Akzente als in meinem Buch: Die Außenpolitik der Republik von Weimar, Darmstadt 1985. Es wird nicht bloß dessen Zusammenfassung vorgelegt.

gung deutscher Interessen, sondern nur die – allerdings entscheidende – Einsicht, die anzuwendenden Methoden auf die des permanenten, friedlichen Ringens um den Interessenausgleich zu begrenzen.

Die Frage der außenpolitischen Methoden ist überhaupt grundlegend für den Charakter des internationalen Systems geworden. Dies gilt ganz speziell für eine der außenpolitischen Hauptaufgaben, der sich keine Reichsregierung nach 1918 hätte entziehen können: der fast einmütigen Forderung der Deutschen, den Versailler Vertrag zu revidieren. Die Weimarer Außenpolitik durfte sich darin selbstverständlich nicht erschöpfen, wenn sie auf die modernen Herausforderungen antworten wollte. Doch sie brauchte dazu Zeit, und ihr Schicksal war an das Schicksal dieser ersten parlamentarischen Demokratie in Deutschland gekettet.

I. Die Deutschen in Versailles

Ganz Deutschland bebte vor Empörung. Wo man sich traf, auf den Straßen und Plätzen, in den größeren und kleineren Zirkeln, Gremien und Versammlungen, in der Öffentlichkeit und bis in die Familien hinein griff nationale Erregung wie ein plötzlicher, unkontrollierbarer Flächenbrand um sich. Nur wenige vermochten sich herauszuhalten aus dieser auflodernden nationalistischen Einigkeit, einem flackernden, unsteten Gemeinsamkeitsgefühl. Es erfaßte die Politiker ebenso wie die Journalisten; nur die Intensität und Überlegtheit des Ausdrucks wechselte, die Überzeugung war einhellig: Dieser Friedensvertrag, dessen Entwurf die Siegermächte des Ersten Weltkrieges den Deutschen am 7. Mai 1919 in Versailles übergeben hatten, durfte nicht Wirklichkeit werden. In einem ganz elementaren Sinn sollte er nicht die deutsche Zukunft gestalten, nicht alltäglich werden, etwas, an das man sich in seinen Lebensverhältnissen anpassen würde und das den großen Wandel für Deutschland nach Krieg und Zusammenbruch ungeschminkt zur Anschauung brachte und besiegelte. Die gewohnten Stimmungen nationalistischer Erbauung und Begeisterung waren zu abrupt zerrissen, und der zu erwartende Friedensvertrag war der geballte Ausdruck, die verbindliche Festlegung all der betäubenden Schläge und Veränderungen, denen das deutsche Volk seit dem Frühherbst 1918 ausgesetzt war, als das ganze Ausmaß des militärischen Desasters offenbar wurde und die Siegespropaganda ablöste. Sollte alles falsch gewesen sein, was zum ehernen Bestand nationalen Stolzes gehörte, Macht, Aufstieg, Glanz und Weltstellung des Reiches – und seine Armee? Aus unserer Sicht mag eine solche Vorstellungswelt befremdlich, irritierend, fast unverständlich wirken. Doch selbst der Historiker unterschätzt häufig, daß in Deutschland eine Lage entstanden war, die grundsätzlich zu den kritischsten zählte, in die eine moderne Nation geraten kann. Was sich hier in der Empörung über die Friedensgestaltung der gegnerischen Mächte Bahn brach, war ja nicht nur eine Reaktion auf den verlorenen Krieg, auf persönliche Verluste und Enttäuschungen, auf Trauer, Not und Elend, auf die Ungewißheit über die politische und wirtschaftliche Zukunft seit dem Zusammenbruch des Kaiserreiches und den plötzlich einsetzenden inneren Umwälzungsprozeß. Hier brach doch eine Welt zusammen, so kritisch sie auch zu beurteilen war. Die Menschen waren ja in ihr aufgewachsen, hatten in ihr gelebt, es war die Ordnung, die sie gewohnt waren und die ihnen Halt und Orientierung geboten hatte, wenigstens der Mehrzahl. Was so lange prägend gewirkt hatte, ließ sich nicht von heute auf morgen abstreifen und durch etwas anderes ersetzen; dazu bedurfte es eines langwierigen Wandlungsprozesses. Es war gefährlich und wirklichkeitsfremd, wenn eine derartige unvermeidbare, keineswegs auf eine bestimmte Situation und ein bestimmtes Volk zu beschränkende sozialpsychologische Krise außer Betracht blieb, und absurd ist es, in nachträglichen Analysen dieses Unvermögen zu plötzlichem, grundlegendem Wandel zu verurteilen. Aufmerksamkeit verdient hingegen in der wissenschaftlichen Untersuchung die Frage, ob überhaupt und in welchem Maße der notwendige Bewußtseinswandel von denjenigen, die politisch verantwortlich oder im öffentlichen Leben und in der Erziehung einflußreich waren, eingeleitet und gefördert wurde.

Im Protest fand die gedemütigte Nation sich wieder. Das markig Aufgesetzte der Bekundungen – »welche Hand müßte nicht verdorren, die sich und uns in diese Fesseln legt?« (Reichsministerpräsident Scheidemann unter stürmischem Beifall in der Nationalversammlung)[1] – zeigte viele Deutsche auf der inneren Flucht vor der bangen Gewißheit, daß man eigentlich wohl gar nichts anderes tun konnte, als schließlich doch zu unterschreiben. Denn es mußte ja irgendwie weitergehen, und die Macht hatten nun mal die anderen. Die tiefen Erschütterungen und die Unsicherheit darüber, wie Deutschland sich in den ungewohnten äußeren Bedingungen einrichten und in Zukunft verhalten sollte, außerdem der innere Zusammenbruch, das Gefühl fortbestehender Revolutionsdrohung, die völlig unsichere neue Ordnung einer noch zu gestaltenden, von vielen überhaupt mit Ressentiments, Vorwürfen und bitterer, oft feindseliger Ablehnung betrachteten Republik – all das schien es nicht zu erlauben, durch unsinnigen Widerstand gegen einen ganz übermächtigen Gegner vollends das Chaos heraufzubeschwören.

[1] Ed[uard] Heilfron (Hrsg.), Die Deutsche Nationalversammlung im Jahre 1919 in ihrer Arbeit für den Aufbau des neuen deutschen Volksstaates, Bd. 4, Berlin 1919, S. 2646.

Erstaunlich schnell erfolgte die heftige deutsche Reaktion auf den Entwurf des Friedensvertrages, den die alliierten und assoziierten Mächte – die Vereinigten Staaten hielten an ihrer traditionellen Einstellung gegen Bündnisse fest und betrachteten sich nicht als »alliiert« – untereinander nach langwierigen und äußerst mühsamen Verhandlungen ausgearbeitet und der wartenden Delegation des Reiches schließlich am 7. Mai vorgelegt hatten. Da war keine Rede von einem behutsamen Vorgehen, etwa einer ersten Kritik, einer Äußerung tiefer Enttäuschung, verknüpft mit dem Hinweis, zunächst müsse der Entwurf insgesamt und im Detail analysiert werden, ehe eine dezidierte Stellungnahme möglich sei. Schon in der Presseverlautbarung der Reichsregierung vom 8. Mai 1919[2] hieß es, die Friedensbedingungen bedeuteten die völlige wirtschaftliche Vernichtung Deutschlands. Auch in den weiteren offiziellen Stellungnahmen tönte die Fanfare der Übertreibung. Selbst die liberale Presse stand dem nicht nach. Im ersten Kommentar der Frankfurter Zeitung vom 9. Mai hieß es: »In diesem Schriftstück erreicht der Wahn des erobernden Materialismus [...] seinen Gipfel. [...] Wenn dieser Entwurf oder ein ihm ähnlicher durchgeführt werden sollte, so ist es Zeit, an der Zukunft der Menschheit zu verzweifeln.« Daran schlossen sich apokalyptische Vorstellungen von den Folgen an: noch furchtbarere Kriege und anarchische Umwälzungen. Weiter rechts im politischen Spektrum kam es rasch zu einer wendigen Entfaltung der später so bezeichneten Dolchstoßlegende, einer infamen Geschichtsverfälschung, derzufolge die Arbeiterbewegung und überhaupt die politische Linke dem unbesiegten deutschen Heer in den Rükken gefallen wäre. Nationalisten und Antirepublikaner hatten ihren Sündenbock für die militärische Niederlage, den inneren Zusammenbruch und die Last der Friedensbedingungen gefunden: die Demokratie, und sie sprachen das offen aus. Es war nur noch ein Schritt zu dem schrecklichen, in einigen Fällen später buchstäblich mörderischen Schlagwort von den »Novemberverbrechern« in Anspielung auf die Novemberrevolution 1918 und angewendet auf jene, die im Strudel des untergehenden, zu keiner sinnvollen politischen oder militärischen Reaktion mehr fähigen Kaiserreiches die schwere Verantwortung übernahmen, die innere Ordnung wiederherzustellen, ein neues Staatswesen

[2] Frankfurter Zeitung, 9. 5. 1919 (Abendblatt).

zu begründen und den unvermeidlich harten Waffenstillstand und Friedensvertrag abzuschließen.

Währenddessen saß in Versailles die deutsche Delegation und erörterte, welches die beste Reaktion sei. In diesem Bemühen hatte sie von vornherein eine ungünstige Ausgangsposition, nicht nur ganz allgemein wegen ihrer Ohnmacht, sondern ganz konkret wegen der unmittelbaren Antwort ihres Delegationsleiters, des Außenministers Ulrich Graf von Brockdorff-Rantzau, in einer Rede im Anschluß an die Überreichung der Friedensbedingungen, die völlig seiner persönlichen Entscheidung entsprang, die Alliierten kräftig vor den Kopf stieß, ihre Vorurteile über die unverbesserlichen Deutschen, mit denen nüchtern zu verhandeln so überaus schwierig war, bestätigte, die Chancen der Delegation, irgendwie auf eine gemeinsame Diskussionsbasis mit den Gegnern zu kommen, weiter verschlechterte und auf deren sowieso schon geringe Neigung zu Konzessionen nicht gerade anregend wirkte.

Interessant ist also zunächst, was Brockdorff-Rantzau sagte, was im alliierten Friedensvertrags-Entwurf eigentlich stand und wie sich die Konferenz bis dahin entwickelt hatte. Bei dem Entwurf handelte es sich um ein ganzes Buch[3]. Insofern war er »modern«, mit ein paar Dutzend Artikeln kamen die bisher letzten großen Friedensverträge in der Geschichte nicht mehr aus. Die Materien, die der Regelung zu bedürfen schienen oder tatsächlich bedurften, waren ungeheuer angewachsen. Ganze Scharen von Politikern, Diplomaten und Experten verteilten sich in Paris auf eine beängstigende Zahl von Gremien und Kommissionen, in denen kleine Spezialfragen ebenso wie die ganz großen internationalen Probleme erörtert wurden. Das zeugte zumindest davon, daß man gründlich und umfassend vorzugehen beabsichtigte. Einen solchen staunenswerten Apparat hatte es noch nie auf einer internationalen Konferenz gegeben. Nur diejenigen, die schon in den aufgeblähten Kriegsbehörden und -ausschüssen ihrer Länder Erfahrungen gesammelt hatten – und ein gewisser Einfluß der Organisierung der Kriegsanstrengungen bis hin zur jahrelangen Koalitionssteuerung wirkte sich zweifellos aus –, konnten sich ein Bild davon machen, wie sich der Arbeitsablauf in diesem Gewimmel gestalten würde; denn diese unübersichtliche, weiterwuchernde Or-

[3] Reichsgesetzblatt (=RGBl.) 1919, Nr. 140, S. 687–1349 (französischer, englischer und deutscher Text).

ganisation ließ sich ja nicht von einer einzigen übergeordneten Autorität regeln. Unter diesen Umständen können die Ergebnisse sich immerhin sehen lassen. Nur bestand von Anfang an die Gefahr, daß die fortlaufende Aufsplitterung in immer mehr Einzelfragen die Übersicht erschwerte und die zu ihrer Lösung bestimmten Gruppen ziemlich isoliert voneinander vorgingen. Mochten die Lösungen im einzelnen vertretbar aussehen, so blieb doch die Abstimmung und Schwerpunktsetzung ein großes Problem; am folgenreichsten war die z. T. wohl unbeabsichtigte Kumulierung der Friedensbedingungen. Es ist deshalb nicht verwunderlich, daß am Schluß, als man zum ersten Mal die zusammengestellten Ergebnisse der Mühen überblickte, das Resultat bei nicht wenigen Teilnehmern Unbehagen auslöste.

Dementsprechend erschreckte die Deutschen zunächst einmal die schiere Fülle und monströse Detailliertheit der Bestimmungen. Schnell war die Schlußfolgerung gezogen, daß hier ein ebenso minutiöses wie diabolisches Programm der dauerhaften Unterdrückung und Schwächung des Reiches und der tiefgreifenden Beeinträchtigung seiner Lebensmöglichkeiten vorliege. Als besonders gefährlich wurde die Verflechtung der Festlegungen untereinander betrachtet, ein Netz, in dem sich die Deutschen immer wieder verfangen mußten und ihre politische Bewegungsfreiheit immer stärker eingeschnürt wurde. Doch solche Überlegungen subtilerer Art traten zurück hinter der Empörung und dem Protest, den die wesentlichen Einzelbestimmungen auf sich zogen, die Deutschlands Großmachtstellung für immer zu zerstören schienen:

1. Die Reduzierung der Armee, der Stolz und das Rückgrat preußisch-deutscher Militärmacht, auf ein Berufsheer (mit der gefährlichen Tendenz eines Staates im Staat) von nur 100000 Mann ohne moderne Waffen, Ersatzsysteme, Generalstab etc. Ähnlich stand es mit der Marine und ihren 15000 Mann. Eine Luftwaffe war überhaupt nicht erlaubt.

2. Die territorialen Abtretungen auf der vor allem vom amerikanischen Präsidenten Wilson verfochtenen Basis von nationaler Zugehörigkeit und Selbstbestimmungsrecht, obwohl das nicht konsequent eingehalten wurde. In Deutschland wurden die Verluste im Osten besonders bitter empfunden (zugunsten Polens: Der sogenannte Korridor, Posen, Oberschlesien, Danzig eine »Freie Stadt«, für weitere Regionen Volksabstimmungen festgesetzt; das Memelgebiet sollte an Litauen gehen) angesichts der antipolnischen Politik Preußens, des Volkstums-

kampfes und der nationalen Überheblichkeit gegenüber den Polen, die nun, nach dem Zusammenbruch der drei Kaiserreiche, Deutschland, Rußland und Österreich/Ungarn, zum ersten Mal wieder seit den polnischen Teilungen einen eigenen, unabhängigen Staat errichten konnten. Fast ebenso nachhaltig und als dauerhaftes Agitationsthema wirkte die einem Verbot gleichkommende Bestimmung gegen den Anschluß Deutsch-Österreichs, das nach der Zerschlagung des Vielvölkerreiches der Habsburger übriggeblieben war. Hinzu kam die Abtretung Elsaß-Lothringens an Frankreich sowie der nach den Friedensregelungen zu erwartende Verlust Eupen-Malmedys an Belgien und Nordschleswigs an Dänemark, außerdem der Verlust aller Kolonien.

3. Die wirtschaftlichen Einschränkungen und Belastungen, vor allem die Wiedergutmachungsverpflichtung, die Reparationen, die in den zwanziger Jahren zum bedeutendsten Streitpunkt zwischen Deutschen und Alliierten wurden und gefährliche internationale Krisen hervorriefen. Auch hierbei war in Paris der Einfluß Wilsons beträchtlich; klassische Kriegsentschädigungen wurden als unrechtmäßig verdammt. Daß aber nun nach dem Prinzip der Gerechtigkeit vorgegangen werden sollte und damit in der Angelegenheit unweigerlich auch eine moralische Betrachtungsweise zur Wirkung kam, hat die ohnehin kaum überwindbaren wirtschaftlichen und politischen Schwierigkeiten mit den Reparationen nur noch verschärft. Eine nachhaltige Schwächung Deutschlands, eines der wichtigsten Industrie- und Handelsländer der Welt, wurde außerdem bewirkt durch die weitgehende Liquidierung seines Auslandskapitals in den Ländern der Siegerkoalition sowie durch handelspolitische Beschränkungen, vor allem die einseitige Meistbegünstigung und die Gewährung großer zollfreier Kontingente für die Einfuhr aus den abgetretenen Gebieten nach Deutschland in Höhe des Warenaustausches der Vorkriegszeit (besonders vorteilhaft für Frankreich, das damit auch den wirtschaftlichen Druck auf das Rheinland und die deutsche Westgrenze verstärken konnte). Diese und andere handelspolitische Regelungen sollten für fünf Jahre gelten. Sie gingen (und das gilt natürlich noch viel mehr für die Reparationen) alle zu Lasten des Reiches, außerdem zu Lasten einer so dringend erforderlichen raschen Überwindung der internationalen Anomalien der Kriegszeit und der Kriegsmentalität und schließlich zu Lasten der Liberalisierung und Steigerung des Welthandels, also der wirtschaftlichen Erholung.

4. Die Besetzung und Entmilitarisierung des Rheinlandes, die unter bestimmten Voraussetzungen in drei Etappen bis 1935 aufgehoben werden sollte, und die zeitweise Abtrennung des Saarlandes bis zur Entscheidung über seine Zukunft im Jahre 1935. Es war offensichtlich: wirtschaftliche Ausnutzung dieser Gebiete durch Frankreich und der Versuch, das Saarland doch noch zu gewinnen und das Rheinland wenigstens vom Reich zu lösen, das waren die französischen Absichten hinter diesen Bestimmungen. Mit seiner Forderung nach Abtretung der linksrheinischen Gebiete Deutschlands hatte sich Frankreich auf der Friedenskonferenz nicht durchsetzen können. Ihre Hauptforderung nach voller Sicherheit gegenüber Deutschland und nach Verschiebung des wirtschaftlichen und allgemeinen Machtpotentials zugunsten Frankreichs sahen die Franzosen infolgedessen als nur unzulänglich erfüllt an.

5. Schließlich der unselige Artikel 231, der das Reparationskapitel einleitete und die eigentliche Begründung der Reparationsforderung bot, in dem Deutschland und seinen Verbündeten die Verantwortung für alle Kriegsschäden der »alliierten und assoziierten Regierungen und ihrer Staatsangehörigen« zugesprochen wurde. Daraus wurde in Deutschland der »Kriegsschuldartikel«, was nicht die Absicht bei der Formulierung war. Damit begann jene deprimierende, die Wahrheit vernebelnde, nationalistische Agitation und Frontbildung, die sich immer wieder politisch ausnutzen ließ. Denn die Mehrzahl der Deutschen war tief in ihrem nationalen Selbstverständnis getroffen, als zu allen Opfern im Krieg und danach nun auch noch der schwerwiegende Vorwurf trat, daß man keiner gerechten Sache, daß man nicht der Verteidigung des Vaterlandes gedient habe.

Zu diesen politisch brisantesten und umstrittensten Regelungen trat eine Fülle weiterer Verfügungen, die z. T. wegweisende Neuerungen für die internationale Ordnung enthielten. Dazu gehörten u. a. erste internationale Rahmenregelungen arbeits- und sozialrechtlicher Art, die Errichtung eines Internationalen Arbeitsamtes, stärkere rechtliche Absicherungen des internationalen Wirtschaftsverkehrs und des Eigentums – auch des geistigen –, Neuregelungen für internationale Wasserstraßen und die Binnen- und Seeschiffahrt sowie für den zukunftsreichen Luftverkehr. Das Prinzip rechtlicher Regelung für Streitfälle zwischen den Staaten wurde, wenn auch lückenhaft, durchgeführt. Vor allem aber enthielten alle Friedensverträge als erstes Kapitel den Text der Völkerbundssatzung, den Wilson vorrangig behandelt wissen wollte und der damit für Freund und Feind verbindlich verankert wurde, Manifestation des Strebens nach Friedensregelungen auf der Basis von Rechtsprinzipien. Bald darauf konnte der Völkerbund, die erste übernationale Organisation der modernen Staaten, auf der Grundlage verbindlicher Richtlinien friedlichen Zusammenlebens seine Tätigkeit aufnehmen.

Das Ergebnis der langwierigen und komplizierten, von vielen Interessengegensätzen gekennzeichneten Verhandlungen der Friedenskonferenz lag also endlich vor. Alles hatte länger gedauert und sich anders entwickelt als ursprünglich gedacht. Es war kein allgemeiner Friedenskongreß zustande gekommen, sondern die Einladungen waren ergangen zu einer Konferenz der alliierten und assoziierten Mächte mit dem Ziel, die unterschiedlichen Ansprüche und Vorstellungen auszugleichen und die Bedingungen für die Friedensverträge mit den besiegten »Mittelmächten« – Deutschland, Österreich, Ungarn, Bulgarien, Türkei – festzulegen. Entscheidendes Gewicht hatten natürlich die Großmächte, also vor allem die USA, Frankreich und England. Doch sowohl die Forderungen als auch die Behandlung Italiens und Japans nahmen ebenfalls breiten Raum auf der Konferenz ein, die zeitweise in Gefahr schien, auseinanderzufallen. Die Geschichte der Pariser Friedenskonferenz ließe sich auch als Geschichte ihrer Krisen schreiben, der japanischen, der italienischen und vor allem der französischen im März/April, als sich immer stärkerer Widerstand gegen weitgehende Forderungen Frankreichs erhob und teilweise durchsetzte. Und über allem lag der Schatten der bolschewistischen Revolution, und das so schwer zu beurteilende neue Rußland rief eher Ratlosigkeit und Meinungsverschiedenheiten als eine adäquate und einheitliche Vorgehensweise der Alliierten hervor. Deren Schwierigkeiten waren also erheblich, auch wenn das im einzelnen hier nicht ausgeführt werden kann, und sind in Rechnung zu stellen bei der Beurteilung des deutsch-alliierten Verhältnisses. Die Behandlung Deutschlands war zwar die bedeutendste, aber keineswegs die einzige wichtige Frage.

Angesichts ihrer Interessendivergenzen und vieler zu klärender Vorfragen dauerte es jedenfalls über Gebühr lange, bis man am 18. Januar 1919 zur feierlichen Eröffnung der Friedenskonferenz in Paris schreiten konnte. Das Ganze hatte sozusagen in zwei Akten ablaufen, nach der Einigung der Sieger untereinander eine zweite Konferenz stattfinden sollen zur Erörterung der

Friedensverträge mit den Besiegten. Aber die Zeit drängte, Deutschland war nur das erste und wichtigste Land, dem ein Entwurf vorgelegt wurde, und so flossen beide Teile der Konferenz ineinander. Ziemlich ungewöhnlich entschied man sich schließlich dafür, den Besiegten keine Möglichkeit der mündlichen Verhandlung zu eröffnen; sie sollten sich innerhalb einer kurzen, später etwas verlängerten Frist schriftlich äußern. Die Einigung der Siegerkoalition untereinander war so prekär, daß man sie keiner Belastungsprobe mehr unterziehen wollte. Außerdem wollte man zum Schluß kommen.

Das ging aber nicht so ohne weiteres. Waren alle Delegationen in Paris versammelt, hätten sich Kontakte und informelle Verhandlungen gar nicht vermeiden lassen. Hinzu kamen das Sicherheitsproblem für die Vertreter der besiegten Länder unter Berücksichtigung der noch nicht abgeklungenen Kriegspsychose und andere Gründe. Dies führte jedenfalls dazu, daß die Delegationen der Sieger in Paris konferierten und die der Besiegten in der Reihenfolge, in der sie bestellt wurden, jeweils getrennt auf verschiedene Vororte verteilt wurden und unter strenger Isolierung und in einer Art Hausarrest der Dinge harrten, die da kommen sollten.

Für die Deutschen brachte dieses Verfahren mehrere große Enttäuschungen und Nachteile mit sich, und das beeinflußte Brockdorff-Rantzaus Reaktion am 7. Mai. Trotz gelegentlich skeptischer Zweifel hatte man sich das ursprünglich ganz anders vorgestellt. Als Anfang Oktober 1918, unter dem Druck der militärischen Niederlage, endlich jene politischen Kräfte in der Regierung von Max Prinz von Baden an die Macht kamen, die gemeinsam seit 1917 sowohl die überfälligen inneren Reformen als auch den Verständigungsfrieden herbeiführen wollten, also Sozialdemokraten, Linksliberale und Zentrum, die Weimarer Koalition von 1919, gerieten sie – und sie wußten es – in eine wenig beneidenswerte, ja fast aussichtslose Lage. Es war, wie es in der SPD-Führung ausgedrückt wurde, der Eintritt in ein »total bankrottes Unternehmen«, das Kaiserreich[4]. War schon die innere Neufundierung für diejenigen, die das während Zusammenbruch und Novemberrevolution auf sich nahmen, ein politisch halsbrecherisches Unterfangen, so war es die mög-

[4] Quellen zur Geschichte des Parlamentarismus und der politischen Parteien. 1. Reihe, Bd. 3/2: Die Reichstagsfraktion der deutschen Sozialdemokratie 1898–1918. Düsseldorf 1966, S. 419–460.

lichst rasche Beendigung des Krieges erst recht. Die Reform-Koalition wurde, obwohl sie damit nur das tat, was unumgänglich war, von ihren politischen Gegnern mit dem Odium von Chaos, Niederlage und schweren nationalen Einbußen belastet – eine der übelsten und folgenreichsten historischen Ungerechtigkeiten. Um so wichtiger war es, nach dem harten, einer Kapitulation nahekommenden Waffenstillstandsvertrag vom 11. November 1918 so schnell wie irgend möglich zu klaren Verhältnissen mit den Alliierten zu gelangen, den äußeren Druck zu verringern, über Belastungen und Opfer, aber auch über neue außenpolitische Chancen Bescheid zu wissen, die feindliche Blockade zu beenden, Nahrungsmittel- und Rohstoffzufuhren zu erhalten und überhaupt den für Deutschlands Wirtschaft lebensnotwendigen Handel wieder in Gang zu setzen. Das wäre auch innenpolitisch eine bedeutende Entlastung gewesen. Dazu aber bedurfte es eines raschen Friedensschlusses.

Nun waren sich die Verantwortlichen in Deutschland durchaus darüber im klaren, daß bei der Menge und Kompliziertheit der zu regelnden Materien und angesichts der Divergenzen innerhalb der Siegerkoalition die Friedensverhandlungen nicht nach wenigen Wochen begonnen und dann zügig zum Abschluß gebracht werden konnten. Alle Erwartungen richteten sich deshalb auf einen zum klassischen Instrumentarium europäischer Diplomatie gehörenden Präliminarfrieden, in dem zunächst einmal die großen Linien des Friedensschlusses festgelegt werden sollten, bevor man sich danach unter geringerem Druck in die Ausarbeitung der Einzelheiten des endgültigen Friedensvertrages stürzen konnte. Diese Hoffnung schien zunächst auch nach dem, was man von den Alliierten erfuhr, keineswegs unrealistisch zu sein. Aber daraus wurde ja nichts, weil die Verhandlungen der Sieger untereinander sich immer weiter in die Länge zogen. Dies war ein schwerer Rückschlag für die Deutschen, weil die innenpolitischen Voraussetzungen für den Friedensschluß sich laufend verschlechterten, die inneren Auseinandersetzungen zunahmen und die Opposition gegen die Alliierten, gegen harte Bedingungen und gegen konsequente, uneingeschränkte Verständigungsbemühungen wuchs.

Gestaltung und Ablauf der Friedenskonferenz bescherten den Deutschen noch weitere, äußerst unangenehme Überraschungen und Nachteile: Die Isolierung, die knappe Frist zur Entgegnung auf den Friedensvertrags-Entwurf, vor allem anderen aber die Tatsache, daß keine mündlichen Verhandlungen zugestanden wurden. Gerade darauf aber waren all die umfangreichen Friedensvorbereitungen der Deutschen abgestellt, auf intensive Verhandlungen in Kommissionen und Unterkommissionen und auf die überzeugenden Argumente und das geschickte Taktieren in Einzelfragen, wobei dann auch Meinungsverschiedenheiten zwischen den Siegern zu erwarten waren. Alle wichtigen Fragen sollten also in direkter Aussprache mit den gegnerischen Hauptmächten während der Friedenskonferenz geregelt werden; auch deshalb hatte Brockdorff-Rantzau vorher jede Erörterung und Abmachung mit einzelnen Großmächten abgelehnt. In diesem Vorstadium hätten Sonderverhandlungen dieser Art seiner Ansicht nach nur Mißtrauen erweckt und das Reich dem Vorwurf ausgesetzt, die Alliierten spalten zu wollen. Das war natürlich viel eleganter zu bewerkstelligen im Verlaufe der Friedensverhandlungen mit allen Beteiligten zugleich. Diese Vorstellung ähnelte der Rolle, die Talleyrand auf dem Wiener Kongreß 1814/15 spielte, selbstverständlich in moderner Abwandlung, etwa in der von Brockdorff-Rantzau als besonders wichtig angesehenen Mobilisierung der öffentlichen Meinung in der Welt oder der Stilisierung Deutschlands als Vorkämpfer der fortschrittlichsten Ideen internationaler Ordnung – eine wundersame, plötzliche Wandlung, die Wandlung des Saulus zum Paulus als deutsches Massenphänomen.

Schließlich stellte sich noch ein mehr indirekter Nachteil des von den Siegermächten gewählten Konferenz-Verfahrens für die Deutschen heraus. Basis der gesamten deutschen Friedensstrategie war das gemäßigte, auf eine neue internationale Ordnung der Gerechtigkeit, des friedlichen Interessenausgleichs und der ungehinderten weltwirtschaftlichen Entfaltung ausgerichtete Friedensprogramm des amerikanischen Präsidenten Wilson, besonders die berühmten Vierzehn Punkte vom 8. Januar 1918. Dieses Programm gegenüber den weitergehenden Forderungen der Alliierten als Basis des Friedensvertrags verbindlich zu machen, war die dezidierte Absicht der Reichsleitung, als sie sich am 3. Oktober 1918 mit ihrem Waffenstillstandsgesuch an Wilson wandte und nicht an die Siegerkoalition insgesamt. Es blieb der einzige wichtige Erfolg der deutschen Diplomatie 1918/19, daß die Vierzehn Punkte als Voraussetzung des Waffenstillstands und Grundlage des Friedensvertrages anerkannt und dies in der Note des amerikanischen Außenministers Lansing vom 5. November 1918 den Deutschen mitgeteilt wurde – mit zwei Änderungen, einer Ausweitung der Reparationsprinzipien und einer Einschränkung hinsichtlich der »Freiheit der Meere«. Daß auch Wilsons Friedensprogramm dem Reich bittere territoriale und finanzielle Opfer abverlangte, war offensichtlich. Jedoch breitete sich in der langen Zeit des Wartens in Deutschland die Hoffnung, ja bei der Führung die fast verbohrte Absicht aus, die Vierzehn Punkte in der für Deutschland günstigsten Auslegung durchzusetzen, eine angesichts der Machtverhältnisse ganz unrealistische Haltung. Um aber die deutschen Auffassungen ausführlich zu entwickeln und gerade den Amerikanern klarzumachen, wie sehr der Erfolg einer neuen internationalen Ordnung bei den Deutschen vom unerschütterten Vertrauen in die Politik Wilsons und die richtige Anwendung der Vierzehn Punkte abhing, waren mündliche Verhandlungen für die Friedensdelegation unentbehrlich. Die Reichsregierung hatte sich selber in Zugzwang gesetzt, nachdem sie immer wieder verkündet und die Öffentlichkeit entsprechend bearbeitet hatte, daß nur ein »Wilson-Frieden« unterzeichnet werden könne.

Aus allen Voraussetzungen ergab sich obendrein, daß Deutschland weder als gleichwertig noch als gleichberechtigt anerkannt wurde. Das traf das stark entwickelte nationale Ehrgefühl und das Großmachtbewußtsein tief. Überempfindlichkeit und eine leicht reizbare, leicht zu kränkende Auffassung von nationaler Ehre gehörten zu den Schwächen vor allem Brockdorff-Rantzaus. Das machte seine Reaktion auf den feierlichen Akt der Überreichung des Friedensvertragsentwurfs heikel.

Am Nachmittag des 7. Mai 1919 versammelten sich die Vertreter der alliierten und assoziierten Regierungen im Hotel Trianon-Palace. Dann wurden die Deutschen hereingeführt. Es war der einzige Tag der Begegnung zwischen den wichtigsten Kontrahenten des Ersten Weltkriegs nach über vier Jahren schrecklichen Kampfes und furchtbarer Opfer, Verwüstung und Not. Die Zusammenkunft sollte sich beschränken auf die Aushändigung des Vertragsentwurfes, Erläuterungen zum weiteren Verfahren und kurze Stellungnahmen. Es lag eine gewisse Nervosität über den Versammelten, die sich anschickten, einen welthistorisch bedeutsamen Akt zu gestalten, bewußt nahe dem Ort, wo am 18. Januar 1871 im vollen Triumph über das besiegte Frankreich das deutsche Kaiserreich proklamiert worden war, das sich bald zur überragenden Macht im Herzen Europas entwickelte. Weit weniger eindrucksvoll gelang den Deutschen nach der Meinung der übrigen Beteiligten ihr Auftritt in der bittersten Stunde ihrer Niederlage. Dabei war die Aufgabe einer wirkungsvollen Erwiderung etwas leichter geworden nach der Rede des leidenschaftlichen und unerschütterlichen Kämpfers Clemenceau, des französischen Ministerpräsidenten, der für die Sieger sprach und sich doch einige Blößen gab. »Die Stunde der Abrechnung ist gekommen«[5], auf solche und ähnliche Formulierungen hätte sich eine beherrschte, nüchtern-distanzierende, die deutsche Delegation in ein günstigeres Licht rückende Antwort denken lassen. Aber Brockdorff-Rantzau entschied sich für eine Entgegnung[6], die die maßlose Enttäuschung und Verletztheit, die angestaute Empörung, die unverwundene Niederlage, den Willen, zurückzuschlagen und die Sieger vor der Weltöffentlichkeit ob ihres Verhaltens anzuklagen und zu verurteilen, zum Ausdruck brachte.

Der Eindruck war verheerend, die Kritik an der Rede allgemein. Die Rede war insgesamt merkwürdig, begann pathetisch, über die »erhebende Aufgabe«, Frieden zu schaffen, über die deutsche Ohnmacht, über »die Wucht des Hasses, die uns hier entgegentritt, und wir haben die leidenschaftliche Forderung gehört, daß die Sieger uns zugleich als Überwundene zahlen lassen und als Schuldige bestrafen wollen. [...] Wir sind fern davon, jede Verantwortung dafür, daß es zu diesem Weltkriege kam und daß er so geführt wurde, von Deutschland abzuwälzen [...] aber wir bestreiten nachdrücklich, daß Deutschland, dessen Volk überzeugt war, einen Verteidigungskrieg zu führen, allein mit der Schuld belastet ist.« Mit Hingabe widmete sich der Außenminister den moralischen Aspekten, als gehe es nur darum, Beschuldigungen von Deutschland abzuwenden und unabänderlich den Anspruch festzulegen auf einen Frieden der Gerechtigkeit auf Grund verbindlicher Abmachungen und entsprechend dem Wilsonschen Friedensprogramm. Etwas anderes könne nicht unterzeichnet werden und »würde immer neue Widerstände gegen sich aufrufen«. Zum praktischen Verfahren schlug Brockdorff-Rantzau Verhandlungen von Expertenkommissionen über die Hauptpunkte des Vertragsentwurfes vor. Im übrigen stand die Entschädigungspflicht im Vordergrund. Die

[5] Materialien, betreffend die Friedensverhandlungen. Teil I, Berlin, Reichsdruckerei, 1919, S. 13.
[6] Ebd., S. 15–17.

Ausführungen gipfelten in der Warnung vor dem deutschen Zusammenbruch und in der Hoffnung auf einen wahren Völkerbund.

Es war eine innenpolitische Rede. Sie zielte auf die emotionale Einigung der Nation und die Aufrüttelung der öffentlichen Meinung. In Deutschland wurde sie meistens als nationale Tat, als befreiende Vergeltung nationaler Erniedrigung empfunden, noch nach Jahrzehnten. Ausschmückende Legenden bemächtigten sich der Szene, von der Art wie der deutsche Außenminister seine schwarzen Handschuhe auf dem hell eingebundenen Vertragsentwurf drapierte bis zu der vielfach kommentierten, aufsehenerregenden Tatsache, daß er während seiner Ausführungen sitzen blieb. Diese Ungehörigkeit empfanden viele Deutsche als nationale Demonstration, die Sieger als peinliche Entgleisung und Provokation, zumindest aber als schwer begreifliche Unangemessenheit.

Immerhin, es gab auch Deutsche, die der nationalen Begeisterung ihrer Landsleute über das Verhalten Brockdorff-Rantzaus nicht zu folgen vermochten – auch in der Delegation. Max Warburg, der bekannte Hamburger Bankier und eine der einflußreichen Persönlichkeiten bei der Vorbereitung der Friedensverhandlungen wie in der Delegation als Finanz- und Wirtschaftsexperte, schrieb später darüber: »Die Erinnerung an diesen Tag bedrückt mich noch heute. Während Clemenceau seine Rede im Stehen hielt, blieb Graf Brockdorff-Rantzau während seiner Antwort sitzen. Das hat sich als ein böser faux pas erwiesen. Wie es dazu gekommen ist, wurde nie wirklich klargestellt; vielleicht sind Melchior [Warburgs Kompagnon, einer der sechs deutschen Hauptdelegierten] und ich die einzigen Beteiligten, die eine Lösung dieses Rätsels gar nicht erst zu suchen hatten. Brockdorff-Rantzau war durch das endlose Warten und die über alle Maßen demütigende Behandlung, aber auch durch die Unmöglichkeit einer Aussprache mit den Gegnern, so tief empört, daß er sich, in geradezu kindischer Weise, vorgenommen hatte, Gleiches mit Gleichem zu vergelten. Er hat sich darüber mit Melchior und mir beraten: sollte er beim Verlesen seiner Rede sitzen bleiben oder nicht? Wir haben ihm dringend abgeraten: es gebe ein Minimum an Form, das unbedingt zu wahren sei. Aber er blieb für den Rat unzugänglich. Sein Benehmen hat die allerschärfste Kritik geerntet.« Daß Brockdorff-Rantzau unter den vorbereiteten Redetexten den schärfsten gewählt hatte, stieß ebenfalls bei einigen auf Kritik.

Aber nun begann für die umfangreiche Delegation die eigentliche Arbeit in dem hermetisch abgeriegelten Hotel des Réservoirs in Versailles. »Der Tanz beginnt und, wie bei allen Anfängern, tritt man sich zunächst auf die Füße«, schrieb Warburg an seine Frau nach der Ankunft. Später notierte er: »Mit der Zeit bemerkten wir freilich, daß in unseren Zimmern Abhörapparate angebracht waren; das störte unsere Gespräche. Bald mußten wir auch feststellen, daß sich unter der Bedienung Spione befanden. Das hatte nun allerdings auch seine Vorteile: wollten wir etwa der Presse oder der Regierung etwas zur Kenntnis bringen, so brauchten wir es nur zu notieren und die Zettel auf unseren Tischen herumliegen zu lassen. Diese Art der Übermittlung funktionierte rasch und sicher.«

Am 27. April war die Delegation eingetroffen; das Warten hatte an den Nerven gezerrt. Die meisten hatten sich aber trotzdem noch Hoffnungen auf ein gewisses Entgegenkommen der Sieger gemacht, nun folgte die Desillusionierung: »In der Nacht vom 7. zum 8. Mai und während des ganzen Tages studierten wir die Bedingungen. Unsere vollkommene Niedergeschlagenheit über die darin enthaltenen Zumutungen läßt sich überhaupt nicht schildern.«[7]

Dem Kabinett ging es ähnlich. Reichspräsident Ebert ersuchte die Minister, »trotz der Erregung, die alle [...] durchzittert«, um ruhige Prüfung der Bedingungen.[8] »In der folgenden Aussprache geben sämtliche Mitglieder des Kabinetts ihrer Ansicht Ausdruck, daß die Bedingungen die schlimmsten Erwartungen weit übertroffen haben, daß sie für Deutschland nicht nur psychisch, sondern auch wirtschaftlich unerträglich seien, daß sie niemals die Grundlage für einen Völkerfrieden von Dauer bilden könnten und daß infolge der territorialen und wirtschaftlichen Knebelung die auferlegten wirtschaftlichen Verpflichtungen vollständig unerfüllbar seien.«

Die Fachkommissionen der Delegation für politische Fragen, Finanzfragen, Rechtsfragen etc., meist unter der Leitung eines höheren Beamten des Auswärtigen Amts, analysierten nun die Bedingungen, erörterten die Ergebnisse, formulierten Entwürfe für die große Denkschrift der Gegenvorschläge. Parallel dazu arbeitete zu Hause die Geschäftsstelle für die Friedensverhand-

[7] Alle Zitate: Max Warburg, Aus meinen Aufzeichnungen. New York 1952 [Privatdruck], S. 78.

[8] Akten der Reichskanzlei. Weimarer Republik. Das Kabinett Scheidemann. Boppard 1971, S. 303.

lungen mit dem angeschlossenen großen Kreis von Experten und Interessenvertretern für alle nur denkbaren Fragen, ebenfalls in Fachausschüsse gegliedert, und das Reichskabinett beschäftigte sich ausgiebig mit den Friedensproblemen. Dabei dominierten sowohl in der Auswahl der Sachverständigen als auch in den erörterten Themen die wirtschaftlichen Fragen. Sie wirkten sich unmittelbar aus, brannten auf den Nägeln und waren von existentiellem Interesse für die deutsche Wirtschaft auch insofern, als bei der inneren Auseinandersetzung um die Wirtschaftsordnung die Zukunft des kapitalistischen Unternehmertums auf dem Spiele stand und die außenpolitischen und außenwirtschaftlichen Rahmenbedingungen hierfür zum Teil vollendete Tatsachen zu schaffen vermochten. Schon die Formulierung der Richtlinien für die Friedensunterhändler in Handels-, Finanz- und Reparationsfragen stellte eine gewisse Vorentscheidung dar, und Bankiers und Industrielle konnten den liberalen Grundzug als einen wichtigen Erfolg buchen, ebenso die Tatsache, daß sie von Anfang an als Sachverständige gewichtigen Einfluß auf die deutsche Friedensvorbereitung zu nehmen vermochten. Vor allem aber ging es um Höhe und Zahlungsmodus der Reparationen; von ihnen hing die weitere wirtschaftliche Bewegungsfreiheit des Reiches und der Kampf um die Verteilung der Lasten ab.

Diese deutsche Organisation für die Friedensverhandlungen funktionierte aber keineswegs reibungslos. Das Kabinett hatte sich die Entscheidung über wesentliche Schritte der Delegation vorbehalten. Dies war bei einer so eigenwilligen und kapriziösen Persönlichkeit wie Brockdorff-Rantzau eine schwierige Sache, auch wenn man auf seine Forderungen hin der Delegation im Rahmen der Richtlinien sonst freie Hand ließ. Hinzu kam die sich immer mehr verschärfende Spannung zwischen dem Außenminister und Matthias Erzberger vom Zentrum, dem herausragenden deutschen Politiker in der Frühphase der Weimarer Republik. Erzberger war als Reichsminister ohne Portefeuille schon seit seiner Tätigkeit als Leiter der deutschen Waffenstillstands-Kommission federführend für Fragen des Wiederaufbaus der zerstörten Gebiete in Nordfrankreich und Belgien, so daß in der Reparationsfrage eine gespaltene Zuständigkeit herrschte. Daher verdichteten und verschoben sich gewisse Meinungsunterschiede im Koalitionskabinett zur Spannung zwischen Brockdorff-Rantzau und seinen Kabinettskollegen, wobei Scheidemann Führungsqualitäten vermissen ließ.

Die Spannungen zeigten sich schon in der wichtigen Frage, in welcher Form man auf den gegnerischen Entwurf eingehen sollte. Vorrang mußte das Ziel haben, doch noch in irgendeiner Form, und sei es auf untergeordneter Ebene in kleinen Kommissionen über einzelne Punkte, mündliche Verhandlungen zu erreichen. Auf schriftlichem Wege allein schien es der Delegation sehr schwer möglich zu sein, ins Gewicht fallende Änderungen des Vertragsentwurfs bei den Alliierten durchzusetzen. Infolgedessen lief die Entwicklung, falls mündliche Verhandlungen nicht zustande kamen, sehr rasch auf eine jedem Diplomaten oder Außenpolitiker schreckliche, weil seine eigentliche Aufgabe verfehlende Ausweglosigkeit hinaus: wenn sich nämlich alles verengte auf die einzige Alternative »Ja oder Nein«, in diesem Falle: Unterzeichnung des – wenig veränderten – Friedensvertrags oder nicht. Wie immer eine solche Entscheidung ausfiel, die Konsequenzen wogen ganz außerordentlich schwer. Unterzeichnete die Reichsregierung, dann bedeutete dies eine ungeheure Belastung der jungen Republik, nicht nur in den Augen ihrer zahlreichen Gegner. Alle möglichen Nöte und Fehlentwicklungen konnten später auf diesen Friedensvertrag zurückgeführt und die Schuld daran den innenpolitischen Veränderungen, den republikanischen Parteien, den verantwortlichen demokratischen Politikern zugeschoben werden. Und denen war das von Anfang an durchaus bewußt. Lehnte man die Unterzeichnung ab, mußte sie die Verantwortung für ganz unvorhersehbare Entwicklungen, Einmarsch alliierter Truppen, verschärfte Blockade, Aufruhr, Chaos und Not, schließlich möglicherweise den Zerfall des Reiches verantworten. Unter dem Druck dieser sich zuspitzenden Situation standen die Delegierten seit dem 7. Mai; denn sie verfehlten ihren eigentlichen Zweck, wenn es zu dieser Entscheidung ohne ausgehandelte wesentliche Veränderungen der Friedensbedingungen kam. Eine Konferenzdelegation ist schließlich zum Verhandeln da.

Auch diese ganze Problematik war den Verantwortlichen schon lange vorher bewußt. Obwohl man stets dagegen anredete, hatten Einsichtige schon vor dem Waffenstillstand Zweifel, ob wirkliche Erörterungen der Friedensprobleme zu erwarten seien und nicht ein Diktat drohe, Bedenken, die etwa in den entsprechenden Sitzungen der sozialdemokratischen Führungsgremien im September und Oktober 1918 wegen des Eintritts in die Regierung des Prinzen Max zur Sprache kamen. Brockdorff-Rantzau hatte ähnliche Befürchtungen im Frühjahr 1919 geäußert. Der Leiter der deutschen Friedensvorbereitungen, Botschafter Graf Bernstorff, zog daraus bei verschiedenen Gelegenheiten Konsequenzen und schlug vor, er werde nur mit einem Geheimrat nach Paris fahren und die Bedingungen abholen. Aus der englischen Presse wurde Mitte März 1919 bekannt, daß über den Friedensvertragsentwurf nicht debattiert werde, und schließlich war dann die unbedachte Einladungsnote an die Deutschen vom 18. April 1919 (»um den von den alliierten und assoziierten Mächten festgesetzten Text [...] in Empfang zu nehmen«) in einem Ton abgefaßt, der dies zu bestätigen schien und Brockdorff-Rantzau zunächst zu einer wirkungsvollen Antwort im Sinne der Bernstorffschen Äußerungen veranlaßte[9]. Er zählte die Namen eines Gesandten sowie zweier Legationsräte und ihrer Begleitung, je zwei Bürobeamte und Kanzleidiener, auf, die den Text in Empfang nehmen und der Reichsregierung überbringen sollten. Die Alliierten korrigierten sich schleunigst[10] und forderten eine Delegation, die gleich den übrigen bevollmächtigt sei, »die Gesamtheit der Friedensfragen zu verhandeln«. Die ursprüngliche Formulierung hätte den Deutschen überhaupt keine Möglichkeit geboten, auf irgendwelchen Verhandlungen zu bestehen, nicht einmal schriftlichen.

Erwägungen, den Entwurf nur nach Hause zu bringen, blieben gerade nach dem 7. Mai lebendig. Plastisch schrieb Warburg zwei Tage später an seine Frau[11] (und seine Äußerungen lassen sich aus den amtlichen Akten bestätigen): »Also, abgefunden haben wir uns noch nicht mit unserem Schicksal. Das eine nur ist sicher, *den* Frieden können wir *ernsthaft nie* zeichnen. Gestern abend Sitzung, in der allgemeine Aussprache war, es war recht belehrend, alle waren natürlich tief beeindruckt; es ist die nächste Frage, ob wir sofort abreisen und dann wiederkommen oder bleiben oder nie wiederkommen. Hängt natürlich auch von Berlin ab, wo entsetzliche Bestürzung herrscht. Man darf aber seine Nerven nicht verlieren!«

Dies ist ein wichtiger Punkt. Die Alternativen waren klar herausgestellt: abreisen oder trotz ungünstiger Voraussetzungen das Mögliche versuchen. Die Abreise allerdings verbot sich, weil sie einen zu großen Affront der Alliierten bedeutet und die Stimmung gegenüber Deutschland noch mehr verschlechtert

[9] Materialien, betreffend die Friedensverhandlungen. Teil I, S. 8f.
[10] Ebd., S. 10.
[11] Warburg, Aufzeichnungen, S. 79.

hätte. Das Kabinett[12] war sich ebenso wie die Delegation darin einig, »daß es sich nicht empfiehlt, die Verhandlungen mit einem ›unannehmbar‹ sofort abzubrechen, daß vielmehr die Frage der Annahme oder Ablehnung vorläufig zurückzustellen und mit aller Energie die Verhandlung aufzunehmen ist«. Das Ziel blieb, mündlich zu verhandeln, oder wenigstens, wenn sich das nach wie vor als vergeblich erwies, durch schriftliche Darlegung Eindruck zu machen – auch in der Öffentlichkeit – und jede nur mögliche Erleichterung herauszuholen. Aber als wirklich wichtig und als Erfolg betrachtete man nur den Übergang zu Verhandlungen, die diesen Namen verdienten. Insofern war dann der nach eingehenden Beratungen gefaßte Entschluß Brockdorff-Rantzaus folgerichtig und sinnvoll, die Alliierten mit einer Flut von Noten zu allen möglichen Einzelfragen zu überschütten, wann immer eine Stellungnahme zur Übermittlung fertig und der Zeitpunkt taktisch angebracht war, und nicht nur eine umfassende Stellungnahme zu erarbeiten. Das geschah außerdem.

Nun kann man geteilter Meinung darüber sein, ob nicht völliges Schweigen der deutschen Delegation bis zur Übergabe der deutschen Gegenvorschläge bei Ablauf der gesetzten Frist noch wirksamer gewesen wäre, um die wartenden Vertreter der Siegermächte nervös zu machen, so daß sie von sich aus inoffiziell und geheim Fühler ausstreckten. Aber das läßt sich nicht entscheiden. Aus ganz anderen Gründen war das Kabinett wenig erbaut über diese Vorgehensweise, denn es verlor Kontrolle und Übersicht dabei. Einen derartigen Effekt wollte man allerdings gerade bei den Alliierten hervorrufen. Sie sollten mit den unterschiedlichsten Materien beschäftigt und sozusagen mit den eigenen Waffen geschlagen werden, indem die Deutschen zu ausgesuchten Fragen gute Gegenargumente präsentierten, die im Einzelfall einleuchtend schienen, Diskussionen hervorriefen und vor allem die Grundgedanken und den inneren Zusammenhang des gesamten Vertragswerks auf diese Weise in Zweifel stellen sollten. Außerdem wollte man die Öffentlichkeit in den alliierten Ländern beeinflussen und publizierte die Noten gleich. Daraufhin mußten die Alliierten wohl oder übel ebenfalls mehr Öffentlichkeit praktizieren. Im 19. Jahrhundert wäre derartiges kaum denkbar gewesen; hier kamen moderne Techniken der Außenpolitik zum Zuge.

[12] Akten der Reichskanzlei, Kabinett Scheidemann, S. 303.

Darin lag natürlich auch eine Gefahr. Manche der deutschen Noten waren übertrieben formuliert und wohl mehr auf öffentliche Wirkung berechnet. Auf diese Weise verfehlten sie aber ihren Eindruck auf die Alliierten, und die waren weitaus wichtiger. Die Öffentlichkeit zu mobilisieren, war eine Fehlkalkulation. Es war auch wenig sinnvoll, die Grundsätze des Vertragsentwurfs anzugreifen, was Brockdorff-Rantzau, aber auch andere Delegierte und das Kabinett gerne taten. Hier konnten die Alliierten nicht nachgeben und schon gar nicht Wilson, weswegen es besonders apart war, daß man ihm vormachte – ganz deutlich in den deutschen Gegenvorschlägen –, daß ein Vertrag in dieser Form nichts mehr mit den Vierzehn Punkten zu tun habe und wie ein »Wilson-Frieden« wirklich aussehen müsse. Dies war typisch für eine gewisse Rechthaberei, für Reaktionen aus einer gefühlsmäßigen Betroffenheit im Hinblick auf die nationale Ehre und für die Neigung zu pathetischen Appellen und volltönenden Deklamationen. Auch das Wiederaufgreifen des Einzelproblems der Kriegsschuldfrage zielte in die Richtung der Anfechtung von Grundsätzen. Daß die Reichsregierung sich auf diesem nun wirklich sehr ungünstigen Pflaster derart weit vorwagte, hatte verschiedene Gründe. Zum einen kam sie schon im November 1918 zu der Überzeugung, daß die Verantwortung des Reiches für den Krieg und damit für die Kriegsschäden den Alliierten zur Ausweitung der Reparationsverpflichtungen über die Lansing-Note vom 5. November 1918 hinaus dienen sollte. Mit dieser Annahme hatte sie ja gar nicht so unrecht. Zum andern ging es grundsätzlich um das Selbstgefühl und den guten Ruf der Deutschen. Das war der Anfang der deutschen Bemühungen, gegen die »Kriegsschuldlüge« zu Felde zu ziehen. Die erste deutsche Note in dieser Angelegenheit, vom 28. November 1918, forderte selbstverständlich die Feststellung der Alliierten geradezu heraus, daß die Verantwortung Deutschlands für den Krieg seit langem feststehe[13]. Das wollte die Delegation nun in Versailles nicht auf sich beruhen lassen. So stand es ja auch in den Richtlinien. Ziemlich früh im Verlauf des Notenkriegs, am 13. Mai 1919, legten die Deutschen Verwahrung dagegen ein, daß die Reparationsfestlegung abgeleitet werde von der Kriegsschuld statt von der – völkerrechtlich verbindlichen – Aussage der Lansing-Note, der Vorwaffenstill-

[13] Darüber in größerem Zusammenhang: Peter Krüger, Deutschland und die Reparationen 1918/19. Stuttgart 1973, S. 41–51.

stands-Vereinbarung also[14]. Dem Kabinett wurde angesichts des forschen Vorgehens der Delegation in der Kriegsschuldfrage unbehaglich zumute und es fand die Note provozierend[15]. Trotz der Meinungsverschiedenheiten fuhr die Delegation damit fort; es schien ein zugkräftiges Thema zu sein, um die öffentliche Meinung von den zweifelhaften Grundlagen der alliierten Friedensbedingungen zu überzeugen, auf diese Weise die Geschlossenheit der Nation in der Empörung über die moralische Verurteilung zu stärken und diese Stimmung dann gegen eine Unterzeichnung des Friedensvertrags zu lenken.

Die alliierte Antwort vom 20. Mai bestand natürlich in einer Zurückweisung der deutschen Thesen[16]. Immerhin war dies ein bedeutsamer Moment. Der Text spricht nur von der Verantwortlichkeit für Schäden und erweist sich als, obgleich ziemlich spitzfindige, Deduktion aus der Lansing-Note. Da hätte man einhaken und die Wiederherstellung von Sinn und Wortlaut dieser Note im Friedensvertrag verlangen können. Insofern bot der Text vom 20. Mai bei großzügiger und leidenschaftsloser Prüfung den Deutschen eine ganz schmale Brücke, den Abgrund der Kriegsschuldfrage unter Zurücklassung einigen ideologischen Gepäcks im letzten Augenblick zu überqueren und hinter sich zu lassen. Die Kriegsschuldfrage hat während der Weimarer Republik immer wieder zur nationalistischen Uneinsichtigkeit, Demagogie und Verbohrtheit, zu diplomatischen Schwierigkeiten und Sackgassen beigetragen und auch dazu, daß die inneren Versehrungen der Menschen, die aus dem Weltkrieg kamen, so schwer heilten. Aber die deutsche Einstellung änderte sich nicht. Bis in die Gegenvorschläge vom 29. Mai wurde sie zum Ausdruck gebracht, und in der alliierten Antwort, dem Ultimatum zur Annahme des Friedensvertrags vom 16. Juni, erfolgte dann die zu erwartende Erwiderung, unklug und überzogen auch sie, aber provoziert von einer Reihe offizieller Äußerungen und Denkschriften der deutschen Delegation. Nun war die Kluft unüberbrückbar geworden und die deutsche Kriegsschuld in aller Schärfe ausgesprochen worden. Der ganze Vorgang widersprach allen Grundsätzen der klassischen, damals in der »fortschrittlichen« Öffentlichkeit und besonders von den Amerikanern so hart verurteilten europäischen

[14] Materialien, betreffend die Friedensverhandlungen. Teil I, S. 27.
[15] Akten der Reichskanzlei, Kabinett Scheidemann, S. 323.
[16] Materialien, betreffend die Friedensverhandlungen. Teil I, S. 41.

Diplomatie. Sie hatte solche Fragen ausgeschaltet, und die alten Friedensverträge enthielten die wichtige Klausel des Vergessens, die Oblivionsklausel, die einen deutlichen Schlußstrich unter den Krieg, seine Urspünge, seine Entwicklung und die Gegensätze, die er aufriß, zog. Das alles sollte zurückbleiben. Doch 1918/19 ereignete sich der Einbruch des moralisierenden Denkens in die internationale Politik und machte selbst im formalen, vertraglich geregelten Sinne – faktisch wirkten auch früher die Wunden und die Ressentiments der großen Kriege nach – das Vergessen fast aussichtslos. Allerdings veränderten sich auch Art und Intensität des Krieges grundlegend, eine Entwicklung, die erst in dem furchtbaren Höhepunkt hemmungslosen Vernichtungswillens und schrecklichster Massenverbrechen im Zweiten Weltkrieg offensichtlich wurde. Unter diesen völlig anderen, alle Maße sprengenden Voraussetzungen, als sie etwa im 18. oder auch noch im 19. Jahrhundert vorherrschten, kann »Vergessen« auch in den internationalen Regelungen keine wohltätige Wirkung mehr haben, vermag ganz im Gegenteil nur das Nicht-Vergessen, die dauernde Bewahrung der Erinnerung an jene völlige Rechtlosigkeit und Verworfenheit die Basis einer neuen internationalen Rechtsordnung abzugeben.

Man befand sich also damals in einer Situation des Übergangs. Aber von der Ausgangslage, dem Bewußtsein und dem gesamten Verlauf her war der Erste von Grund auf verschieden vom Zweiten Weltkrieg. Unter den gegebenen Umständen war das Aufgreifen der Verantwortung für den Krieg ein schwerer Fehler – von beiden Seiten. So notwendig eine Auseinandersetzung war, besonders für die einen wirklichen politischen Neuanfang erst ermöglichende Selbstkritik der Deutschen, der Friedensvertrag war der falsche Ort dafür.

Es gehörte zur Widersprüchlichkeit der Vorgehensweise, der Friedensvorstellungen und der in der deutschen Delegation vertretenen Persönlichkeiten, daß neben den lauten Äußerungen deklamatorischer, pathetischer oder anklagender Art auch Zeugnisse von Wirklichkeitssinn und Pragmatismus standen. Im Grunde genommen gilt für alle in Versailles auftretenden Phänomene, für diesen realistischen Zug aber in besonderem Maße, daß sich dort außenpolitische Vorstellungen und Verhaltensweisen konzentrierten, die in der einen oder anderen Form in der gesamten Weimarer Zeit von Bedeutung waren. Eine davon war der Gedanke nüchterner, auf gemeinsamen Interessen beruhender Zusammenarbeit mit Frankreich. In den vielfältigen Verzweigungen der Reparationsfrage, die immer dominierender in der Arbeit der Delegation wurde, ergab sich ein Ansatzpunkt auf dem Gebiete der Schwerindustrie. Die Franzosen legten u.a. aus Gründen der Entschädigung für die zerstörten Kohlengruben in Nordostfrankreich Wert auf die zeitweise – und anfangs in der stillen Hoffnung auf endgültige – Abtretung des Saargebietes. Die Gefahr der Entfremdung des Saargebietes ließ die Deutschen nach Ersatzlösungen suchen.

Als einen der Wege, mangels ausreichender barer Mittel und Devisenmengen Reparationen zu zahlen, faßten die Deutschen eine Beteiligung der Siegermächte an der deutschen Industrie, besonders der Schwerindustrie, ins Auge. Damit folgte man auch praktischen Gesichtspunkten, nämlich der traditionellen Verbindung von Kohle und Eisen, die angesichts der Abtretung Lothringens mit seinen bedeutenden Minette-Vorkommen an Frankreich erhöhte Bedeutung gewann. Hugo Stinnes, einer der einflußreichsten Schwerindustriellen des Ruhrgebietes, der übrigens wegen seiner politischen Haltung und seiner expansiven Vorstellungen während des Krieges von der Reichsregierung als Experte in der deutschen Delegation zurückgewiesen worden war, hatte zwar schon im Januar 1919 erklärt, daß Frankreich auf deutsche Kohle und Koks angewiesen sei, Deutschland jedoch in weit geringerem Maße auf die französischen Erze; dies wurde bald nach Friedensschluß der Ausgangspunkt eines jahrelangen außenwirtschaftlich und schwerindustriell geprägten Machtkampfes zwischen Deutschland und Frankreich, der trotz der französischen Ruhrinvasion nicht zugunsten Frankreichs ausging. Aber im Mai 1919 war die Lage noch unklar, und die Hoffnung auf irgendein wirtschaftliches Arrangement mit den Alliierten, auf das die Deutschen bei ihren Friedensvorbereitungen so stark gesetzt hatten, schien noch nicht ganz aussichtslos zu sein.

Außerdem ließ eine weitere Entwicklung gewisse Hoffnungen aufkommen, als sich die erste – und einzige – tatsächliche Chance für mündliche Verhandlungen abzeichnete. Der frankophile Chefredakteur der linksliberalen »Vossischen Zeitung«, Redlich, der sich mit der Delegation in Versailles aufhielt, hatte schon vor der Übergabe des Friedensvertragsentwurfs einen Kontakt zum französischen Attaché beim Sekretariat der Friedenskonferenz, Massigli, hergestellt. Man gelangte hier erneut an einen entscheidenden Punkt. Denn Massigli erklärte, die Saarfrage sei die wichtigste praktische Frage zwischen Deutschland und Frankreich (gemeint war: unter dem damaligen Stand der Erörterung des künftigen Friedensvertrags). Wenn also eine Änderung der das Saargebiet betreffenden Regelungen ins Auge gefaßt werden sollte, müßte Deutschland weitgehende Ersatzvorschläge machen. »Hier müsse man«, so erläuterte er dem Generalkommissar der deutschen Delegation, Simons[17], »versuchen, der französischen Volkswirtschaft die nötige Sicherheit für den Ersatz der verlorenen Kohlenförderung ihres nordfranzösischen Kohlengrubenreviers dadurch zu geben, daß man die französischen und deutschen Interessenten gegenseitig an den bergmännischen und industriellen Unternehmungen der in Frage stehenden Gebiete beteilige.«

Das Ergebnis war am 16. Mai eine der interessantesten deutschen Noten[18], begleitet von einem Sachverständigengutachten. Das Angebot umfaßte zusätzliche Kohlenlieferungen und eine Art Option Frankreichs und seiner ebenfalls in Frage kommenden Bundesgenossen Belgien und Italien auf den Überschuß der gesamten deutschen Kohlenproduktion, soweit sie über dem Inlandsbedarf liege. Als Ausgleich für die Schäden an den französischen Kohlengruben boten die Deutschen – und das war mit den Industriellen abgesprochen – eine Beteiligung der geschädigten Unternehmen an denjenigen deutschen Unternehmen an, die nach Frankreich liefern sollten. Bei genauerem Hinsehen waren hier selbstverständlich Sicherungen eingebaut – sowohl gegen eine Überforderung der deutschen Kohlenproduktion als auch gegen zu großen französischen Einfluß bei deutschen Unternehmen. Trotzdem handelte es sich um ein Angebot, das Hand und Fuß hatte, ein Ansatz zu geschäftsmäßigem Aushandeln wechselseitiger Interessen. Es kam aber nichts dabei heraus. In weiteren Gesprächen mußte Massigli mitteilen, daß Frankreich plötzlich kein Interesse mehr an dem Grundgedanken dieser Lösung hatte. Andeutungen verwiesen auf das Mißtrauen der Engländer als Ursache.

Bedeutsam und zutreffend für die spätere Entwicklung war die Beurteilung des Elektro-Industriellen Friedrich Carl von Siemens – und daraus wird zugleich deutlich, daß es für die Deutschen um wesentlich mehr als eine wechselseitige schwerindustrielle Verflechtung ging, auf lange Sicht auch um mehr als darum, das Interesse Frankreichs an dem wirtschaftlichen

[17] Krüger, Deutschland und die Reparationen, S. 177.

[18] Materialien, betreffend die Friedensverhandlungen. Teil I, S. 35–37.

Wohlergehen Deutschlands zu sichern. Siemens betonte in einer Besprechung im Reichswirtschaftsministerium am 24. Mai[19], Frankreich sei wirtschaftlich sehr bedroht und brauche die deutsche Industrie, außerdem brauche es rasch zusätzliche Einkünfte. Nur bei Frankreich könne ein wirkliches Interesse an einer blühenden deutschen Industrie vorausgesetzt werden. Aus all diesen Gründen solle man den Franzosen deutsche Industriewerke als Kompensation für territoriale Forderungen anbieten. Nur hielt Siemens eine Fühlungnahme einzelner deutscher Industrie-Branchen mit den entsprechenden französischen noch für verfrüht. Grundsätzlich aber war dies die Linie, der auch Stresemann später folgte, wirtschaftliche Vorteile für die Revision bestimmter Friedensvertragsregelungen anzubieten.

Ein anderes wichtiges Thema, dem auch weiterhin während wichtiger Verhandlungen und Konferenzen mit einiger Zuverlässigkeit ein Spitzenplatz auf jeder Problemliste vorausgesagt werden konnte, waren die Meinungsverschiedenheiten, Mißverständnisse, Spannungen mit der lieben Heimat, dem zu Hause gebliebenen Teil der Regierung. So etwas war an sich nicht völlig ungewöhnlich, das Ausmaß jedoch, das diese Reibereien in Deutschland oft annahmen, läßt sich nur aus den Divergenzen innerhalb der Weimarer Regierungen, aus ihrer parlamentarischen Schwäche oder aus der mangelnden Stringenz der außenpolitischen Konzeptionen erklären. Auch innerparteiliche Divergenzen und das Schielen nach der Gunst der öffentlichen Meinung und der Wähler schlugen in Anbetracht der labilen politischen Verhältnisse der Weimarer Republik ungewöhnlich stark zu Buche. Während der für die Formulierung der deutschen Gegenvorschläge entscheidenden Phase war es sogar notwendig, daß Vertreter des Kabinetts samt ihren Hilfstruppen zweimal in kurzer Frist mit Vertretern der Delegation in Spa zusammentrafen, am 18. und 23. Mai 1919.

Diese Besprechungen waren nötig geworden, um die Prioritäten in den deutschen Gegenvorschlägen zum alliierten Vertragsentwurf festzulegen. Die deutschen Friedensvorbereitungen, insgesamt stark wirtschaftlich akzentuiert, selbst in den meisten Territorialfragen, hatten sich unter dem Einfluß und den Erfahrungen der Kriegsorganisationen zur Erfassung und Lenkung aller Ressourcen des Reiches entwickelt. Vornehmlich an der

[19] Bundesarchiv Koblenz (= BA), Nachlaß Le Suire 113.

festen Eingliederung von Sachverständigen und Beraterstäben in der Reichsverwaltung und an der engen, teilweise institutionalisierte Formen annehmenden Zusammenarbeit zwischen dem Staat und den gesellschaftlichen Interessenverbänden hatte sich das gezeigt. So gab es im Frühjahr ein großes Gremium von Sachverständigen, Verbandsvertretern und Beamten in Berlin, organisiert in der Geschäftsstelle für die Friedensverhandlungen unter der Leitung des Auswärtigen Amts und ein kleineres, das die sechs Hauptdelegierten – die Reichsminister Brockdorff-Rantzau als Leiter, Landsberg und Giesberts als nicht ganz so bedeutende Kabinettsvertreter von SPD und Zentrum, den Präsidenten der preußischen Landesversammlung und Vorsitzenden des Zentralrats der Arbeiter- und Soldatenräte Leinert, den Völkerrechtler und Pazifisten Schücking und den Hamburger Bankier Melchior – nach Versailles begleitete. Die Vorbereitungen hatten sich ähnlich abgespielt wie bei den Alliierten: Viele Spezialisten erarbeiteten eine Fülle von Stellungnahmen, Bedingungen und Formulierungen, in denen der Zusammenhang und die Konzentrierung der Schwerpunkte verloren zu gehen drohten. In der Sitzung der Geschäftsstelle vom 2. April 1919[20] griff Max Weber dieses Problem auf: Er bat die Referenten zu den einzelnen Fragen dringend, »die Desiderata, die von ihrem Standpunkt aus aufzustellen sind, auch in eine Dringlichkeitsliste [zu] bringen, und zwar durchweg auch die politischen Forderungen oder die Ablehnung gegnerischer Forderungen, so daß man in jedem einzelnen Falle sehen könnte, welche Linie die erste ist, die wir zu verteidigen haben, welche dann kommt und welches die letzte Position ist, die unter allen Umständen, auch auf die Gefahr der Ablehnung des Friedens hin, nicht aufgegeben werden darf. [...] Es ist das in der Tat eine Lebensfrage: was haben wir von den allerschönsten Konklusionen, wenn wir nicht wissen, welches die Punkte sind, die wirklich Lebensinteressen betreffen, und welches diejenigen Punkte sind, die natürlich auch sehr wichtig, aber schließlich doch gegen andere ausgetauscht und ausgewechselt werden können. [...] Ich setze dabei voraus, daß, soweit es sich um wirtschaftliche Fragen handelt, die hier anwesenden Herren sich mit den Vertretungen der betreffenden Wirtschaftsverbände im Inlande in Verbindung setzen. Ich weiß zwar, daß dann ein Kampf Aller

[20] Politisches Archiv des Auswärtigen Amts, Bonn (= PA), Geschäftsstelle für die Friedensverhandlungen, Protokolle und Protokollmaterial. Bd. 98.

gegen Alle beginnt; das darf aber nicht hindern, daß die verschiedenen Standpunkte von seiten der Herren wiedergegeben werden und dann ein eigener Standpunkt von diesen Herren präzisiert wird, was sie von sich aus zu diesen einzelnen Forderungen zu sagen haben. Es handelt sich aber nicht bloß um wirtschaftliche, sondern auch um politische Gesichtspunkte, die geltend gemacht werden könnten. Wir müssen wissen, ob es vom Standpunkt einer einzelnen Industrie oder im allgemeinen erträglicher ist, viel Geld zu zahlen in Form von Entschädigungen, oder ob es erträglicher ist, daß eine weitgehende Bindung eingegangen wird.«

Dies war in der Tat die entscheidende Hürde auf dem Weg zu einem deutschen Gegenprogramm gegenüber den alliierten Forderungen. Solange die Experten alle Details nebeneinander ausbreiteten und Bedingungsanalysen machten, konnte ja nicht viel schiefgehen, und die Eintracht blieb gewahrt. Sobald aber Dringlichkeitsabstufungen erforderlich waren, wurde es ernst, und das Ringen um die stärksten politischen und wirtschaftlichen Interessen setzte ein. Das macht die intensiven Erörterungen zwischen Delegation und Reichsregierung in Spa so interessant. Die Delegation mußte zunächst selber ihren Standpunkt klären und ihn dann in Auseinandersetzungen mit den Kabinettsvertretern und deren Experten durchsetzen. Angelpunkte waren rasch die Bewahrung oder Wiederherstellung der deutschen Wirtschaftskraft und die hohen Reparationsforderungen von vorläufig 100 Milliarden Goldmark, der größere Teil zu verzinsen, während die endgültige Festlegung erst bis 1. Mai 1921 erfolgen sollte. Die Reparationen wurden im Zusammenhang gesehen mit den übrigen Verlusten und Beschränkungen, der Wegnahme der deutschen Auslandsguthaben und Kolonien, den territorialen Verlusten, den handelspolitischen Maßnahmen etc. Keine Rolle spielten die Entwaffnung und die einschneidenden Rüstungsbeschränkungen, man stimmte ihnen zu und wäre in einigen Punkten sogar noch weiter gegangen. Das führte zu einem Zerwürfnis zwischen Brockdorff-Rantzau und General von Seeckt, dem Militärvertreter.

Der wirtschaftliche und von daher der allgemeine Wiederaufstieg Deutschlands sollte jedoch unbedingt gesichert werden, wurde aber durch die wirtschaftlichen Friedensbedingungen, vor allem die Reparationen, im Kern getroffen. Schon seit längerem und nun in Versailles ganz besonders wiesen die Experten in diesem Zusammenhang auf die entscheidende Bedeutung der deutschen Kreditfähigkeit hin, und tatsächlich hat die Geschichte der Weimarer Republik gezeigt, wie stark Auslandskredite für die deutsche Wirtschaft, für die Stabilisierung der Republik und für die Außenpolitik ins Gewicht fielen. Gesucht wurde also ein Reparationsschema, das diese wirtschaftlichen Erfordernisse berücksichtigte. Es gab aber weitere Erwägungen: Falls sich ein solches Schema in Verbindung mit größeren Kreditoperationen finden ließ, konnte es auch für relativ große deutsche Zahlungen genutzt werden, um andere unerträgliche Bedingungen zu mildern. Und schließlich gewann in der Delegation die Auffassung die Oberhand, daß irgendein großzügiges, die Sieger beeindruckendes Angebot erfolgen müsse, schon mit Rücksicht auf die erstrebten mündlichen Verhandlungen.

Als Lösung setzte sich nach einigem Hin und Her der Plan Melchiors und Warburgs durch, den Gegnern in Anlehnung an die Ziffern im Vertragsentwurf tatsächlich 100 Milliarden Goldmark anzubieten, aber unverzinslich; zunächst 20 Milliarden bis 1926 unter Anrechnung der Ablieferungen und Sachleistungen, danach Jahresraten von mindestens einer Milliarde und zusätzlichen Zahlungen, die zusammen an einen bestimmten Prozentsatz (Warburgs Vorschlag: 10 Prozent) des Reichshaushalts gebunden waren. Dies war zugleich eine pragmatische Lösung des dornigen Problems, die deutsche Leistungsfähigkeit zu bestimmen. Von der Grundidee her wurde das im Dawes-Plan verwirklicht: feste Annuität mit Stundungsmöglichkeit und Erhöhungsmöglichkeit auf Grund eines an die Staatseinnahmen gekoppelten Wohlstandsindex. In den frühen Entwicklungsstadien dieser Idee gab es noch weitere, sehr interessante Detailregelungen, die im Endeffekt sogar auf eine höhere Summe und eine gewisse Verzinsung für die ersten 20 Milliarden hinausliefen. In der endgültigen Formulierung der Gegenvorschläge ist das nicht alles berücksichtigt worden.

Die Alliierten sollten im Gegenzug auf jegliche wirtschaftliche Diskriminierung Deutschlands verzichten. Außerdem sollte die als besonders gefährlich empfundene Reparationskommission aus dem Vertrag verschwinden, denn man vermutete bei ihr diktatorische Vollmachten zur Kontrolle der gesamten deutschen Wirtschaft. Der Grundgedanke war, daß es nur durch wirtschaftliche Zusammenarbeit mit Deutschland und durch gemeinsamen Wiederaufbau Europas zu erreichen wäre, höchstmögliche Reparationssummen zu erwirtschaften. Weil die Sieger offensichtlich darauf verzichtet hatten, Deutschland völlig zu vernichten, war das einleuchtend, aber verfrüht. Daß es gar nicht so viele Lösungen gab und bestimmte Grundideen immer wieder auftauchten, zeigen die Pläne des britischen Premierministers Lloyd George, mit diesem gemeinsamen europäischen Wiederaufbau Ernst zu machen. Dies führte zur Konferenz von Genua 1922. Außerdem spielte sowohl in der deutschen Friedensvorbereitung als auch in den Erwägungen der Delegation der Völkerbund eine Rolle, und zwar im Hinblick auf die notwendigen internationalen Schulden- und Kreditregelungen im großen Maßstab sowie auf wirtschaftliche Zusammenarbeit und weitreichende Handelsvereinbarungen. Das war immerhin im Gegensatz zu den übrigen, mehr propagandistischen Äußerungen ein konkreter und realistischer Beitrag zu einer möglichen deutschen Völkerbundspolitik. In der zweiten Hälfte der zwanziger Jahre ist eine solche Politik für den Bereich des Handels in Angriff genommen worden. Warburg forderte als Minimum an mündlichen Verhandlungen deutsch-alliierte Unterkommissionen für diese und andere wirtschaftliche Fragen des Friedensvertrags. Auch dies war ein sinnvoller Vorschlag. Ein sehr wichtiges Element machte schließlich Melchior deutlich: Deutschland müsse zur Rettung wirtschaftlich wichtiger Gebiete (Oberschlesien, Saargebiet, Danzig) zu großen Opfern in Posen und Westpreußen, also weniger wichtigen Gebieten, und vor allem in der Reparationsfrage bereit sein[21].

So ging man in die erste Besprechung in Spa am 18. Mai 1919, einigte sich aber nicht. Brockdorff-Rantzau war der Ansicht, die Reichsregierung betrachte die Dinge zu optimistisch und stehe in einer Reihe von Fragen »auf einem erstaunlich hohen Standpunkt der Ablehnung allen Entente-Forderungen gegenüber«[22]. Das mochte auf Finanzminister Dernburg und andere zutreffen. Davon abgesehen, gab es aber auch Auflösungstendenzen der »Heimatfront«, auf deren starke einheitliche Haltung Brockdorff-Rantzau so hohen Wert legte in seinem verzweifelten Bemühen, den Gegner zu beeindrucken und ihm doch noch Zugeständnisse und mündliche Verhandlungen abzutrotzen. Besonders Erzberger wurde allmählich skeptischer und begann, Vorkehrungen gegen eine Katastrophenpolitik der Nicht-Unterzeichnung zu treffen. Amerikanern gegenüber machte er Andeutungen, daß letzten Endes wohl eine Unter-

[21] Krüger, Deutschland und die Reparationen, S. 187.
[22] Ebd., S. 193.

zeichnung zustande käme. Später schrieb er: »Ich habe umgekehrt immer den Standpunkt vertreten, daß, wenn die Alliierten in Paris erst in mühsamer Arbeit sich auf bestimmte Vorschläge geeinigt hätten, es in höchstem Grad unwahrscheinlich sei, deutschen Vorstellungen überhaupt noch Aussicht auf weitergehende Berücksichtigung zu verschaffen. Die Entwicklung hat mir recht gegeben.«[23]

Nachdem die Delegation durch Briefe und dramatische Appelle das Kabinett bearbeitet hatte, das Angebot müsse gemacht werden, sonst könne sie die Verantwortung dafür, nicht alles versucht zu haben, nicht tragen, kam es schließlich in der zweiten Begegnung von Spa am 23. Mai zur Einigung über das 100-Milliarden-Angebot. Allerdings kamen auch die alten Kleinkariertheiten wieder zum Vorschein. Melchior und Simons in erster Linie vertraten die Forderung, die Reichsregierung müsse sich in den Gegenvorschlägen frei machen von dem Beharren auf Erörterung von Rechtsstandpunkten. Dies war erneut ein bemerkenswerter Augenblick der Anstrengung, die eigene Einstellung zu ändern, sich den Realitäten anzupassen in einem Bereich, der bis dahin für den Besiegten als schlechthin entscheidend galt, als eine seiner wenigen Waffen in der Ohnmacht: Rechtsgrundlage und Rechtsanspruch. Für Simons, einen bedeutenden Juristen, den späteren Außenminister und Präsident des Reichsgerichts, muß das eine Art innerer Kraftakt gewesen sein. Das war zugleich ein Versuch, unter dem zusätzlich wirksamen Einfluß der Bankiers und Industriellen, von dem häufig formaljuristischen Argumentieren in der Außenpolitik mit all den großen Worten vom Beharren auf einem Rechts- und Wilson-Frieden und ausdrücklich auch vom Festhalten an einer deutschen Auslegung der Lansing-Note vom 5. November 1918 abzurücken. Man wollte freie Hand haben, auch im Hinblick auf mögliche mündliche Verhandlungen.

Dies machte das Kabinett nicht mit, allen hartnäckigen Bemühungen zum Trotz. Vom fernen Berlin her mochte alles noch ein bißchen anders aussehen; und vielleicht war die Reichsregierung schon zum Gefangenen ihrer monatelangen Vierzehn-Punkte-Propaganda geworden. Brockdorff-Rantzau, hochintelligent, doch übersensibel, versagte in dieser Lage; er resignierte, anstatt zu kämpfen und die, alle Fälle einbeziehenden, Richtlinien für die künftigen außenpolitischen Entwick-

[23] Ebd., S. 154 Anm. 122.

lungen zu gestalten. In diesem Augenblick hätte er, der so häufig mit Rücktritt drohte, endlich einen handfesten Grund für diese Drohung gehabt und sie unter allen Umständen wahrmachen müssen. Andere übernahmen praktisch die Führung. Warburg bemerkte im Rückblick treffend[24], Brockdorff-Rantzau »war durch eine beinahe krankhafte Nervosität schwer in der Entfaltung seiner Fähigkeiten behindert. Sein Verfolgungswahn hatte in der letzten Zeit groteske Formen angenommen; auf Schritt und Tritt witterte er Feinde, und der kleinste Widerspruch schien ihm ein Anzeichen dafür, daß wieder eine Intrige gegen ihn im Gange sei.«

Die Folgen für die Formulierung der deutschen Gegenvorschläge, die am 29. Mai übergeben wurden[25], waren erheblich. Unter dem Einfluß des Kabinetts wurden die deutschen Angebote nicht nur im Detail beschnitten und im Text nicht gebührend herausgestellt und auf das Wesentliche beschränkt, sondern verschwanden fast unter den rechtlichen Verklausulierungen und Belehrungen besonders des überlangen Einleitungsteils von Schücking, den die Delegation eliminieren wollte. Was zustande kam, zeugte in seiner Uneinheitlichkeit von den Meinungsverschiedenheiten der Verfasser. Ministerialdirigent von Simson, einer der führenden Beamten des Auswärtigen Amts und späterer Staatssekretär, der sich in Berlin um eine Verbesserung der Vorschläge bemühte, traf den Nagel auf den Kopf: »Meiner Meinung nach ist der Grundfehler des Exposés, daß es in seiner Gesamtheit den Eindruck der Anklage und der Kritik erweckt, während unsere Antwort den Gesamteindruck gewaltiger Zugeständnisse auf unserer Seite machen müßte. Es nützt nichts, große Zugeständnisse zu machen, wenn man sie unter einem Wust von Jammer und Klagen derartig verbirgt, daß sie kaum herauszufinden sind.«[26] Er plädierte für eine gedrängte Aufzählung der deutschen Zugeständnisse und der Verhandlungsmöglichkeiten, daneben eine ausführlichere Denkschrift, »in der ja denn soviel geklagt werden könnte, wie es den Herren Ministern beliebt«. Die ganze Misere der deutschen Gegenvorschläge zeigte sich darin, daß Simons einem Kontaktmann der französischen Delegation, der in ihnen keine Handhabe für praktische Verhandlungen zu entdecken vermochte, erklären

[24] Warburg, Aufzeichnungen, S. 84.
[25] Materialien, betreffend die Friedensverhandlungen. Teil III, S. 7–114.
[26] Krüger, Deutschland und die Reparationen, S. 193.

mußte, er solle sich an die Mantelnote halten, und ihn darin zu bestärken suchte, »daß er bei genauerem Studium der Einzelausführungen doch manchen Haken finden würde, an den sich Verhandlungen anknüpfen ließen. Er ging mit dem Versprechen weg, nach dieser Methode zu verfahren.«[27]

Was danach kam, war ein Abgesang, fesselnd allerdings wegen der Wandlungsvorgänge innerhalb der deutschen Delegation und möglicher Erkenntnisse für die künftige Politik. Die Delegation blieb zwar loyal gegenüber Brockdorff-Rantzau und ziemlich geschlossen nach außen, aber im Grunde hatte sich doch die Konzeption geändert. Es war eigentlich nicht mehr ganz diejenige, die der deutsche Außenminister urspünglich verfolgte, nämlich durch ein gewisses Entgegenkommen, im übrigen jedoch Geschlossenheit im Innern und nach außen und Beeinflussung der öffentlichen Meinung den Siegern klar zu machen, daß nur ein Rechts- und Wilson-Frieden deutscher Auslegung unterzeichnet würde und sonst nichts. Auch war er nicht mehr die treibende Kraft. Seine Beschwörungen, die Heimat müsse einig und stark bleiben – wie im Krieg –, verloren immer mehr an Überzeugungskraft, obwohl er davon seine Taktik in Versailles abhängig gemacht hatte. Noch am 19. Mai äußerte er die Auffassung: »Ich hoffe und glaube, daß, wenn wir noch zwei Monate durchhalten könnten, ein annehmbarer Frieden zu erzielen sein werde.«[28] Schon möglich – nur waren die Alliierten nicht bereit, vielleicht gerade aus diesem Grunde, das Verfahren in die Länge zu ziehen. Sie schickten am 16. Juni ein Ultimatum: Annahme des Friedensvertrags oder Gewaltanwendung, und damit kam es nur noch auf das »Durchhalten« in Deutschland an, nicht mehr in Versailles, was bei Abwägen aller Risiken doch sehr zweifelhaft war. Der Unterstaatssektretär im Reichswirtschaftsministerium, von Moellendorff, bezog dagegen Stellung in einer Rede, in der er das »berüchtigte deutsche Stimmunghalten« und die »Stimmungmache« kritisierte; »gewisse Katastrophen« seien »geradezu Folgen dieser Kunstfertigkeit«[29].

Auch das Streben nach mündlichen Verhandlungen veränderte nach der Abgabe der deutschen Gegenvorschläge etwas seinen Sinn. Es ging dabei jetzt weniger um die Verwirklichung

[27] Ebd., S. 206.
[28] Ebd., S. 192 Anm. 74.
[29] BA, Nachlaß Moellendorff 84 (12. 6. 1919).

großer Pläne und Friedensschemata, vielmehr darum, in fast verzweifelten Überlegungen überhaupt noch irgendeinen direkten Anknüpfungspunkt mit den Alliierten zu finden. Melchior trat jetzt immer stärker in den Vordergrund und gab die Impulse. Dabei muß man sich vor Augen halten, daß nun das Warten wieder an den Nerven der Delegationsmitglieder zerrte. Sie saßen dicht aufeinander, isoliert von unmittelbarem Kontakt mit der Außenwelt, die Gereiztheit nahm zu, Interessendivergenzen unter den zahlreichen Sachverständigen traten zutage. Ein Beobachter schrieb nach Berlin, es sei dringend nötig, die teilweise sehr rücksichtslos vertretenen Interessen wieder dem allgemeinen Interesse einzuordnen. Kurz, es mehrten sich Anzeichen einer Art von Lagerkoller. Um so zweckmäßiger waren gründliche Überlegungen darüber, was nun überhaupt noch geschehen könne.

Damit war sozusagen die letzte Phase der Sammlung von Erfahrungen in Versailles erreicht. Die Deutschen waren wohl doch zu lange von den Entwicklungen außerhalb ihres Machtbereichs, von dem direkten Kontakt mit den Vertretern der Gegenseite abgekapselt und lernten erst allmählich wieder – manche anscheinend überhaupt nicht –, sich auf die Realitäten und die Probleme, Vorstellungen und Verhaltensweisen der übrigen Welt einzustellen. Es ist kein Zufall, daß Melchior dies am eindruckvollsten gelang; er hatte schon im März 1919 auf deutscher Seite die Lebensmittelverhandlungen mit den Alliierten in Brüssel geleitet, im April die Finanzdelegation in La Villette bei Paris, in der laufende Finanzfragen, aber vorsichtig auch allgemeine Wirtschaftsfragen erörtert wurden. Ihm stand auf der Gegenseite John Maynard Keynes gegenüber. Was Melchior, der übrigens bei den Alliierten hohes Ansehen genoß, jetzt entwarf, waren im Grunde Teile einer ganz neuen Konzeption deutscher Friedensstrategie, mit der man sinnvollerweise ein halbes Jahr früher hätte beginnen müssen. Melchiors Idee bestand im Kern darin, auf das Hilfsmittel des Präliminarfriedens zurückzugreifen, und zwar in Form eines Protokolls zwischen dem Reich und den Alliierten. Es sollte im wesentlichen zwei Punkte enthalten: 1. Deutschland akzeptiert den alliierten Friedensvertragsentwurf als Basis des endgültigen Friedensvertrags; 2. die Alliierten erkennen die deutschen Gegenvorschläge als begründet an und sind bereit, sie im endgültigen, noch auszuhandelnden Vertrag zu berücksichtigen. Am 4. Juni 1919 setzten sich daraufhin Melchior, Warburg, Simons und Legationsrat Gaus von der Rechtsabteilung des Auswärtigen Amts zusammen, berieten und formulierten das Protokoll und leiteten es mit Genehmigung Brockdorff-Rantzaus noch am selben Tag über Massigli an die Alliierten weiter. Obwohl der Vorschlag nicht unrealistisch war und auf ein gewisses Interesse stieß, wurde er abgelehnt, vor allem auf Betreiben Clemenceaus. Daß sich bei den Deutschen vernünftige Vorschläge zu spät durchsetzten und einen Schritt hinter der Entwicklung herhinkten, sollte in den ersten Nachkriegsjahren noch häufiger vorkommen.

Einige Tage später, so läßt sich verschiedenen Briefen nach Berlin entnehmen, bestanden in Teilen der Delegation nichtsdestoweniger noch Hoffnungen wenigstens auf Einzelverhandlungen in Kommissionen. Man wußte recht gut Bescheid über den Stand der Dinge bei den Alliierten und war überrascht, daß »merkwürdigerweise« Lloyd George sich am nachdrücklichsten für Zugeständnisse an Deutschland einsetzte – er handelte aus Sorge über eine zu weit gehende Schwächung Deutschlands und über das drohende Scheitern einer Stabilisierung des europäischen Kontinents -, und zwar offenbar nicht ohne Erfolg: Zunächst sei es ihm zu verdanken, daß die deutschen Gegenvorschläge nicht in Bausch und Bogen abgelehnt worden seien. Dann habe er für Oberschlesien eine Volksabstimmung anstelle der Abtretung durchgesetzt und schließlich in einigen weiteren Punkten gewisse Verbesserungen erreicht, die hier nicht im einzelnen erörtert zu werden brauchen. Und Wilson? Die Diskussionen unter den Alliierten verliefen anders, als die Deutschen es erwartet hatten. Gerade Wilson schien überraschenderweise nichts ändern zu wollen. Die Gründe dafür kannte die Delegation ziemlich genau: 1. Wilson sei verstimmt über den Einleitungsteil der Gegenvorschläge von Schücking und die Belehrungen darüber, wie ein Wilson-Frieden eigentlich auszusehen habe; 2. wolle er aus innenpolitischen Gründen nicht mehr viel Zeit in Europa verlieren; 3. vor allem aber wolle er vermeiden, die sehr zerbrechliche Einigkeit unter den Alliierten aufs Spiel zu setzen.

Die Quellen enthüllen also eine weitere wichtige Tatsache: Die Delegation war nicht ahnungslos. Trotzdem verfestigte sich sogar bei ihren konzessionsbereiten und auf Ausgleich bedachten Mitgliedern die Entschlossenheit, einen nur unwesentlich verbesserten Vertrag nicht zu unterzeichnen. »Wir gehen dabei«, schrieb Regierungsrat Le Suire am 7. Juni nach Berlin[30], »von dem Gesichtspunkt aus, daß der vorliegende Vertrag uns wirtschaftliche Existenz und Wiederaufbaumöglichkeiten nicht läßt und daß es schlechter überhaupt nicht kommen kann.« Am 16. Juni 1919 traf das Ultimatum der Alliierten ein, zunächst auf fünf, dann auf sieben Tage befristet. Es enthielt tatsächlich über die Neufassung der Oberschlesien-Bestimmung, eine Reihe kleinerer Abmilderungen und Konkretisierungen sowie einige zusätzlich eröffnete Aussichten auf spätere Detailverhandlungen hinaus keine wesentlichen Veränderungen, statt dessen eine ungemeine Verschärfung des Kriegsschuldvorwurfs[31]. Schon während der Heimfahrt begann die Ausarbeitung der Begründungen, warum die Delegation die Unterzeichnung ablehne. Gewiß waren dabei die ganze Atmosphäre und die besonderen Umstände in Versailles nicht ohne Einfluß. Der Berichterstatter der Delegation, der Wirkliche Legationsrat Schmitt, stand am 18. Juni vor den Beratungsgremien der Geschäftsstelle für die Friedensverhandlungen noch ganz unter der Anspannung der vergangenen Wochen, enttäuscht, verbittert, völlig ablehnend. Sein Bericht[32] wirkte wie eine Frontberichterstattung: »Die Ansicht der Herren von Versailles ist nun die, daß diese [vorher verlesenen] Bestimmungen [also die alliierten Änderungen] gar keine Bedeutung haben. Wir haben uns, nachdem wir, von einigen Steinwürfen und guten Wünschen begleitet, abgefahren sind, auf der Bahn das Schriftstück der Gegner eingehend überlegt.« Und später: »Wir sind [...] der Überzeugung, daß, wenn der Vertrag einmal unterschrieben ist, wir nicht wieder davon loskommen [...]. Die Folgen der Nichtunterzeichnung sind ungewiß, alle Möglichkeiten sind offen; die Folgen der Unterschrift dagegen sind sicher: die Vernichtung der deutschen Wirtschaft und damit die Vernichtung des deutschen Volkes.«

Eine andere Reaktion gehört ebenfalls zu den Verwirrungen der Zeit und bildete zugleich ein erstes Warnzeichen für die Gefahren der Republik, eine Vorahnung des Nationalsozialis-

[30] Peter Krüger, Die Reparationen und das Scheitern einer deutschen Verständigungspolitik auf der Pariser Friedenskonferenz im Jahre 1919. In: Historische Zeitschrift 221 (1975), S. 342f.

[31] Materialien, betreffend die Friedensverhandlungen. Teil IV.

[32] PA, Geschäftsstelle für die Friedensverhandlungen, Protokolle und Protokollmaterial, Bd. 99.

mus: Max Warburg hatte sich geweigert, eine hohe offizielle Position im Rahmen der deutschen Friedensdelegation zu übernehmen; ein Jude könne das keinesfalls machen, »antisemitische Angriffe würden auf alle Fälle die Folge sein«. Als er wieder nach Hamburg zurückkehrte, ließ eine rechtsradikale Gruppe Handzettel an der Börse gegen ihn verteilen, in denen er sowohl wegen des »Schmachfriedens« als auch wegen des 100-Milliarden-Angebots zugleich angegriffen und beschimpft wurde[33].

Damit war der erste Versuch, mit den Kriegsgegnern wieder in ein vernünftiges Verhältnis zu kommen, gescheitert. Man stand vor einem Scherbenhaufen der ersten, wenig überzeugenden außenpolitischen Taktiken und Konzeptionen der Weimarer Republik. Man mußte noch einmal von vorn anfangen. Doch dieser Neuanfang war schwer und ließ lange, bittere Jahre auf sich warten. Es wäre oberflächlich, die deutsche Haltung auf Illusionen, schlechten Willen, zweideutige propagandistische Übertreibungen über das furchtbare Schicksal, das die Sieger dem Reich bereiten wollten, zu reduzieren. Es war ernster; man glaubte das wirklich und konnte nicht fassen, daß die Alliierten es wagten, so mit den Deutschen, mit einer bedeutenden Großmacht, umzuspringen. Man war wirklich empört und tief getroffen; eine Welt stürzte ein. Selbst ein so klar denkender Bankier wie Warburg vermerkte, daß er sich bei seiner Stellungnahme zu den alliierten Friedensbedingungen »in eine ellenlange Wut«[34] hineingeschrieben habe. Für einige nahm die innere Betroffenheit über die mißlungenen Friedensverhandlungen das Ausmaß persönlicher Tragik an. Brockdorff-Rantzau sprach kurz vor seinem Tod den erschütternden Satz: »Man hat mir alles zerschlagen – ich bin ja schon in Versailles gestorben.«[35]

[33] Warburg, Aufzeichnungen, S. 71 u. 86f.
[34] Krüger, Deutschland und die Reparationen, S. 187 Anm. 61.
[35] Leo Haupts, Ulrich Graf von Brockdorff-Rantzau. Göttingen, Zürich 1984, S. 102.

II. Versailles und die Weimarer Außenpolitik

1. Der verlorene Weltkrieg

Dort also waren die Deutschen genau fünf schreckliche Jahre nach dem Mord von Sarajewo angelangt: beim Vertrag von Versailles. Es gab nichts mehr daran zu deuteln, keine Hoffnung mehr auf irgendeine Änderung in letzter Minute: Das neue Grundgesetz der deutschen Außenpolitik und bis zu einem gewissen Grade auch der inneren Entwicklung des Reiches war festgelegt, noch bevor die neue Reichsverfassung zustande gekommen war, in der der Friedensschluß seine Spuren hinterließ. Die Anstrengungen waren vorbei, alle Kämpfe ausgefochten, um die Niederlage und den Frieden erträglicher zu machen. Die neue Wirklichkeit war endgültig angebrochen, aber wie sollte sie aufgenommen und akzeptiert werden? Der Frieden, das war die eine große, drückende Aufgabe aus dem Zusammenbruch gewesen, die andere mußte unter seinen Auspizien noch erfüllt werden, die Erarbeitung einer neuen republikanischen Verfassung, die weniger innere Einheit stiftete als – wenigstens oberflächlich betrachtet schien es so – der fast überall abgelehnte Friedensvertrag.

Am 28. Juni 1919 fuhr eine neue deutsche Delegation zur Unterzeichnung des Friedensvertrages nach Versailles, der Außenminister Hermann Müller von der SPD und der Kolonialminister Johannes Bell vom Zentrum. Die Regierung Scheidemann war am 20. Juni 1919 zurückgetreten, als der Mißerfolg ihrer Bemühungen, unter der Leitung des Außenministers Graf Brockdorff-Rantzau in Paris direkte Verhandlungen und einen Ausgleichsfrieden zu erreichen, offensichtlich geworden war. Diese Regierung brach angesichts des alliierten Unterzeichnungs-Ultimatums vom 16. Juni 1919 in zwei Lager auseinander, und Scheidemann und Brockdorff-Rantzau waren zu sehr auf die Ablehnung des Vertrages festgelegt.

Nach dramatischen Auseinandersetzungen in der Nationalversammlung und vergeblichen letzten Milderungsversuchen fiel die Entscheidung für die Unterzeichnung, die Entscheidung der beiden sozialdemokratischen Parteien und des Zentrums gegen jedes Risiko einer unkalkulierbaren Ablehnungs- oder gar Katastrophenpolitik. Reichsfinanzminister Erzberger war die Schlüsselfigur und die treibende Kraft der neuen Regierung aus SPD und Zentrum. Die DDP schied vorübergehend aus der Weimarer Koalition aus; die Mehrheit ihrer Fraktion verweigerte die Unterzeichnung des Versailler Vertrags und konnte sich noch nicht zu einer illusionslosen Rechenschaftslegung, zum Verzicht auf pathetische nationalistische Erklärungen als Ersatz für Außenpolitik und zum Sich-Lösen aus großdeutschen Träumen durchringen. Was die Fraktion vollbrachte – in bester Absicht –, war eine Ehrenerklärung, die sie vorschlug und der sich die Rechtsparteien und überhaupt diejenigen, die gegen die Unterzeichnung stimmten, anschlossen: Sie alle billigten der Mehrheit, die schließlich die Unterzeichnung ermöglichte, zu, sie habe aus ehrenhaften vaterländischen Motiven gehandelt. Ein unglaublicher Vorgang! Da wird denen, die Vernunft bewiesen und sich in einer schicksalhaften historischen Entscheidung dazu entschlossen, diese schwere Verantwortung zu übernehmen, bescheinigt, daß sie keine Schurken und Vaterlandsverräter seien. Daß die DDP offenbar nicht zu Unrecht einen solchen Schritt vorausschauend für nötig hielt, ist das Beunruhigende im Hinblick auf die politische Kultur, auf die parlamentarischen Anfänge der ersten deutschen Republik und auf die Art und Weise, in der die verschiedenen Parteien miteinander umzugehen gedachten in Fragen von existentieller Bedeutung. Die parlamentarische Erörterung von grundsätzlichen außenpolitischen Problemen begann nicht gerade vielversprechend. Unter denen, die ablehnten, gab es im übrigen eine ganze Reihe von Abgeordneten, die in einem Gefühl der Erleichterung handelten, weil ja die Mehrheit für die Unterzeichnung gesichert war. Diese Einstellung rundet das Bild ab; es gab also auch Abgeordnete, die durchaus erkannten, welche Entscheidung die richtige war, die aber fürchteten, als unnational zu gelten und dem Druck einer im Grunde doch überwiegend nationalistischen öffentlichen Meinung Tribut zollten – auch mit Blick auf künftige Wahlen und politischen Einfluß.

Die Angelegenheit läßt sich besser begreifen, wenn man die allgemein verbreitete Empörung, tiefe Erschütterung und auch Hilflosigkeit angesichts des Vorgehens der Sieger und einer außenpolitischen Entscheidungskrise unbekannten Ausmaßes berücksichtigt. Es handelte sich – und manche Politiker gestanden dies später auch ein – um stark emotionale Reaktionen aus nationaler Verletzlichkeit und Unsicherheit heraus. Außerdem bedeutete die Unterzeichnung Nachgeben, man fügte sich dem Druck des Feindes. Das blieb eine Belastung für die Zukunft. Jedes weitere Nachgeben, jeder Kompromiß, jedes Zugeständnis gegenüber den Siegern in den kommenden Jahren war mit einem Makel behaftet und wurde von den Nationalisten, die Glanz und Weltstellung des Kaiserreichs verklärten und nicht vergessen wollten, gegen diejenigen, die zur Verständigung bereit waren, innenpolitisch rücksichtslos ausgenutzt, weil nationale Parolen so starken Widerhall fanden. Auf der anderen Seite sind die Gegenkräfte nicht zu unterschätzen, die Pragmatiker, die den Interessenausgleich mit dem Gegner anstrebten, und jene kleine Gruppe, die eine den modernen Verhältnissen angemessene internationale Ordnung im Sinn hatte und von der Notwendigkeit einer Verständigungspolitik als beste Form deutscher Interessenvertretung überzeugt war. Sie mußte, auch wenn sie sich zeitweilig mühsam durchsetzte, stets auf ganz unsicherem, schließlich brüchigem Grund arbeiten.

Deshalb ist es eine der historisch wichtigen Fragen, wie unter diesen inneren Voraussetzungen und Belastungen Außenpolitik gemacht wurde, noch dazu in einer sich zunehmend verflechtenden Welt. Inwiefern verbarg sich hinter dem von der allgemeinen Stimmung und der tonangebenden Öffentlichkeit geforderten, nationalistisch-revisionistischen Sprachduktus der Politiker – ein allgemeines Problem moderner Massengesellschaften – doch mehr Einsicht und Wirklichkeitssinn, als Tonfall und Schlagworte glauben machten? Dabei ist nicht einmal nur an verschleiernde Sprache zu denken; das bemerkenswerte Phänomen in der Weimarer Republik lag gerade darin, daß die Redeweise wirkliche Überzeugung widerspiegelte und trotzdem, wie etwa bei gemäßigten DNVP-Führern, das Erfordernis von Kompromissen und pragmatischer Politik akzeptiert wurde – aber eben nur mangels anderer Möglichkeiten und nicht aus entschiedenem Eintreten für eine neue Außenpolitik. Auf jeden Fall bedurfte es eines langen Prozesses der Umgewöhnung und der allmählichen, nicht von heute auf morgen zu bewerkstelligenden Konsolidierung solcher außenpolitischer Leitlinien, die trotz möglicher großer Auseinandersetzungen in konkreten Fragen von einer gewissen Übereinstimmung im Prinzipiellen ausgehen konnten.

Demgegenüber boten die geschilderten Vorgänge in Versailles auf deutscher Seite ein Bild der Widersprüchlichkeit und weitgehenden Unklarheit über den Weg, den man künftig einschlagen sollte. Dies war keineswegs nur der ganz ungewöhnlichen Situation zuzuschreiben. Vieles von dem, was in Versailles und später in der Reaktion auf den Friedensvertrag hervortrat, war eben nicht nur Reaktion, sondern schon im außenpolitischen Verhalten der Regierung seit der Absendung des deutschen Waffenstillstandsgesuches vom 3. Oktober 1918 angelegt. Mit dieser Aktion und ihren Hintergründen begann eine neue Phase in der deutschen Außenpolitik.

Im September 1918 stand nicht nur die deutsche Westfront unter schwerstem Druck, sondern die Bundesgenossen waren völlig mit ihren Kräften am Ende und brachen innerhalb weniger Wochen zusammen, Bulgarien zuerst, dann die Türkei, schließlich Österreich-Ungarn. Die Oberste Heeresleitung des Reiches, und das heißt vor allem Ludendorff, forderte rücksichtslos, in einer Art Panik und fast ultimativ, am 28./29. September 1918, daß sofort ein Waffenstillstandsgesuch an den amerikanischen Präsidenten Wilson abgeschickt und die Regierung auf eine breitere parlamentarische Basis gestellt werden müsse. Die Regierungsverantwortung sollte im Angesicht der Niederlage nicht mehr von der konservativ-monarchischen Führung und den diktatorischen Halbgöttern des Militärs getragen werden, und es machte nach außen wegen der Reformen auch einen besseren Eindruck. Das war aber nur der letzte rüde und entscheidende Anstoß; die Kanzlerkrise war schon im Gange, und seit den wachsenden militärischen Schwierigkeiten im Spätsommer verstärkten sich die Bemühungen der Reichstagsmehrheit, die Parlamentarisierung der Reichsleitung durchzusetzen. Dies war die Einleitung der Verfassungsreform. Deren hastige Beschleunigung verdankten die Deutschen allerdings erst der militärischen Niederlage. Am 30. September trat der Reichskanzler Graf Hertling zurück. Die neue Regierungsbildung, zum ersten Mal unter maßgeblichem Einfluß der Reichstagsmehrheit der gemäßigten Reformparteien – SPD, Zentrum, FVP (bald darauf neu gegründet als DDP mit dem Ziel der großen linksliberalen bürgerlichen Sammlungspartei) –, stand jedoch pausenlos unter dem Druck der unverzüglichen Absendung des Waffenstillstandsgesuchs.

Noch am Tag der Ernennung des Prinzen Max von Baden zum Reichskanzler, dem 3. Oktober 1918, erörterte das neue Kabinett bis in den späten Abend die Waffenstillstandsnote. Sie ging dann hinaus trotz des Widerstrebens des neuen Reichskanzlers, der es zu Recht vorgezogen hätte, zunächst sein innenpolitisches Reformprogramm seiner Bedeutung gemäß zu entwickeln und gebührend herauszustellen. Nun geriet er stattdessen in den Strudel des Notenwechsels um den Waffenstillstand, der auch in der Öffentlichkeit die eigentliche Sensation bildete, die Reformvorhaben völlig überdeckte und sie schließlich sogar als von dem amerikanischen Präsidenten durchgesetzt erscheinen ließ; denn Wilson erklärte, er wolle nur mit einer vom Vertrauen des Volkes getragenen Regierung verhandeln. Dies war für eine überfällige Reform von Regierung und Verfassung ein höchst unglücklicher Anfang, ähnlich dem der Weimarer Republik, der unter dem fast erdrückenden Einfluß der Pariser Friedenskonferenz und des Versailler Vertrags vor sich ging. Er schien denen billige Argumente zu liefern, die in alter deutscher Tradition den Primat der äußeren Verhältnisse und der Außenpolitik vor der inneren Ausgestaltung des Staates verfochten.

Diese dramatischen Vorgänge und die sich ankündigenden einschneidenden Veränderungen des Regierungssystems waren an sich schon von nachhaltigem Einfluß auf die auswärtigen Beziehungen. Als grundlegend für die Außenpolitik der Weimarer Republik erwiesen sich indessen darüber hinaus die Ausgestaltung der Waffenstillstandsnote und die maßgebenden politischen Kräfte, die hierbei die Verantwortung übernahmen.

Was die politischen Kräfte angeht, die erwähnte Reichstagsmehrheit, so hatte sie sich außenpolitisch erstmals, obwohl keineswegs mit durchschlagendem Erfolg, als gemeinsame Gruppierung in Szene gesetzt mit der Friedensresolution des Reichstags vom 19. Juli 1917. Sie trat ein für einen Frieden der Verständigung, internationalen Versöhnung und Zusammenarbeit ohne »erzwungene Gebietserwerbungen und politische, wirtschaftliche oder finanzielle Vergewaltigungen«. Als leitende Prinzipien für die Nachkriegszeit lagen der Resolution die Freiheit weltwirtschaftlicher Entwicklung und »die Schaffung internationaler Rechtsorganisationen« zugrunde[36]. Beide Prinzipien behielten ihre Bedeutung für die Weimarer Außenpolitik. Für deren innenpolitische Basis bildeten sich damals ebenfalls einige Voraussetzungen. Das Programm der Reichstagsmehrheit lau-

[36] Ursachen und Folgen. Vom deutschen Zusammenbruch 1918 und 1945 bis zur staatlichen Neuordnung Deutschlands in der Gegenwart. Bd. II: Der militärische Zusammenbruch und das Ende des Kaiserreichs. Berlin 1958, S. 37f.

tete schlagwortartig Verständigungsfrieden und Parlamentarisierung; die Kombination von sozialer, verfassungspolitischer und außenpolitischer Reform war deshalb bemerkenswert, weil sie die Einbeziehung der SPD ermöglichte und auch außerhalb der Parteien unter dem Eindruck der Kriegsentwicklung verbindend wirkte. So kam, teilweise durch persönliche Kontakte, eine recht lockere, anfangs nicht zu großen politischen Veränderungen fähige Gruppierung zustande, zu der die liberale Publizistik, reformfreundliche Wissenschaftler und hohe Beamte und vor allem in zunehmendem Maße Vertreter der Wirtschaft gehörten.

In bezug auf die Wirtschaft handelte es sich nicht nur um die doch recht beachtliche Minderheit, die schon vor 1914 für einen gewissen Ausgleich mit der Arbeiterschaft, für soziale Reformen und liberale Wirtschaftsprinzipien eingetreten war, sondern auch um diejenigen, deren Interessen – je länger der Krieg dauerte, desto stärker – unter der Abschnürung von außen und der staatlich reglementierten Kriegswirtschaft im Innern litten, also vornehmlich Handel, Banken, Schiffahrt und Exportindustrie – die traditionelle Kombination von weltwirtschaftlicher Expansion und Verflechtung mit sozialer und politischer Reform im neuen Gewand. Darüber hinaus bestanden sachliche Übereinstimmungen zwischen diesen Wirtschaftskreisen und dem Auswärtigen Amt, deutlich faßbar seit 1917, und zwar im Hinblick auf liberale Außenwirtschaft, Verständigungsfrieden (wenn auch gelegentlich mit einigen Vorbehalten) und ganz konkret in der Frage einer grundlegenden, modernisierenden Reform des auswärtigen Dienstes; denn hierbei ging es um größere organisatorische Effizienz, stärkere Berücksichtigung wirtschaftlicher Interessen und beträchtliche Erweiterung der Zugangsmöglichkeiten, der Ausbildung und der Aufgaben. Aber, wie gesagt, diese politische Gruppierung war relativ schwach und nicht festgefügt – eine für die Weimarer Außenpolitik wesentliche Tatsache – und sie kam erst zum Zuge, als die deutsche Niederlage feststand. Die Gegenkräfte blieben trotz Zusammenbruch, Novemberrevolution und Verfassungswandel unbesiegt und behielten in der Endphase der Weimarer Republik die Oberhand.

Der andere, für die Zukunft wesentliche Aspekt in den Vorgängen, die zum Waffenstillstandsgesuch führten, war die Konzeption, die hinter der Formulierung der Note vom 3. Oktober 1918 stand. Schon in den Auseinandersetzungen im Hauptquartier, dann im Kabinett, setzte das Auswärtige Amt seine Vorstellungen durch. Das Gesuch sollte ausschließlich an Wilson gerichtet werden, weil sein Friedensprogramm, zusammengefaßt in den Vierzehn Punkten vom 8. Januar 1918, die für die Deutschen eindeutig günstigsten Forderungen und Friedensprinzipien enthielt, die aus dem Lager der Gegner zu hören waren. Auch diese Forderungen gingen vielen Politikern zu weit, und es kostete einige Überwindung, sich auf den vom Auswärtigen Amt auch aus taktischen Gründen für unausweichlich erklärten Standpunkt zu stellen, daß die Vierzehn Punkte ohne Abstriche als Basis der Friedensregelung und damit als Voraussetzung des Waffenstillstandsgesuchs anzuerkennen seien. Es stand aber mehr als nur ein geschickter diplomatischer Schachzug zur Debatte, der das Reich zum ersten Staat machte, der Wilsons Friedensprogramm verbindlich anerkannte. Vielmehr ging es zugleich um eine außenpolitische Orientierung auf die Vereinigten Staaten, die einerseits die überragende Stellung dieser aufsteigenden Weltmacht, ihr wirtschaftliches Gewicht und ihre im Weltkrieg ganz neu gewonnene Rolle als wichtigster Kapitalgeber in Rechnung stellte, andererseits die gemeinsamen weltwirtschaftlichen Interessen in den Vordergrund rückte, also vor allem die Öffnung der Märkte und den möglichst ungehinderten Austausch von Waren und Kapital.

Indessen blieb die weltwirtschaftliche Verflechtung und das Ziel eines liberaleren Welthandelssystems in Deutschland umstritten und wurde immer wieder, nachhaltig und erfolgreich seit der Weltwirtschaftskrise, in Frage gestellt. Die Erfahrungen des Ersten Weltkriegs wirkten nach; die einen wollten wirtschaftliche Isolierung und Abschnürung künftig unbedingt vermeiden und sahen in einer florierenden Außenwirtschaft die unentbehrliche Voraussetzung für Deutschlands weitere Entwicklung, die anderen neigten dazu, Deutschland unabhängiger vom Ausland zu machen, unter konservativen politischen Gesichtspunkten die Landwirtschaft zu schützen und zu stärken und einen sich nach außen möglichst abschließenden wirtschaftlichen Einflußraum in Mitteleuropa aufzubauen.

Schwächer ausgeprägt, aber immerhin nicht ganz ohne Bedeutung war schließlich eine weitere Übereinstimmung mit den Vereinigten Staaten, die auf deutscher Seite allerdings erst mit einiger Anstrengung vorbereitet werden mußte: das Bekenntnis zu einer bindenden internationalen Rechtsordnung. Die Reichsleitung war vor 1914 auf diesem Gebiet besonders rückständig und ablehnend gewesen. Angesichts des Zusammenbruchs und der drohenden Ohnmacht gehörte 1918/19 die plötzliche Liebe zum Ausbau und zur besseren institutionellen Absicherung des Rechtes als Verhaltensnorm zwischen den Staaten häufiger zum opportunistischen Repertoire deutscher außenpolitischer Konzeptionen. Trotzdem ist nicht zu verkennen, daß sich daraus ein ernsthaftes und eigenständiges Element Weimarer Außenpolitik entwickelte, denn dies lag im wohlerwogenen Interesse des Reiches.

Das Friedensprogramm der Vierzehn Punkte hatte für die Deutschen wie für die Alliierten seine Schwierigkeiten. Frankreich, England, Italien usw. wollten sich dadurch nicht in ihren Zielen und Forderungen beeinträchtigen lassen[37]. Den Deutschen hingegen verlangte sogar dieses maßvollste Friedenskonzept aufseiten der Gegener sehr schwere und schmerzliche Opfer ab, territoriale Abtretungen an Frankreich und Polen und schwer abschätzbare Wiedergutmachungszahlungen – Reparationen – vor allem an Frankreich und Belgien. Wilsons Friedensprogramm, das war das Neue und Bedeutsame und fand bei der deutschen Linken und den Pazifisten durchaus Anklang, legte zum ersten Mal Völkerrechtsprinzipien und allgemeine Vorstellungen von internationaler Gerechtigkeit zugrunde und nicht, wie bis dahin üblich, den Machtanspruch des Siegers. Also Freiheit des Verkehrs und des Wirtschaftsaustauschs statt einseitiger Rechte, Absperrungen und Beschränkungen; eine gemeinsame und umfassende internationale Friedensordnung mit gleichen Rechten und Pflichten für alle statt unbegrenzter Handlungsfreiheit und Machtansprüchen der Staaten; Regelung territorialer Fragen nach Zusammengehörigkeit, Selbstbestimmung und nationalen Existenzbedürfnissen statt auf Grund von Eroberung und Siegerrecht; Schadensersatz und Wiedergutmachungsleistungen statt Kriegsentschädigung. Allerdings war das alles zunächst einmal nur eine Absichtserklärung, im einzelnen nicht unproblematisch und vor allem vage und auslegungsfähig formuliert. Prompt bemühte sich die Reichsregierung in den kommenden Monaten, die für Deutschland jeweils günstigste Auslegung herauszufinden und den Friedensvorbereitungen zugrunde zu legen, in Anbetracht der Machtverhältnisse ein unrealistisches Vorgehen, selbst wenn es nur als taktische Ausgangsposition gemeint gewesen wäre. Doch es ging nicht bloß

[37] Materialien, betreffend die Friedensverhandlungen. Teil I, S. 5f.

um Taktik. In dieser Einstellung kamen grundsätzliche Auffassungen zum Ausdruck, die nach dem Waffenstillstand auch propagandistisch und mit nachhaltigen Wirkungen in den Vordergrund traten.

Bei der Vorgeschichte des Waffenstillstands zeigte es sich, daß sogar die Amerikaner selber mit ihren Vierzehn Punkten Probleme hatten. Sie wollten einerseits die Deutschen weiter in die Ecke drängen, indem sie ihnen in einem ziemlich bedenklichen Verfahren hinhaltende Forderungen nach innenpolitischem Wandel und äußerer Entmachtung stellten und damit die sich vollziehende Parlamentarisierung des Reiches als von außen erzwungen in Verruf brachten. Andrerseits aber sahen sich die Vereinigten Staaten nun gezwungen, sehr rasch mit den Alliierten eine gemeinsame Waffenstillstandspolitik festzulegen und sie – noch schwieriger – dazu zu bringen, das Wilsonsche Friedensprogramm als Basis des Friedensvertrags zu akzeptieren. Das gelang halbwegs nach schwierigen Auseinandersetzungen und mit gewissen offenen und verdeckten Vorbehalten Frankreichs und Englands. Das Resultat war die schon erwähnte Lansing-Note des amerikanischen Außenministers vom 5. November 1918 an die Reichsregierung[38]. Sie bestätigte, daß die Vierzehn Punkte und weitere Verlautbarungen Wilsons als Basis des Friedensvertrags anerkannt würden, allerdings mit den beiden wichtigen, von den Alliierten durchgesetzten Ausnahmen, und zwar einem Vorbehalt in bezug auf den Grundsatz der Freiheit der Meere und vor allem einer Ausweitung der deutschen Reparationsverpflichtung: Deutschland solle »für allen durch seine Angriffe zu Land, zu Wasser und in der Luft der Zivilbevölkerung der Alliierten und ihrem Eigentum zugefügten Schaden Ersatz leisten« – eine sehr dehnbare Klausel, aber nach wie vor kein Kriegskostenersatz traditioneller Art.

Diese Note bedeutete Glück für die Deutschen und kam gerade noch rechtzeitig, sonst hätten sie kapitulieren müssen; denn inzwischen breitete sich, von den Meutereien auf der Hochseeflotte Ende Oktober ausgehend, die Novemberrevolution wie eine Springflut über das Reich aus und erreichte am 8./9. November Berlin. Dies war ein Ereignis, das nicht nur die latenten innenpolitischen und sozialen Revolutionsängste voll zum Ausdruck brachte und bestätigte, sondern auch die aktuelle außenpolitische Haltung tief beeinflußte und dauerhafte Wir-

[38] Ebd.

kungen erzeugtc. Deutschen Außenpolitikern blieben die Infragestellung der Handlungsfähigkeit auf Grund innerer Zerwürfnisse und Umwälzungen, die Gefahr, von den anderen Mächten in solchen Zeiten nicht mehr als ernsthafter Partner betrachtet zu werden, und die Drohung empfindlicher außenpolitischer Einbußen stärker noch im Gedächtnis, als dies bei Diplomaten sonst ohnehin der Fall ist. Das machte sich geltend einerseits in dem Streben nach innerer Stabilität und Konsensstiftung sowie in dem Bemühen um eine vorsichtige, gemäßigte Außenpolitik, die ihren Teil beitrug zur Vermeidung krisenhafter Zuspitzungen; andererseits beeinflußte es, besonders in schwierigen Zeiten, wie sie erneut seit der Weltwirtschaftskrise vorherrschten, die Zustimmung zu energischer Führung der Staatsgewalt und das Streben nach Abschirmung innerer Vorgänge gegenüber dem Ausland durch eine betont starke Haltung, ja durch das Ausnutzen ausländischer Befürchtungen. Schon 1918/19 versuchte die Reichsregierung, aus der unberechenbaren inneren Lage und dem internationalen Phänomen der Revolutionsfurcht Kapital zu schlagen und zur Festigung Deutschlands außenpolitische Zugeständnisse zu erlangen. Eine ähnliche Methode wurde Anfang der dreißiger Jahre angewendet. Auch für Adolf Hitler wurde die Novemberrevolution eine dominierende Erfahrung, und er suchte Vorkehrungen zu treffen gegen einen zweiten deutschen November bei seiner Außenpolitik des höchsten Risikos.

In der zweiten Kriegshälfte wurde man sich auch im Auswärtigen Amt der revolutionären Gefahren im Falle der inneren Erschöpfung und des Zusammenbruchs stärker bewußt. Der Aufstand der Kommune in Paris 1871, am Ende des deutsch-französischen Krieges, wurde zum warnenden Beispiel. Darüber hinaus arbeitete der Gegner mit allen Mitteln, um in diesem Sinne zur inneren Konfrontation und Zersetzung in Deutschland beizutragen. Dies förderte schon während des Krieges die Überzeugung, daß Betrug und Verrat im Spiel seien. Auf diese Weise wurde vornehmlich in nationalistischen Kreisen der Dolchstoßlegende und ihrer großen Resonanz der Boden bereitet, das Ressentiment, ja im Extrem die unversöhnliche Feindschaft gegen die Linke geschürt, was eine vernünftige Außenpolitik in der Weimarer Republik zusätzlich erschwerte, und schließlich ganz allgemein der dauernde Verdacht genährt, daß Deutschland fortwährend hintergangen werde, daß man ihm in den Rücken falle. So ist das Schlagwort vom »Betrüger

Wilson« entstanden, der den Deutschen Hoffnungen gemacht, sie zur Niederlegung der Waffen veranlaßt und dann seine hehren Verkündigungen nicht eingehalten habe; und auch der Betrug von Versailles, wo man Deutschland um sein Anrecht auf einen Frieden gemäß den Vierzehn Punkten betrogen habe, stammte aus derselben geistigen Wurzel und diente sowohl den rücksichtslosen Propagandisten einer Revision des Versailler Vertrags bis in die dreißiger Jahre als schlagkräftige Parole als auch all denen, die gegen internationale Verständigung, Kompromisse und jedes deutsche Entgegenkommen auftraten, zur Diskreditierung neuer kooperativer Grundsätze in der Außenpolitik. Diese Dolchstoß-Vorstellung, das Bestreben also, Schuld und Verantwortung für Krieg, Niederlage, Zusammenbruch, Versailler Vertrag und die innen- und außenpolitischen Folgen all dessen bei inneren und äußeren Gegnern und ihren finsteren, die traditionelle Ordnung umwälzenden Machenschaften zu suchen, steht schließlich auch in engem geistigem Zusammenhang mit den rabiateren Formen einer leidenschaftlichen Agitation gegen die deutsche Kriegsschuld. Die Kriegsschuld gehörte für sie ebenfalls zu den hinterhältigen Mitteln und Erfindungen, das Deutsche Reich und die deutsche Nation zu demütigen und der dauernden Ohnmacht zu überantworten.

Die Revolution änderte nichts Wesentliches an der Zusammensetzung der Reichsregierung, wenn sich auch die Gewichte zugunsten der Sozialdemokratie verschoben. Prinz Max trat zurück, der Kaiser dankte ab und ging nach Holland ins Asyl, und Friedrich Ebert von der SPD wurde zur zentralen Figur, zunächst als einer der beiden Vorsitzenden des revolutionären, aber von seiner Partei beherrschten Rats der Volksbeauftragten, später als erster Präsident der neuen Republik. Die Ereignisse hatten sich für alle Beteiligten völlig überraschend entwickelt. Ungewißheit und Unübersichtlichkeit herrschten vor; die befürchtete bolschewistische Revolution war die Sache von radikalen Minderheiten, aber sie drohten ein Chaos heraufzubeschwören. Um den Bestand des Staatswesens und bis zur Wahl und während der Tätigkeit einer verfassunggebenden Nationalversammlung eine handlungsfähige Regierungsgewalt zu sichern, kam es zu einer Verständigung zwischen Ebert und der Obersten Heeresleitung. Außerdem sollten die Reichsbehörden weiterarbeiten, und die Beamtenschaft wurde zum Korsett des Staates in der turbulenten Übergangszeit. Politisch blieb die Gruppierung aus SPD, Zentrum und Linksliberalen zusammen, in der praktischen Regierungstätigkeit gestützt auf die Reichsressorts. Viele Elemente der Kontinuität blieben also gewahrt, obgleich ihre Überlebensfähigkeit anfangs sehr ungewiß schien. In den für die Außenpolitik entscheidenden Positionen trat keine Änderung ein; Wilhelm Solf blieb Staatssekretär des Auswärtigen Amts und Erzberger Leiter der Waffenstillstandskommission, die in Compiègne verhandelte, während sich in Berlin die Revolution durchsetzte und die Monarchie verschwand.

Der Waffenstillstandsvertrag vom 11. November 1918[39] war sehr hart. Er zielte auf völlige Entmachtung Deutschlands und enthielt im Vorgriff schon eine Reihe von Regelungen, die eigentlich erst in den Friedensvertrag gehörten. Die deutschen Truppen mußten mit großer Beschleunigung zurückgenommen und große Mengen von Kriegsmaterial, Lokomotiven, Waggons, Lastkraftwagen abgeliefert werden. Das linksrheinische Gebiet wurde besetzt und ein rechtsrheinischer Gebietsstreifen entmilitarisiert. Für die Reparationen wurden alle Werte, die in Deutschland dafür in Frage kamen, rechtlich sichergestellt. Übergreifende Gesichtspunkte setzten sich in der Bestimmung durch, daß die Friedensverträge von Brest-Litovsk und Bukarest (13. März und 7. Mai 1918) aufgehoben wurden, die deutschen Truppen im Osten sich auf die Grenzen vom 1. August 1914 zurückzuziehen hatten und nur im Baltikum stehenbleiben sollten, bis die Alliierten den Augenblick des Rückzugs für gekommen erachteten. Das bedeutete, die überragende, allerdings nur sehr kurze Zeit andauernde deutsche Machtstellung in Osteuropa wurde zerstört; die Ergebnisse des Ersten Weltkriegs hat man dort im übrigen keineswegs rückgängig gemacht. Die neu entstandenen Staaten im Westteil des russischen Reiches – Finnland, Estland, Lettland, Litauen und Polen – sollten erhalten bleiben und vor allem im sehr labilen Baltikum gesichert werden, wobei zugleich – von allerlei anti-bolschewistischen Spekulationen und Illusionen umrankt – eine Art Brückenkopf gegenüber dem revolutionären Rußland entstand. Ganz deutlich war schließlich die Absicht der wirtschaftlichen Schwächung Deutschlands – die Blockade wurde auch aufrechterhalten – und die Einleitung von endgültigen Friedensregelungen: Abtrennung Elsaß-Lothringens, deutsche Entwaffnung und die langfristige Besetzung des linksrheinischen Gebiets. Be-

[39] Der Waffenstillstand 1918–1919. Hrsg. von Edmund Marhefka, Bd. 1, Berlin 1928, S. 20–57.

sonders belastend und Mißtrauen gegen Vereinbarungen mit den Alliierten erregend wirkte es sich aus, daß bei den drei Verlängerungen des Waffenstillstands jeweils weitere verschärfende Forderungen und Ablieferungen den Deutschen abgepreßt wurden – kein gutes Omen für den Friedensvertrag und seine spätere Auslegung.

Es war trotz allem ein Erfolg, den die deutsche Diplomatie mit der Anerkennung der Vierzehn Punkte als Friedensgrundlage errungen hatte, denn dies bedeutete eine völkerrechtlich verbindliche Festlegung der Alliierten. Nur durften die Deutschen daran keine zu hohen Erwartungen knüpfen. Doch gerade das taten sie in der Phase bis zur Vorlage des Friedensvertrags-Entwurfs. Der harte Waffenstillstandsvertrag hatte bei ihnen einen schweren Schock und Zweifel an einer glimpflichen Behandlung ausgelöst. Mit um so größerem Nachdruck betonte die Reichsregierung in der Öffentlichkeit, daß nur ein Rechtsfrieden auf der verbindlichen Grundlage der Vierzehn Punkte akzeptabel sei, und zwar in einer den deutschen Vorstellungen nahekommenden Interpretation. Daß dies nicht nur Taktik war oder Illusion, wurde daran deutlich, daß die Vierzehn Punkte als das Maximum dessen galten, was das Reich an Zugeständnissen machen konnte. Insofern war es folgerichtig, laut zu verkünden, daß ein Friedensvertrag, der diesen Voraussetzungen nicht entspreche, abgelehnt werden müsse. Deshalb bemühte sich die Reichsregierung frühzeitig, in diesem Sinne eine Einheitsfront in Deutschland herzustellen. Es war ihr ernst damit, und es handelte sich um einen typischen Fall der Selbstfesselung und der Einschränkung pragmatischen Handlungsspielraums durch außenpolitische Grundsätze, die unter Einsatz der ganzen Autorität einer Regierung verbreitet werden, so daß eine solche Regierung später nicht mehr von ihnen abrücken kann.

Der Eindruck einer prinzipiellen Festlegung verstärkt sich, wenn man berücksichtigt, daß dem Auswärtigen Amt schon früh bewußt war, daß ein diktierter Frieden drohte. Brockdorff-Rantzau, der als Nachfolger Solfs (seit dem 28. Dezember 1918) bei der SPD gewisse Sympathien als unabhängig und modern denkender Diplomat genoß und Scheidemann aus Kopenhagen näher bekannt war, ging noch weiter und stellte am 14. Januar 1919 in einer, der Klärung der eigenen Gedanken dienenden Aufzeichnung fest, »daß wir immerhin darauf vorbereitet sein müssen, daß es überhaupt zu Verhandlungen im eigentlichen Sinne nicht kommt«. So geschah es ja denn auch. Er fuhr fort (und hier gelangt man an den Kern der deutschen Einstellung und ihrer Folgen): »Es wäre [...] töricht, nicht den vollen Ernst der Lage zugestehen zu wollen. Wir sind geschlagen, aber wir sind nicht vernichtet. Wir sind auf Jahre hinaus geschwächt, aber imstande, uns wieder aufzurichten. Ich bin entschlossen, auf außenpolitischem Gebiet nicht nur zu retten, was zu retten ist, sondern sofort zu beginnen, neu aufzubauen. Der Friede, den wir schließen, muß ein Rechtsfrieden sein [...]«[40].

Aus diesen und ähnlichen Äußerungen und aus dem weiteren Verhalten gehen folgende bemerkenswerte Leitlinien hervor: Das Reich war nicht zerstört, damit auch nicht die Basis seiner Großmachtstellung. Es bestand die Chance der Wiederaufrichtung, allerdings nur, wenn man sich nicht damit begnügte, aus der Konkursmasse des Kaiserreichs möglichst viel zu retten, sondern neu anfing, mit neuen Zielsetzungen und Methoden und durchaus in Anlehnung an Wilsons Vorstellungen. Vor allem aber war der Friedensvertrag damit nicht länger die Basis des Neubeginns, er wurde vielmehr eine entscheidende Etappe auf dem Weg des Wiederaufstiegs, die überwunden werden und den Beweis erbringen mußte, daß eine neue internationale Ordnung möglich war, in der Deutschland von vornherein trotz aller Verluste und Schwächungen seinen gebührenden Platz erhielt. Die Gewährung eines Wilson-Friedens wurde daher zum Prüfstein. Kam er nicht zustande, dann war die Absicht der Alliierten offenbar, Deutschland doch zu vernichten und auch den Wiederaufstieg unmöglich zu machen. Dann kam nur Ablehnung in Frage. Das Ergebnis jedenfalls war – historisch betrachtet –, daß der Widerstand gegen den Versailler Vertrag schon in den Monaten, die der Formulierung der Friedensbedingungen vorausgingen, seine Ursprünge hatte und in seinen wesentlichen Punkten, den in Deutschland befürchteten Abweichungen von Wilsons Friedensprogramm, hinreichend konkret ausgeprägt war. Infolgedessen erscheint auch das spätere Verlangen nach Revision des Versailler Vertrags in einem etwas anderen Licht. Revisionspolitik umfaßte recht heterogene Impulse und Elemente, darunter auch solche, die vor dem Vertrag schon vorhanden waren und weniger eine Revision bedeuteten als vielmehr Fortsetzung der Bemühungen, bestimmte außen-

[40] Akten zur deutschen auswärtigen Politik 1918–1945 (= ADAP). Serie A: 1918–1925, Bd. 1, Göttingen 1982, S. 184f.

politische Vorstellungen zu verwirklichen, die in Paris nicht berücksichtigt worden waren. Jedenfalls war für diejenigen politischen Kräfte, die vor Versailles und danach für, wenn auch begrenzte, Reformen und Neuansätze in der Innen- und Außenpolitik eintraten, Revisionspolitik keinesfalls eine Rückkehr zum Stand und zur Welt von vor 1914, sondern der Versuch zur Verwirklichung einiger der Ideen aus der Waffenstillstandszeit.

Die Befürchtungen, die man in Deutschland wegen der zu erwartenden Friedensbedingungen hegte, folgten gewissen Prioritäten, die auch in den zwanziger Jahren wirksam blieben. Deshalb noch einige Bemerkungen über Schwerpunkte der deutschen Friedensvorbereitungen und der tastenden Anfänge einer Nachkriegs-Außenpolitik. Wirtschaftsfragen standen, wie bereits angedeutet, ganz im Vordergrund. Die Expertengremien in Berlin und später in Versailles wurden von Wirtschaftsvertretern dominiert. Für sie war der Einfluß auf die Gestaltung der Außenwirtschaft und der wirtschaftlichen Friedensbedingungen von ganz unmittelbarer Bedeutung für die Befreiung von staatlicher Reglementierung, wie sie im Weltkrieg geherrscht hatte. Sie sollte von der Gemeinwirtschaftspolitik des Reichswirtschaftsamtes (seit 10. Februar 1919: Ministerium) fortgesetzt werden oder sie drohte sogar einzumünden in die Sozialisierung. Die SPD selber stand solchen Entwicklungen zurückhaltend gegenüber, an einigen wirtschaftsliberal eingestellten Ressorts wie dem Reichsfinanzministerium und dem Auswärtigen Amt hatten die Unternehmer eine starke Stütze, und da sie durchweg – allerdings nicht beim linken Flügel der Arbeiterparteien – als unentbehrlich für die Überwindung des Zusammenbruchs und für den Wiederaufstieg galten, vermochten sie ihre Position zu sichern. Neben anderen Maßnahmen hatten dazu in erster Linie zwei zielsichere und rasche Entscheidungen beigetragen: der Ausgleich mit den Gewerkschaften in der am 15. November 1918 gegründeten Zentralarbeitsgemeinschaft und die Sicherung des Einflusses der Unternehmer auf die Demobilmachung, den Prozeß der Überleitung von der Kriegs- zur Friedenswirtschaft. Der dritte entscheidende Schritt bestand eben in der Einschaltung in die Friedensvorbereitungen und die künftige Außenwirtschaftspolitik, also in der außenwirtschaftlichen Absicherung.

Allerdings waren hierbei die Auffassungen innerhalb der Wirtschaft alles andere als einhellig. Gemeinsam machte man zwar Front gegen staatliche Eingriffe und Reglementierung.

Aber vor allem über die künftige Handelspolitik gab es deutliche Meinungsverschiedenheiten. Vorwiegend, aber nicht ausschließlich, traditionelle Wirtschaftszweige – Landwirtschaft, Teile der Schwerindustrie etc. – folgten protektionistischen Grundsätzen und erstrebten Binnenmarktsicherung, Schutzmaßnahmen und Abgrenzung gegenüber dem Ausland, Marktbeherrschung oder vereinbarte Marktaufteilung für bestimmte Produkte und Regionen außerhalb Deutschlands. Demgegenüber traten die modernen, in neue Produktionsbereiche vordringenden Industrien sowie alle an Handel und Export beteiligten Wirtschaftszweige entschieden, obgleich ebensowenig ausschließlich, für weltwirtschaftliche Verflechtung, Öffnung der Märkte, weitgehende Liberalisierung des Handels und entwickeltere Formen internationaler Kooperation und weltweiter Regelungen in der gesamten Außenwirtschaft ein. Diese Konstellation der Wirtschaftsinteressen blieb für die Weimarer Republik grundlegend. Dabei konnten bis zur Weltwirtschaftskrise die Verfechter einer liberaleren Politik den Vorrang, den sie 1918/19 erreichten, behaupten, allerdings nur mühsam und mit Abstrichen. Daß sie 1918/19 die Szene beherrschten, lag einmal an der stark vom weltwirtschaftlichen Austausch abhängigen Struktur der deutschen Wirtschaft, zum anderen aber an der besonderen Situation: Unter ihnen befanden sich diejenigen, die schon früher für Verständigungsfrieden und maßvolle Modernisierung und Reformen im Innern eingetreten waren. Leute, die im Krieg als Annexionisten hervorgetreten waren – wie eine Reihe führender Schwerindustrieller – oder dezidiert konservative Interessen der ostelbischen Großgrundbesitzer vertraten, wurden als Berater der Friedensdelegation nicht akzeptiert. Außerdem spielte die Übereinstimmung oder Anpassung an die Amerikaner als politische Leitlinie eine wesentliche Rolle. Und die Regierung der Vereinigten Staaten vertrat unter Wilson vor allem zwei weltpolitische Prinzipien mit großem Nachdruck: eine offene, dem Verkehr von Waren und Kapital möglichst wenig Hindernisse entgegenstellende, liberal-kapitalistische Weltwirtschaft, und eine neue internationale Rechtsordnung, aufgebaut auf den Prinzipien der friedlichen Streitschlichtung, der Selbstbestimmung und der kollektiven Sicherheit, organisiert in einem Völkerbund. Die Affinität zu Wilsons wirtschaftlichen Vorstellungen war bei denjenigen deutschen Regierungs- und Wirtschaftsvertretern, die mit der Friedensvorbereitung beschäftigt waren, am engsten, allein schon deshalb, weil man von den übrigen Siegermächten eine Abschnürung vom Weltmarkt oder gar einen fortdauernden Wirtschaftskrieg befürchtete. Anzeichen und Ansätze waren dafür durchaus vorhanden.

Graf Bernstorff, der Leiter der deutschen Friedensvorbereitungen, verkündete am 12. März 1919[41] in einer Besprechung mit den Sachverständigen als offizielle Linie der deutschen Politik und sozusagen als Fazit der geschilderten Erwägungen: »Es wird sich nach unserer Ansicht darum handeln, ob der Friede, der uns auferlegt wird, Deutschland wirtschaftlich tot macht oder nicht. Wenn der erstere Fall eintreten sollte, so sind wir eben der Ansicht, daß wir die Verantwortung für die wirtschaftliche Tötung Deutschlands nicht mit übernehmen sollen. Wir würden also in diesem Falle nicht unterschreiben und würden die eventuellen Gefahren, die dadurch entstehen, auf uns nehmen.« Als Angelpunkt hatte sich in den Vorbesprechungen immer deutlicher das Reparationsproblem, Höhe und Art der deutschen Belastung durch Wiedergutmachungszahlungen herausgestellt. Bis zur Vorlage des alliierten Friedensvertragsentwurfs überwog bei den Deutschen die Auffassung, die Reparationslast mit allen Mitteln der Berechnung, der Darlegung mangelnder deutscher Leistungsfähigkeit und der Belastung der gesamten Weltwirtschaft so niedrig wie möglich zu halten. Wie geschildert, setzte sich erst in Versailles der früher recht zögernd aufgenommene Gedanke durch, mit Hilfe eines großzügigeren Angebots Erleichterungen in den übrigen Bestimmungen zu erreichen, vor allem im Hinblick auf ein Ende des Wirtschaftskrieges, auf wirtschaftliche Bewegungsfreiheit und Verhinderung der Abtretung wirtschaftlich wichtiger Gebiete. Die Wirtschaftskraft war das letzte den Deutschen verbliebene Machtpotential und wurde auch in den folgenden Jahren mit aller Energie verteidigt.

Für das Schwergewicht wirtschaftlicher Fragen ist es kennzeichnend, daß in diesem Bereich die konkretesten und am deutlichsten in die Zukunft weisenden Vorschläge erarbeitet wurden, auch wenn es darüber in Versailles ja nicht zur Erörterung mit den Siegern kam. Bereits im November 1918, besonders aber im März 1919 wurden in den Ressort- und Sachverständigenberatungen die wesentlichen Elemente künftiger internationaler Kooperation in der Weltwirtschaft umrissen. Eine wichtige und realistische Rolle erhielt dabei der noch zu schaf-

[41] Ebd., S. 291, dazu S. 294 Anm. 11 u. S. 360.

fende Völkerbund, und hier lassen sich deshalb erste Keime einer eigenständigen und konkreten deutschen Völkerbundspolitik erkennen, die in der zweiten Hälfte der zwanziger Jahre weiterentwickelt wurden. Der Grundgedanke war, daß globale Lösungen – sie banden auch die Sieger und hatten daher zusätzliche Vorteile für Deutschland – angestrebt werden müßten; abgestimmte und gemeinsam vereinbarte internationale Regelungen wurden als effizienteste Lösung der mannigfachen Probleme der Nachkriegszeit und vor allem als Mittel gegen den Zerfall der Weltwirtschaft betrachtet. Gedacht war an einen Welthandelsvertrag als Rahmenvereinbarung, gestützt auf die Meistbegünstigung. Kollektive Abmachungen sollten ferner die ungehinderte wirtschaftliche Betätigung in der Welt gewährleisten. Der Völkerbund müsse vor allem in die Kredit- und Währungsfragen regelnd und helfend eingreifen, auch im Hinblick auf Rohstoffkredite und zum Wiederaufbau. Erwünscht war in erster Linie eine Art Welt-Clearing-Bank unter der Ägide des Völkerbunds (ein Vorläufer der Bank für internationalen Zahlungsausgleich und der Weltbank) zur Vermittlung von Krediten und zur Stabilisierung und fortlaufenden Anpassung der internationalen Währungs- und Zahlungsbilanzverhältnisse. Das alles lag natürlich im deutschen Interesse, aber es war darüber hinaus auch vernünftig, selbst wenn zunächst die politischen Ziele der Alliierten, besonders Frankreichs, dem entgegenstanden und angesichts der noch ganz unversöhnten Verhältnisse nach den schrecklichen Kriegserfahrungen und Leidenschaften der Zeitpunkt zur Verwirklichung verfrüht war. Die Internationalisierung sollte sich als ein langer und mühsamer Prozeß erweisen. Sich auf einen internationalen Standpunkt zu stellen, war aber grundsätzlich richtig, gerade in Deutschland, das auf diesem Gebiet noch einiges nachzuholen hatte. »Wir können«, meinte ein Teilnehmer der Besprechung am 17. März 1919, »nur zu etwas Gutem gelangen, wenn wir mit einem Vorschlag hervortreten, der allen dient.«[42] Auch an eine Finanzierung des Wiederaufbaus und der umfangreichen Auslandsschulden der am Ersten Weltkrieg beteiligten Staaten, vor allem also der interalliierten Schulden, und schließlich auch an große Reparationsanleihen über den Völkerbund war gedacht. »Damit würde«, so führte Ernst Schmitt, ein leitender Beamter der handelspolitischen Abteilung des Auswärtigen

[42] Krüger, Deutschland und die Reparationen, S. 124.

Amts aus, »eine erste wirtschaftliche Basis für den Völkerbund geschaffen werden, ohne die er ein mehr oder weniger ideologisches Gebilde bleibt, und es würde ein Weg gebahnt werden für die Beseitigung der getrennten Wirtschaftsimperien und die Herbeiführung einer Wirtschaftsverflechtung und weltwirtschaftlichen Arbeitsteilung, in denen unser künftiges Interesse liegt.«[43] Darüber hinaus fiel natürlich auch schon der hoffnungsvolle Blick der Deutschen auf die Amerikaner als große Kreditgeber für den deutschen Wiederaufstieg und die Reparationen, ja sogar für eine großzügige Regelung der interalliierten Schulden aus dem Ersten Weltkrieg, die vor allem in den Schulden Frankreichs und Englands gegenüber den zum weitaus größten Gläubigerland aufgestiegenen Vereinigten Staaten bestanden. Daran war allerdings zunächst gar nicht zu denken, doch es war eine bedeutsame Zukunftsperspektive.

Ein weiterer Bereich, in dem die Deutschen neue Wege einschlugen, angeregt von der internationalen Diskussion und den politischen Möglichkeiten für ein militärisch ohnmächtiges Land, war die Weiterentwicklung des Völkerrechts, sowohl durch einen Völkerbund als auch durch den Ausbau des Schiedswesens und der Kriegsverhütung. Mit dem Völkerbundsentwurf vom April 1919 suchte man den Pariser Entwurf vom Februar an Idealismus und Reinheit weit zu übertrumpfen, was nicht seriös wirkte. Denn gerade das Reich hatte vor 1914, etwa auf den Haager Friedenskonferenzen 1899 und 1907, gegen jede Institutionalisierung und Verbesserung friedlicher Streitschlichtung nachdrücklich opponiert und sich in seiner Machtausübung nicht einschränken lassen. Doch hinter solch großen Gesten gab es pragmatischere Ansätze, besonders im Schiedswesen (Schiedsgerichts- und Vergleichsverfahren). Eine ernst zu nehmende Entwicklung mit eigenen deutschen Beiträgen bahnte sich hier deshalb an, weil sie aus nüchternen, wohldurchdachten außenpolitischen Interessen entsprang.

Ein dritter wesentlicher Punkt des Neuansatzes für eine modernere deutsche Außenpolitik war die Reform des auswärtigen Dienstes, die Schülersche Reform, benannt nach ihrem Spiritus rector, dem Ministerialdirektor Edmund Schüler. Es war bisher die einzige grundlegende Reform dieses Ressorts in unserem Jahrhundert. Sie machte aus dem kleinen, von aristokratischem Geist durchzogenen alten Auswärtigen Amt eine moderne, bü-

[43] ADAP, Serie A, Bd. 1, S. 280.

rokratisch organisierte, sich ausweitende und komplizierter werdende Behörde. Zwischen dem Herbst 1918 und dem Frühjahr 1921 verschwanden wesentliche Kennzeichen der aristokratischen Prägung. Der Eintritt in den auswärtigen Dienst wurde jetzt jedem ermöglicht, der in der Regel – doch Außenseiter sollten auch eine Chance haben – über ein abgeschlossenes Studium verfügte, die Aufnahmeprüfung bestand und den umfangreichen Vorbereitungsdienst mit Abschlußprüfung durchlief. Dazu brauchte er kein eigenes Vermögen mehr, schon im Vorbereitungsdienst wurde er besoldet. Ebensowenig brauchte er einen adeligen Namen oder gute Verbindungen in den führenden Schichten (obwohl das, wie in jeder Gesellschaft, nach wie vor hilfreich war). Der diplomatische und der konsularische Dienst, bisher strikt getrennt, wurden zusammengelegt. Aufgelöst wurde hingegen die große politische Abteilung, die als die eigentlich wichtige Abteilung galt, im Unterschied zur handelspolitischen, zur Rechts- und zur Presseabteilung. Der Zweck der Änderung war, den höheren Beamten in die Lage zu versetzen, mit allen Verhältnissen eines Landes vertraut zu sein, nicht nur mit den eigentlich politischen. Deshalb wurden neue Abteilungen nach dem regionalen Prinzip eingerichtet, die jeweils für bestimmte Ländergruppen zuständig waren. Wirtschaftliche und politische Fragen, aber auch andere, teilweise ganz neue Aufgabenbereiche, wurden nicht mehr getrennt behandelt. Selbstverständlich blieben Spezialabteilungen bestehen, für Personal und Verwaltung, für Rechtsfragen, für Kulturbeziehungen – gerade dies war ein Zeichen für die zunehmende Vielfalt außenpolitischer Aufgaben in modernen Gesellschaften –, für spezielle Wirtschaftsfragen einige Spezialreferate etc. Die Presseabteilung diente der Reichsregierung insgesamt. Wirtschaftliche Fragen erhielten ein viel größeres Gewicht. Die Zusammenarbeit mit den verschiedenen Wirtschaftszweigen wurde intensiviert, obwohl ihre Institutionalisierung in einer besonderen Abteilung scheiterte. Überhaupt sollte der erneuerte auswärtige Dienst – auch eine größere Zahl höherer Beamter und Diplomaten aus der Kaiserzeit schied aus – aufgeschlossen sein für neue Entwicklungen, für die wachsende internationale Verflechtung und für die damit verbundene rasche Vermehrung der Auslandskontakte auf allen Gebieten. Er behielt zwar noch einiges von seinem Nimbus und seiner Faszination, aber er wurde doch sozusagen normaler, entwickelte sich langsam zu einem Ressort unter anderen, mußte sich viel stärker als bisher um innenpolitische Entwicklungen kümmern, Positionskämpfe im Regierungssystem ausfechten und seine Kompetenz wahren. Auf Grund der parlamentarischen Verfassung unterlag er stärker der parlamentarischen Kontrolle, hatte einen parlamentarischen Minister und mußte sich intensiv mit der öffentlichen Meinung, vor allem der Presse auseinandersetzen. Schließlich mußte er technisch auf der Höhe bleiben: Die völlig neue Bedingungen schaffende Entwicklung des Verkehrs und der Kommunikationsmittel war eine Herausforderung und führte zu wichtigen internen Verschiebungen. Die Auslandsvertretungen verloren an Gewicht im Vergleich zur Zentrale, die Informationsmöglichkeiten stiegen und beschleunigten sich ungeheuer, und es ging darum, die Masse von Informationen rasch genug und sinnvoll zu verarbeiten. Schließlich setzte ein gewisser Austausch unter den leitenden Beamten mit anderen Ressorts und der Wirtschaft ein.

Insgesamt betrachtet boten die Vorbereitungen auf die Friedensverhandlungen ein ziemlich buntes Bild und spiegelten die reichlich vorhandenen Unsicherheiten über den künftigen Kurs wider. Neben den ganz großen Entwürfen und Ideen mit häufig propagandistischem Gehalt standen unzählige kleinliche Detailuntersuchungen und Bemühungen, den deutschen Rechtsstandpunkt in allem und jedem zu verteidigen. Neben vernünftigen Ansätzen für eine Außenpolitik der Verständigung und der Kooperation trat immer wieder unverhüllt das Bemühen hervor, die Niederlage so schnell wie möglich ungeschehen zu machen, verknüpft mit Hinweisen auf den drohenden Bolschewismus und die Gefahr chaotischer Zustände in Deutschland, wenn die Alliierten nicht auf die deutschen Vorstellungen eingingen. Irritierend wirkte auch das oft widersprüchliche Verhalten zwischen eilfertigem Entgegenkommen und plötzlicher Verweigerung, zwischen Großmacht-Arroganz und den larmoyanten, gelegentlich peinlichen Bekundungen von Schwäche, Hunger, Niedergang und Elend. Das heißt nicht, daß die Reichsregierung nicht Anlaß gehabt hätte, lautstark zu protestieren gegen die fortdauernde Blockade und viele schikanöse und unsinnige Maßnahmen der Alliierten.

Viele hastige Veränderungen, Reformen und Bekenntnisse erweckten, nicht immer zu Recht, den Verdacht, sie seien dem inneren und äußeren Druck und taktischen Erwägungen entsprungen, nicht aber eigenständigem, zielbewußtem Erneuerungsstreben. Die Trennung gegenüber dem alten Regime oder wenigstens die kritische, die Erfahrungen des Krieges verarbeitende Distanz zur Vergangenheit fiel bei weitem nicht klar genug aus; zu häufig wurde alles überdeckt durch pathetische Beschwörungen der nationalen Ehre und durch wenig angebrachte Stellungnahmen gegen den Kriegsschuldvorwurf, der von vornherein nicht wirklich untersucht, sondern beseitigt werden sollte. Es war wenig von einem klaren Bewußtsein der Realitäten und unmittelbaren Erfordernissen zu spüren, es gab keine einheitliche Linie in der Außenpolitik, und deswegen wirkten die Bemühungen um eine realistische, interessenbezogene Verständigungspolitik, die zweifellos vorhanden waren und sich in Versailles stärker durchsetzten, keineswegs überzeugend genug.

Denn trotz aller Anstrengungen der Deutschen, Wohlverhalten zu zeigen, indem man etwa den so sehr erstrebten Anschluß Deutsch-Österreichs nach dem Zerfall der Habsburger Monarchie zurückstellte oder gute Beziehungen zur Tschechoslowakei anknüpfen und auch sonst mit den Intentionen der Sieger nicht in Konflikt geraten wollte: Das eigentliche Problem war die überragende Machtstellung Deutschlands auf dem europäischen Kontinent, wie sie sich im Weltkrieg so eindrucksvoll bewiesen hatte, und nicht die Lösung von Randproblemen. Die Machtstellung Deutschlands war durch den Zusammenbruch gelähmt, aber für die Zukunft durchaus nicht drastisch reduziert. Dies war die Sorge der Alliierten, insbesondere Frankreichs, und dem sollten dann die Friedensbedingungen Rechnung tragen. Die an sich richtige Konzeption des Auswärtigen Amts, möglichst rasch und mit möglichst vielen der kleineren Alliierten und der Neutralen offene Fragen zu bereinigen, Friedensregelungen vorweg bilateral zu treffen und freundliche Beziehungen wiederherzustellen, konnte daher die Atmosphäre verbessern, aber keine direkt verwertbaren Erfolge erzielen. Denn die alliierten Hauptmächte wollten alles unter ihrer Kontrolle halten und auf der Friedenskonferenz lösen, und vor allem Frankreich betrachtete mit Mißbilligung die ersten zaghaften Schritte zu einer deutsch-polnischen Regelung, obwohl sie wegen der fast unüberbrückbaren Gegensätze in den territorialen Fragen wenig aussichtsreich war. Mißtrauisch blieben die Alliierten im Hinblick auf die Beziehungen des Reiches zum bolschewistischen Rußland. Zwar hatte noch die Regierung des Prinzen Max den Abbruch der Beziehungen verfügt, und auch in der Folgezeit wurden mit Rücksicht auf die Siegermächte

Kontakte vermieden, vielmehr anti-bolschewistische Auffassungen auch als möglicher Anknüpfungspunkt gemeinsamer Politik mit den Alliierten vertreten, aber die deutsche Einstellung blieb doch ambivalent. Die Aufrechterhaltung einer starken deutschen Machtstellung im Osten, die Hoffnung auf bedeutende wirtschaftliche Möglichkeiten im ost- und südosteuropäischen Bereich und in Rußland und schließlich auch der Gedanke an ein gewisses Zusammengehen auch mit den Bolschewisten im Sinne eines russischen Gegengewichts gegen zu starke Pressionen der Alliierten blieben doch stets verlockend.

Entscheidend war also, was in Paris auf der Friedenskonferenz geschah. Hätte das neue Deutschland einen überzeugenderen Eindruck gemacht, wären vielleicht einige Bedingungen glimpflicher ausgefallen, vor allem hätte sich die Ausgangsposition des Reiches für die folgenden Jahre verbessert, aber an den grundsätzlichen, im Versailler Vertrag niedergelegten Entscheidungen hätte sich nichts Wesentliches geändert. Deutschland war vorübergehend kein internationaler Machtfaktor, der nachhaltig in die Friedensverhandlungen hätte eingreifen können, die dann folgerichtig auch vor allem von den Siegern untereinander und über ihre divergierenden Interessen geführt wurden und kaum mit dem Reich. Wilson konzentrierte sich zunächst darauf, die Errichtung des Völkerbundes durchzusetzen, danach, die Alliierten zu zügeln und Friedensschlüsse im Sinne seines Programms zu gestalten, um möglichst rasch zu beruhigten und konsolidierten Verhältnissen zu gelangen als Voraussetzung einer Pax Americana, einer liberal-kapitalistischen offenen Weltwirtschaftsordnung auf der Basis eines kollektiven Rechts- und Sicherheitssystems. Den Franzosen hingegen – wie den Europäern überhaupt – brannten viel näherliegende Probleme auf den Nägeln als den Amerikanern in ihrer atlantischen Distanz. Frankreich sah das potentiell überlegene Deutschland vor sich und war fest entschlossen, das Reich entscheidend und dauerhaft zu schwächen auf allen jenen Gebieten, die Macht bedeuteten: weitgehende kontrollierte Entwaffnung, Abtrennung oder Besetzung wichtiger Gebiete in Ost und West, Reparationen, um Geld und Sachlieferungen herauszuholen und dauernde Interventionen zu ermöglichen, handelspolitische Vorteile und der Versuch, das deutsche Wirtschaftspotential an Rhein und Ruhr auf Frankreich zu übertragen. Als Ergänzung sollte jede Möglichkeit genutzt werden, die Struktur des Reiches aufzulockern – Friedensschlüsse mit den deutschen Einzelstaaten waren keine ganz abwegige deutsche Befürchtung –, und es sollte ein Bündnissystem in Osteuropa, gestützt auf Polen und die Tschechoslowakei, entstehen. Das ganze lief auf eine Hegemonie Frankreichs in Kontinentaleuropa hinaus. Gerade eine solche Erschütterung des europäischen Gleichgewichts wollten die Engländer verhindern. Sie fürchteten außerdem neue Konflikte, die Destabilisierung Ost- und Mitteleuropas, die Attraktion Rußlands für ein zu sehr gedemütigtes Deutschland und wirtschaftlich den Niedergang Europas und eine empfindliche Schädigung des englischen Handels. Deshalb trat man doch in wichtigen Fragen, vor allem der Abtrennung des Rheinlandes und des Saargebiets, den Franzosen entgegen, die daher den Versailler Vertrag als unzureichend erachteten und in den folgenden Jahren in ihrem Sinne umgestalten wollten.

Für Deutschland bedeutete der Versailler Vertrag und die Unumgänglichkeit seiner Unterzeichnung eine weitere bittere Erfahrung. Wenn Brockdorff-Rantzau im Januar gemeint hatte, er habe den vollen Ernst der Lage erfaßt, nun müsse es an den Wiederaufbau gehen, weswegen ein Gewaltfrieden inakzeptabel und abzulehnen sei, dann erwies sich jetzt, daß er nicht tief genug auf den Grund der Wirklichkeit und der Erkenntnis hinabgestiegen war. Deutschland kam nicht darum herum, die Niederlage auch in ihren Konsequenzen zu erfahren. Die folgenden Jahre machten allen Einsichtigen bewußt, daß ohne eine pragmatische Anerkennung der durch den Versailler Vertrag geschaffenen Realitäten ein Neuaufbau der deutschen Außenpolitik und ein allmählicher Wiederaufstieg kaum zu bewerkstelligen waren. Es ging um ganz wesentliche Entscheidungen. Die strukturelle Entwicklung der immer komplexeren Gesellschaften vor allem in den westlichen Industrieländern, die damit verknüpfte rasante Verdichtung des Netzes internationaler Verflechtung, insbesondere in der Wirtschaft, machten eine diesen Gegebenheiten und Trends angemessene Außenpolitik des friedlichen Interessenausgleichs, der Kooperation und der gemeinsamen Verantwortung für gesicherte internationale Verhältnisse eigentlich zwingend und einleuchtend. Dem standen überkommene nationalistische Überzeugungen von Staat, Außenpolitik und Unabhängigkeit diametral entgegen, teilweise als Widerstand gegen die Moderne oder als Schutzideologie, in jedem Falle aber mit stark emotionalen Reaktionen und Wirkungen. Diese Spannung existierte nicht nur für Deutschland, sie war und ist eine Grundvoraussetzung dieses Zeitalters. Aber für Deutschland, wo der Gegensatz zwischen den beiden Verhaltensweisen besonders tief war, wurde die Entscheidung zwischen ihnen besonders dringend, schwierig und belastend, nicht zuletzt deswegen, weil dem deutschen Nationalismus noch einiges zur nationalen Integration und zum nationalen Selbstbewußtsein fehlte.

2. Nach Versailles: Die Belastungen außenpolitischen Denkens und die Schwierigkeiten einer angemessenen Konzeption

Der Gegensatz zwischen Nationalismus und internationaler Verflechtung mit weltwirtschaftlicher Prägung spiegelte sich vielfältig in der geistigen Entwicklung Deutschlands in jenen Jahren. Er hatte eine lange Vorgeschichte, zeugte von der exaltierten Verherrlichung der siegreichen, heroischen Nation seit der Reichsgründung. Bismarck wurde zum Idol, die Überlegenheit deutschen Wesens und deutscher Macht galt als erwiesen und drängte, verbunden mit übermächtigen wirtschaftlichen und gesellschaftlichen Interessen, nach weltweiter Betätigung und Expansion einerseits, nach Ausbau einer sich stärker abschließenden europäischen Machtstellung mit teilweise erheblichen Ressentiments gegen moderne Wirtschaft, Dominanz der Industrie, Verstädterung und internationale Arbeitsteilung andererseits. Dies schlug sich seit Ende des 19. Jahrhunderts in der großen Auseinandersetzung über Deutschlands Zukunft zwischen Agrar- und Industriestaat nieder. Im ideologischen Kampf des Ersten Weltkriegs vertiefte sich die anti-moderne Richtung und errang deswegen ein gewisses Übergewicht, weil der innere Konflikt überlagert wurde durch eine geradezu als existentiell hochgetriebene Auseinandersetzung mit dem feindlichen Ausland. Es schien demnach um die Entscheidung zu gehen zwischen deutschem Wesen und westlicher Dekadenz, zwischen deutschen Helden und westlichen Händlern oder Krämern, deutscher Kultur und flacher westlicher Zivilisation, deutscher Tiefe, Philosophie und Schöpferkraft und westlichem Rationalismus. Vor allem aber den organisch gewachsenen sozialen deutschen Staat, ausgestattet mit Führungskraft und starker Autorität und jeden an seinem Platz zum Dienst an der Gemeinschaft anhaltend, stellte man dem mechanischen Gleichheitsstreben der parlamentarischen Demokratie des Westens gegenüber. Diese Konfrontation wurde noch verschärft durch Niederlage und Zusammenbruch und die wenig erhebenden Umstände der Gründung der Weimarer Republik.

Die Weimarer Republik galt als schwächlich – vor allem in der Außenpolitik. Sie sei gar kein richtiger, starker Staat, sondern nur eine Firma (Oswald Spengler). Zum leuchtenden, wegen der allgemeinen Misere sich immer mehr verklärenden Gegenbild erhob sich die Idee – und die Ideologie – des Reiches mit deutlichen historisch-mittelalterlichen Reminiszenzen. Seit das alte Reich 1806 zugrunde gegangen war, nahm es für viele eine fast mythische Gestalt an. Jedenfalls verdichtete es sich seitdem stets zu einer Vorstellung, die über den jeweils konkreten Staat weit hinauswies, sogar nach 1871 und ganz kraß seit 1918/19. Das Reich war mehr, eine umfassendere, von Deutschen geordnete kleine Welt in Mitteleuropa unter Einschluß auch anderer Nationalitäten. Es war meist mit einer besonderen, obgleich schwer zu erfassenden Weihe ausgestattet, die es aufnahmefähig machte für sehr unterschiedliche Ideen, gerade in der historischen Rückbindung, von christlichen bis zu völkisch-germanischen Vorstellungen. Die Schaffung dieses Reiches sollte die Erfüllung deutscher Geschichte sein, Macht und Raum für das überlegene deutsche Volk in allen seinen Zweigen bringen, wobei dann die Angehörigen anderer Nationalitäten, die diesem Reich wegen des weitgestreuten deutschen Siedlungsgebietes eingefügt worden wären, als »Mitbewohner unseres Raumes« bezeichnet werden konnten und von »unserer mitteleuropäischen Sendung«, der Gestaltung und Wiederaufrichtung dieses Raumes gesprochen wurde (Martin Spahn)[44]. Die wirtschaftlichen Erfahrungen aus dem Krieg, vor allem die Wirkungen der alliierten Blockade, trugen ebenfalls dazu bei, ein wie auch immer unter der Führung des Reiches gestaltetes Mitteleuropa als Garanten größerer wirtschaftlicher Unabhängigkeit zu fordern. Eine gewisse Rußlandbegeisterung war damit häufig verbunden; beide Länder seien aufeinander angewiesen beim Wiederaufstieg, und insgesamt galt »Osten« neben »deutsch« geradezu als zweites Gegensymbol gegen den Westen.

Solche und ähnliche Vorstellungen kehrten sich im Ausland, vor allem in Frankreich, gegen Deutschland: Schon im Frühjahr und Sommer 1919 war dort die Auffassung populär, daß sich in Deutschland nichts geändert habe; die neue Republik sei nur Schein, das reaktionäre Kaiserreich bestehe fort mit der alten Mentalität, den alten Vertretern, den alten expansiven Vorstellungen vom Reich. Aus allen diesen Gründen war ein Vorschlag der deutschen Gesandtschaft in Bern, die jene Vorgänge genau beobachtete, mehr als nur eine Arabeske und rührte an den Kern des deutschen Selbstverständnisses: Der Name »Deut-

[44] Gabriele Clemens, Martin Spahn und der Rechtskatholizismus in der Weimarer Republik. Mainz 1983, S. 110f.

sches Reich« solle geändert werden in »Deutsche Republik«. Der Leiter der Reichskanzlei, Unterstaatssekretär Albert, vermerkte dazu am 2. Juli 1919: »Es dürfte sehr zu erwägen sein, ob das Kabinett nicht [...] sich dafür einsetzt, daß der heutige Beschluß der Nationalversammlung über die Bezeichnung Deutschlands als Reich in der dritten Lesung [der Reichsverfassung] geändert wird.«[45] Dazu aber konnte man sich nicht entschließen. Die symbolische Kraft und die historische Bedeutung des Reichsbegriffs wirkten zu stark.

Die nachhaltige historische Bindung des deutschen Nationalgefühls, die Geschichtsmächtigkeit bestehender Vorgänge und Erfahrungen war überhaupt bemerkenswert. Heinrichs IV. Gang nach Canossa ist ein bekanntes Beispiel. Bismarck rief am 14. Mai 1872 im Reichstag[46] in bezug auf die Kurie aus: »Nach Canossa gehen wir nicht!« In Entwürfen für offiziöse Zeitungsartikel vor der Abreise der Friedensdelegation nach Versailles betonte Bernhard Wilhelm von Bülow, der Legationssekretär, das dürfe kein Gang nach Canossa werden. Damit appellierte er an ein nationales Ehrgefühl, das sich an derartigen längst vergangenen Ereignissen orientierte. Schon Heinrich Heine warnte 1834 hellsichtig: »Einst im Bierkeller zu Göttingen äußerte ein junger Altdeutscher, daß man Rache an den Franzosen nehmen müsse für Konradin von Staufen, den sie zu Neapel geköpft. Ihr [Franzosen] habt das gewiß längst vergessen. Wir aber vergessen nichts.«[47] Dieses Gefühl vieler Deutscher, in der Geschichte zu kurz gekommen, gedemütigt und ungerecht behandelt worden zu sein, war ein wichtiges Element ihres nationalen Bewußtseins, und es liegt auf der Hand, wie unter solchen Voraussetzungen der Versailler Vertrag wirken mußte.

Dieser mit Emotionen und Ressentiments geladene Nationalismus wurde, vor allem für die Bildungsschichten, nicht gerade gedämpft durch die vielen Reden und Gedenkfeiern für die Toten, über die Zukunft Deutschlands und über den Sinn des Sterbens und Leidens im Krieg für die Zukunft des Reiches. Und wie hierin die Geschichte – oder besser eine bestimmte Auffassung von ihr – nachhaltige Wirksamkeit entfaltete, so waren auch die Historiker als ihre Deuter und als Sinnvermitt-

[45] Reichsministerialsache Rk. 200. w. In: BA, R 43/I, 161.

[46] Horst Kohl (Hrsg.), Die politischen Reden des Fürsten Bismarck. Bd. 5, Stuttgart 1893, S. 338.

[47] Heinrich Heine, Zur Geschichte der Religion und Philosophie in Deutschland (1834). In: Heinrich Heines sämtliche Werke, Bd. 7, Leipzig o.J., S. 111.

ler gefragt. Zu den einflußreichen und bedeutenden Historikern zählte Hermann Oncken (Universität Heidelberg), der, nicht untypisch, eine gewisse innenpolitische Liberalität mit außenpolitischem Nationalismus und Machtdenken verband und sich zusammen mit vielen seiner Kollegen als Publizist an ein breiteres, zu bildendes Publikum wandte.

Oncken sprach am 16. Juni 1919 in einer Gedenkrede auf die gefallenen Studenten übertreibend von »Deutschland in seiner tiefsten Erniedrigung«, auch dies schon ein historisches, doch übersteigertes Zitat. Seine Verkündung, daß es das Vermächtnis der Gefallenen an die Lebenden sei, »daß Tod und Leben mächtiger sind als Erkennen und Wissen«[48], war zutiefst ambivalent und konnte leicht mißverstanden, zur Rechtfertigung von Irrationalismus und politischer Emotionalität werden. Oncken – und nicht nur er – erschwerte mit seinen Übertreibungen die Rückkehr in eine arbeitsreiche, mühselige Wirklichkeit und ihre ganze Nüchternheit durch die Beschwörung des unvergleichlich Bedeutsamen und Einmaligen der jüngsten Vergangenheit und des nicht absehbaren, im Grunde keine Zuversicht erlaubenden Unglücks: »Unser Unglück ist ohne Grenzen, es ist nicht auszuschöpfen in der Zeit unseres Lebens«; und der Zusammenbruch erschien »in dem tiefsinnigen Gesamtzusammenhang unserer Geschichte als eine Tragik von erschütternder Wucht«. Es gab keine Anklage gegen den Krieg oder diejenigen, die ihn begonnen hatten oder in immer furchtbarerer Vernichtung weitertrieben; statt dessen die Beschwörung ungeheurer Taten und Erwartungen, die das Ungenügen an der deprimierenden Gegenwart und die Auflehnung gegen die Realität fast herausforderten: »Das Ganze unserer Leistung [im Krieg], beispiellos in der Weltgeschichte, so hoch, daß nur ein heroisches Geschlecht es einst wird würdigen können: als ihre Frucht wollten schon die Umrisse einer großen weltgeschichtlichen Sendung sichtbar werden.«[49] Es waren dunkle Appelle und Schlagworte, umfassend und ohne jede klare Aussage, Aufforderungen zum Kampf für eine neue Zukunft im Geist der Toten, vieldeutig, grenzenlos: Jeder konnte sie mit dem, was er sich darunter vorstellte, auffüllen. Oncken erinnerte – wie viele andere auch – an Fichte während der Zeit preußischer Ohn-

[48] Hermann Oncken, Nation und Geschichte. Reden und Aufsätze 1919 bis 1935. Berlin 1935, S. 3, 6.
[49] Ebd., S. 8f., 11.

macht unter napoleonischer Herrschaft und an den glorreichen Wiederaufstieg. Soziale Gerechtigkeit, Einigkeit und Existenzsicherung in einem starken Staat waren die Voraussetzung; Anklänge an die verbreiteten Vorstellungen von einem preußischen Sozialismus in direktem Gegensatz zu westlich-individualistischem, parlamentarischem Liberalismus waren unverkennbar. Am wirkungsvollsten formulierte dies, besonders attraktiv für die gesamte nationale Bewegung, der Geschichts- und Kulturphilosoph Oswald Spengler in seiner Streitschrift *Preußentum und Sozialismus* von 1919. Preußenkönige wie Friedrich Wilhelm I. waren für Spengler die wirklichen Sozialisten, die als Lenker des autoritären Staates, der nationalen Ganzheit, auftraten, der sich der einzelne unterzuordnen hatte und die ihm auf Grund seiner Leistung Platz und Existenz in dieser Ordnung zuwies und sicherte, eine von Militär und Beamtentum hierarchisch geordnete Gesellschaft mit staatlich gelenkter Gemeinwirtschaft, völliger nationaler Geschlossenheit und Weltmachtanspruch. Die Volksgemeinschaft – ein 1919 besonders häufiges Schlagwort – als Voraussetzung und als Mittel höchster Machtentfaltung und äußerer Stärke, diesen Gedanken hat auch Oncken vertreten, ebenso wie Max Weber (DDP) und andere, obgleich in gemäßigterer, liberalerer Form: »Denn selbst die erhabensten Menschheitsgedanken können nur dann siegen, wenn das Volk, das sich zu ihrem Träger bestimmt, durch Einheit nach innen und Macht nach außen sich zu seiner besonderen Mission als berufen erweist.«[50] Derartige Überlegungen werden manchmal auch von Oncken mit sozialdarwinistischen Andeutungen über eine historische Auslese der stärksten Staaten verknüpft. Der vornehmlich von Volk und Kultur, nicht von freier politischer Selbstbestimmung geprägte deutsche Nationalbegriff erlaubte das Weitertreiben solcher Überlegungen durch extremer und primitiver argumentierende Gruppen der Rechten zu nationalistisch-völkischen und zu rassischen Vorherrschaftspostulaten.

Allgemein und traditionell besonders wirksam und einflußreich auf alle Lebensverhältnisse der Nation blieb die geographische Mittellage Deutschlands. Die Gefühle des außenpolitischen Bedrohtseins, die sie nach wie vor auslöste, ließen den meisten Deutschen in der Weimarer Republik gar nicht zum Bewußtsein kommen, daß sich die Situation durch den Zusam-

[50] Ebd., S. 14.

menbruch Rußlands 1917 und die Neugründung von Nationalstaaten im Westteil des ehemaligen Zarenreiches, ein Cordon sanitaire, zum ersten Mal seit der Reichsgründung erheblich verbessert hatte. Das tief eingeprägte herkömmliche Vorstellungsmuster der Mittellage empfand man als Lebensgesetz, das nur die zwei Alternativen zulasse: Entweder müsse Deutschland ausgreifen bis zur »natürlichen Führung des Weltteils« oder es werde zusammengepreßt zwischen West und Ost ohne freie Selbstbestimmung (Oncken)[51]. Dies wurde auch kulturell als deutsches Schicksal bezeichnet und war insgesamt schon ein Vorgriff auf die seit Mitte der zwanziger Jahre immer beliebter werdenden geopolitischen Lehren.

Alle erwähnten außenpolitischen Überzeugungen und Grundgedanken vom Daseinskampf der Staaten, Völker und Rassen; vom Reich der Deutschen als mitteleuropäischem Einfluß- und Herrschaftsraum; vom Schicksal der geopolitischen Mittellage; von der äußeren Machtentfaltung als nationaler Existenz- und Entwicklungsvoraussetzung; von dem größeren, von Deutschland gelenkten Wirtschaftsraum; von der weltwirtschaftlichen Abhängigkeit und internationalen Verflechtung Deutschlands; von der Tradition preußisch-deutscher Geschichte – alle diese Vorstellungen und noch einige mehr ließen sich vereinigen in dem weitreichenden und gefährlich vieldeutigen Grundsatz vom Primat der Außenpolitik gegenüber der Innenpolitik. In der bedrohlichen und ungeklärten Lage nach dem deutschen Zusammenbruch gewann dieses Prinzip auch noch eine ganz unmittelbare, akute Bedeutung: Nicht zuletzt aus Gründen der äußeren Gefährdung trat die SPD-Führung schon in den ersten Verfassungsberatungen für einen Einheitsstaat und für die Erhaltung Preußens als Klammer des Reiches ein. Die Neigungen zum Separatismus oder zu größerer Autonomie im Rheinland und in Bayern, der ziemlich reaktionäre Oststaat-Plan im Gegensatz zur Berliner »Revolutions«-Regierung und die Überlegungen, aus Oberschlesien einen Freistaat zu machen, damit es dem polnischen Zugriff entrinne, unter der Parole: »Oberschlesien den Oberschlesiern«, riefen große Unruhe und entschlossenen Widerstand in Berlin hervor. Am pronociertesten erläuterte der Volksbeauftragte Landsberg (SPD) sein Eintreten für den Einheitsstaat während einer Kabinettssitzung am 14. Januar 1919: Er habe Hugo Preuß (Staatssekretär

[51] Ebd., S. 19.

des Innern) unterstützt; »uns beiden und unseren Mitstreitern war die Lehre Rankes, daß die auswärtige Politik den Primat über die innere hat, zum Glaubenssatz geworden«[52]. Hier bezog sich der Primat der Außenpolitik allerdings auf Detailprobleme der Verfassung und auf die Innenpolitik; eine freiheitliche Gesellschaft und Verfassung stand für die SPD nicht zur Disposition.

Der Lehre vom Primat der Außenpolitik hatte Ranke zwar in gedankenreichen Erörterungen die weiterwirkende Basis geschaffen, aber die vereinfachende und rigorosere Ausgestaltung erfolgte erst seit dem Ende des 19. Jahrhunderts; verstärkten Nachdruck und große Verbreitung, obgleich mit ganz unterschiedlichen Akzenten und Zielsetzungen, erfuhr sie in der Weimarer Republik unter dem Eindruck von Versailles und dem Vorrang machtstaatlichen Wiederaufstiegs. Gerade die Historiker spielten bei der Anpassung dieses Prinzips an ihre Gegenwart erwartungsgemäß eine wichtige Rolle. Auch wenn die politisch Gemäßigten unter ihnen, die den Weimarer Staat zum mindesten akzeptierten, nicht von einem absolut bestimmenden Faktor sprachen, so räumten sie doch dem Primat der Außenpolitik einen Vorrang in der Verfassungs- und Innenpolitik ein, eine Art außenpolitisches Lebensgesetz der Staaten. »Die Bedürfnisse der äußeren Machtsphäre« (Oncken) und die durchgreifende »Dynamik des außenpolitischen Lebens, [...] die Forderung der Selbsterhaltung« seien »von so zwingender Natur, daß die innerpolitische Organisation nach dem äußeren Lebensgebot hin orientiert sein muß« (Rothfels). Die gesamte innere Entwicklung sah auch Otto Hintze abhängig von den außenpolitischen Existenzbedingungen der Staaten[53]. Bei ihm läßt sich zeigen, wie Erkenntnisse aus der wissenschaftlichen Untersuchung eines bestimmten Zeitalters – hier vornehmlich des preußischen Absolutismus beim Aufbau eines modernen Staates in bedrohter Lage – in bedenklicher Weise verallgemeinert und als Gesetzmäßigkeit auf die eigene Gegenwart übertragen wurden.

Was bei derartigen Bemühungen des historischen Denkens

[52] Quellen zur Geschichte des Parlamentarismus und der politischen Parteien. 1. Reihe, Bd. 6/2: Die Regierung der Volksbeauftragten 1918/19, Düsseldorf 1969, S. 238.

[53] Bernd Faulenbach, Ideologie des deutschen Weges. Die deutsche Geschichte in der Historiographie zwischen Kaiserreich und Nationalsozialismus. München 1980, S. 182 f.

herauskam, war allemal ein Plädoyer für den starken Staat, für die außenpolitisch voll aktionsfähige Großmacht, für die gerade von Historikern mit Vehemenz und dem Gewicht der Wissenschaft vertretene Zurückweisung der deutschen Kriegsschuld und, alles gleichsam krönend, die Forderung nach Revision des Versailler Vertrags, der eine wirkliche, dauerhafte Friedensordnung verhindere, der deutschen Nation schweres Unrecht und untragbare Lasten aufbürde und sie zutiefst erniedrige. Der Primat der Außenpolitik konnte darüber hinaus als wirksame Waffe gegen unwillkommene innere Reformvorhaben und gegen die Ausgestaltung der Republik eingesetzt werden; und tatsächlich sind im Verlauf der zwanziger Jahre die Vorwürfe lauter geworden, die man gegen ein angebliches Übergewicht von Innen- und Sozialpolitik, Parlamentseinfluß und Interessenstreit erhob. Mit solchen Vorwürfen gingen heftige Klagen darüber einher, daß es infolgedessen an der unentbehrlichen nationalen Geschlossenheit und Durchschlagskraft in den eigentlich wichtigen auswärtigen Angelegenheiten mangele.

Nun neigten liberaler eingestellte Historiker, die allerdings nicht die Mehrheit bildeten, kaum zu so weitgehenden Schlußfolgerungen und waren bereit, sich anzupassen und der parlamentarischen Demokratie und der Republik eine Chance zu geben. Oncken etwa sah in ihr die realistische, zeitgemäße Lösung der niemals endenden Aufgabe, einen starken, in sich gefestigten und außenpolitisch machtvollen Staat zu schaffen. Aber wie Onckens Äußerungen bis in die dreißiger Jahre beispielhaft zeigen, blieb die Republik dauernd auf dem Prüfstand der außenpolitischen Stärke-Tests. Erwies sie sich als zu schwach und zu wenig durchsetzungsfähig, mußte sie verändert werden. Bis in den Stil hinein ist in seinen Kommentaren der Schwebezustand des Abwägens zu spüren, eine fortwährende Bedingungsanalyse mit historischen Herleitungen ohne grundsätzliche Entscheidung für die parlamentarische Demokratie um ihrer selbst willen als eine der Freiheit des Menschen angemessene Regierungsform. Dazu Hans Herzfeld 1924 zusammenfassend: »Der Grad der Freiheit, mit dem man den inneren Ausbau eines Staates gestalten kann, hängt von dem Grade der Unabhängigkeit, der Unangreifbarkeit ab, den er sich in dem nach ewigen ehernen Notwendigkeiten entschiedenen Ringen der Völker sichert.«[54] Doch selbst wenn man das Erfordernis auswärtiger

[54] Ebd., S. 183.

Macht und Sicherheit hoch einschätzt – und es lassen sich gute Gründe dafür nennen –, läßt sich belegen, daß in den Jahren nach 1918 eine andere Gewichtung realistischer, überzeugender und auf längere Sicht nach außen wirksamer gewesen wäre: In einem Sammelband der kurz zuvor von Erzberger errichteten Zentrale für Heimatdienst vom März 1919 schrieb der sozialistische Publizist und Marxismus-Theoretiker Karl Korsch (USPD), trotz der utopischen Anklänge den Kern einer eigenständigen und unbeirrbaren Reformpolitik treffend, über die entschlossen zu nutzende Möglichkeit einer überzeugenden Neuordnung der inneren Verhältnisse Deutschlands, ja »der menschlichen Gesellschaft«; denn, »wenn also das durch die Revolution geschaffene neue Deutschland den Geist der sozialen Neuordnung und der inneren Freiheit in seiner Innenpolitik bewährt, so werden solche innerpolitischen Veränderungen wichtigste Veränderungen unseres außenpolitischen Verhältnisses zu den Weltmächten ganz von selbst zur Folge haben. Der neue Geist der deutschen Politik muß auf dem Gebiet der inneren Politik zuerst zum Durchbruch kommen.« Und: »Unsere innere Politik also bestimmt die Möglichkeiten der äußeren Politik der andern und damit zugleich auch unsere eigene Außenpolitik.«[55]

Von einer solchen Politik hatten sich die Deutschen rasch entfernt, und diejenigen, die sie unbedingt vertraten, die extreme Linke, die radikaleren Teile der Friedensbewegung, die Linksintellektuellen und ihre Zeitschriften, rückten an den Rand. Dessen ungeachtet setzte sich nicht nur innerhalb der SPD, sondern auch unter den reform- und verständigungsbereiten politischen Gruppierungen, vor allem unter den Liberalen, aber auch im Zentrum, sowie bei einigen führenden Gelehrten, die publizistisch und mit einem gewissen Einfluß auf die öffentliche Meinung wirkten (wie Ernst Troeltsch oder Friedrich Meinecke, beide DDP), eine sehr differenzierte Betrachtung des Primats der Außenpolitik durch. Ansätze für eine Neubewertung des Verhältnisses von Innen- und Außenpolitik und der außenpolitischen Aufgaben überhaupt zeigten sich. Ernst Troeltsch betonte einerseits das Unfertige und die Gefährdung der deutschen Nation und zog mit den vertrauten, heftig übertreibenden Formeln gegen den Versailler Vertrag zu Felde, gegen »Zerstückelung, Entbehrung, Versklavung« und die »im-

[55] Der Geist der neuen Volksgemeinschaft. Berlin 1919, S. 63 f.

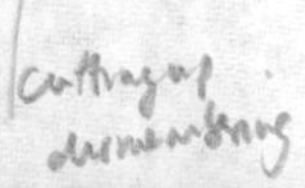

mer neuen Revolten und ein neues Faustrecht«, das er zur Folge habe[56]. Andererseits hob er, wie andere Liberale, die Bedeutung eines neuen, wirklichen Nationalgefühls hervor, dessen grundlegende Voraussetzung – und nicht nur eine zeitgemäße Anpassung – politische Selbstbestimmung sei, womit er dem stark volksmäßig-kulturell bestimmten deutschen Nationalbegriff eine neue, westeuropäisch-angelsächsische politische Komponente hinzufügte: Nationalbewußtsein als »Lebensgefühl eines großen, freien, sich selbst ordnenden und beherrschenden Volkes«. Durchaus in engem Zusammenhang damit ist sein Eintreten für eine neue Grundlegung der Außenpolitik zu sehen, und zwar insofern, als der unaufgebbaren Entfaltung der Nation die Verantwortung für die sich immer stärker verflechtende Gemeinschaft der Menschheit zur Seite zu stellen sei, also die übernationale Kooperation der Staaten und die Überwindung des nationalstaatlichen Egoismus in einer, obgleich sehr zu verbessernden Organisation des Völkerbundes[57].

Friedrich Meinecke stellte die Notwendigkeit einer demokratischen Verfassung zur gesellschaftlichen Integration der Nation insgesamt und unabhängig von außenpolitischen Prioritäten, die auch er keineswegs leugnete, besonders deutlich heraus. Zwar sagte er im Oktober 1918[58], ganz im Sinne eines Primats der Außenpolitik: »Das Verfassungsleben der Staaten stand von jeher unter dem Gesetz der auswärtigen Politik«, aber das politische und gesellschaftliche Versagen des Kaiserreichs war für ihn unbestreitbar und die Notwendigkeit einer republikanischen Verfassung ganz unabhängig von außenpolitischen Postulaten ebenso. Er erfaßte sehr wohl den Wandel und die Schrecken des modernen Krieges, und dies verstärkte nur seine Mahnung, daß alle Revisionspolitik ganz allmählich und friedlich vor sich gehen müsse. Deutsche Außenpolitik hielt er sinnvoll nur für möglich als Politik des Interessenausgleichs, des Rechtes und der Verständigung mit den ehemaligen Gegnern. Vernunft, nicht Irrationalismus, lautete seine Parole, obwohl er selbstverständlich – auf diesem Gebiet fühlte sich jeder frei,

[56] Jürgen Heß, »Das ganze Deutschland soll es sein«. Demokratischer Nationalismus in der Weimarer Republik am Beispiel der Deutschen Demokratischen Partei. Stuttgart 1978, S. 97.

[57] Ebd., S. 34 u. S. 264.

[58] Friedrich Meinecke, Politische Schriften und Reden. Hrsg. und eingeleitet von Georg Kotowski (Friedrich Meinecke, Werke. Bd. 2), Darmstadt 1958, S. 258ff.

seinem Herzen Luft zu machen – mit vergleichsweise starken Tönen den Versailler Vertrag und seine Sklavenketten verurteilte. Grob gesagt, war dies die Linie der liberalen Verständigungspolitiker, die vor allem in der Stresemann-Ära zum Zuge kamen und die Kooperation als wirksamste Vertretung der deutschen Interessen in einem sich wandelnden internationalen System mit wachsender wechselseitiger Abhängigkeit erkannt hatten.

Die Auffassungen von der Wiederherstellung der deutschen Großmacht, vom Primat der Außenpolitik, von der Revision des Versailler Vertrags und der Ablehnung der deutschen Kriegsschuld wurden also von einer gemeinsamen, unbestritten vorherrschenden nationalen Stimmung getragen, auch wenn sie ziemlich diffus war und ganz unterschiedlich akzentuiert und eingesetzt wurde. Glanz und Stärke des Reiches sollten wiederhergestellt und das Werk der nationalen Integration, nach dem ersten Integrationsschub während der Reichsgründungszeit und dem zweiten in gemeinsamer Anstrengung und Not während des Weltkriegs, endlich vollendet werden in der Abwehr der Folgen des Versailler Vertrags und in der Verwirklichung der großdeutschen Lösung der Revolution von 1848, der Einbeziehung Deutsch-Österreichs. Jene allgemeine nationale Stimmung wirkte auch bei den nicht so sehr zahlreichen Verfechtern der außenpolitischen Verständigung prägend. Durch ihre Erziehung war ihnen das als geistige Grundlage und Tradition vertraut. Daher nahmen – und das ist bei Erörterung der Weimarer Außenpolitik stets zu berücksichtigen – Realismus und Aufgeschlossenheit in der Außenpolitik von dieser Basis ihren Ausgang. Politischer Realismus ist niemals etwas Absolutes, sondern hat immer historisch geprägte Gegebenheiten, eine bestimmte Vorstellungswelt und mehr oder weniger klare Bestrebungen, Sehnsüchte, Denktraditionen zur Voraussetzung, von denen er sich in der Anpassung an das politisch Mögliche und Vernünftige oder im Vollzug erforderlicher, obgleich oft schmerzlicher Wandlungen abhebt. Aber jene Vorstellungswelt selber ist damit nicht ausgelöscht, bricht in vielen Äußerungen immer wieder durch, auch dann, wenn sie in ihrer traditionellen Form aufgegeben werden muß. Hierbei steht der Historiker allerdings vor der schwierigen Entscheidung, ob es sich im Einzelfall wirklich um eine Modifizierung traditioneller Vorstellungen, gar nur um eine eher wehmütige Erinnerung handelt oder bloß um den Versuch, die alten Überzeugungen beizubehalten und ihnen einige unumgängliche, neue Verhaltensweisen und Leitlinien einzufügen – vielleicht nur vorübergehend. Die Konsequenzen der bisher behandelten, in Deutschland wirksamen Ideenwelt, der Stimmungen und der Ansprüche für die konkrete Außenpolitik und ihre historische Betrachtung sind demzufolge irritierend. Vielfach hat man es mit durchaus zwiespältigen Verhaltensweisen zu tun, Zeugnissen der in vielen Fällen noch keineswegs gelungenen inneren Klärung und Verarbeitung des Veränderungsdrucks, der dem Einzelnen in kurzer Frist viel abverlangte und ihn häufig überforderte. Auch nüchtern und sachbezogen abwägende Vertreter der Wirtschaft und aufrichtige Verfechter der Verständigungspolitik verfielen gelegentlich in mehr oder weniger pathetische, nationalistische Klagen und Deklamationen. Zu berücksichtigen ist dabei indessen, daß eine gewisse nationalistische und revisionistische Rhetorik in der Öffentlichkeit unerläßlich erschien, gerade dann, wenn pragmatische Maßnahmen zum internationalen Interessenausgleich durchgeführt wurden. Dies war allerdings der allmählichen Erziehung der Öffentlichkeit zur Verständigungspolitik abträglich, und es kam hinzu, daß die Hochschullehrer, vornehmlich die Historiker, von denen die Rede war, mit relativ großer Resonanz rechnen konnten, einmal bei der bald stark nach rechts tendierenden studentischen Jugend, die auf die gemäßigten und differenzierenden Töne wenig achtete, zum anderen dadurch, daß sie Ansehen genossen und sich in Zeitungen und Zeitschriften an ein breiteres Publikum wandten.

Vor allem am Anfang gab es in der deutschen Außenpolitik noch weitere Orientierungsschwierigkeiten. Die Umkrempelung des gesamten auswärtigen Dienstes im Zuge der Schülerschen Reform verursachte Störungen und Pannen im Geschäftsgang; die vielen neuen Abteilungen waren noch nicht gut durchorganisiert, aufeinander abgestimmt und koordiniert. »Meine Hauptaufgabe ist«, hieß es im Brief eines leitenden Beamten Ende 1920[59], »die Behandlung sämtlicher [in seine Abteilung gehörender] Angelegenheiten auf eine feste Basis zu stellen und auch dafür zu sorgen, daß diese Abteilung nicht in der Luft schwebt, sondern in lebendiger Fühlung mit dem Minister, den Staatssekretären und vor allem den anderen Abteilungen steht.

[59] Der Leiter der für Großbritannien und das Empire zuständigen Abteilung, von Schubert, an den Botschaftsrat in London, Dufour Feronce; Nachlaß Schubert (im Besitz der Familie), Bd. 5.

[...] Ich kann Ihnen nicht beschreiben, welche Schwierigkeiten es gekostet hat, dieses Ziel wenigstens einigermaßen zu erreichen.« Die Klagen über viele Unklarheiten, Uneinheitlichkeit in der Lenkung, mangelnde große Linie in der Politik und überhaupt das »schreckliche Durcheinander« hielten auch 1921 noch an. Diese Beeinträchtigung der Effizienz des auswärtigen Dienstes fiel besonders während der außenpolitisch schwierigen Anfangsjahre ins Gewicht. Entscheidend war, daß unter dem raschen Wechsel der Kabinette und Außenminister – der Posten war meist unzulänglich und zeitweise gar nicht besetzt –, ferner angesichts des Fehlens einer umfassenden außenpolitischen Konzeption und des starken inneren und äußeren Drucks in den Jahren bis zum Spätsommer 1923 die Außenpolitik ständig lavierte, zwischen verschiedenen großen Orientierungen schwankte, gelegentlich experimentierte und im großen und ganzen konzeptionell von der Hand in den Mund lebte. Die Forderungen nach Revision des Versailler Vertrags kann man nicht als Konzeption bezeichnen. Außerdem war das Auswärtige Amt in wichtigen Fragen wie den Reparationsproblemen oder auch der Entwaffnung öfters den eigentlichen Entscheidungszentren etwas ferngerückt, wurde nicht ausreichend herangezogen und mußte zuweilen das Feld den Experten, den wirtschaftlichen Interessenvertretern, der Reichswehr oder den Kabinettsberatungen überlassen, die häufig unter innenpolitischem, nationalistischem oder finanziellem Druck standen – vom Druck der Alliierten ganz zu schweigen.

Störend und von einer gründlich durchdachten außenpolitischen Konzeption ablenkend wirkte zudem die Revisionsfrage, die übrigens damals ebensowenig geklärt wurde. Das überhastete und gelegentlich orientierungslos-vordergründige Streben nach rascher Revision führte außenpolitisch anfangs immer wieder in Sackgassen. Überspitzt formuliert lief diese Einstellung, durchaus in Übereinstimmung mit den Verlautbarungen berufener oder weniger berufener Kommentatoren der Außenpolitik, auf die Festlegung hinaus, daß vor einer gründlichen Revision des Versailler Vertrags Deutschland nicht lebensfähig sei, keine sinnvolle Wirtschafts- und Finanzpolitik betreiben und erst recht keine klare Außenpolitik oder begrenzte Erfüllung der Friedensbedingungen in die Wege leiten könne. Dahinter stand die Illusion, doch noch irgendwie nachholen zu können, was in Versailles unmöglich war, eine Art Neuverhandlung des Friedensvertrages auf kommenden Konferenzen.

Die Überlegung herrschte im Auswärtigen Amt vor, daß eine gewisse Einsicht bei den Alliierten geweckt werden müsse, daß der Versailler Vertrag undurchführbar sei und in Europa, für die Sieger gleichermaßen, zu einem Desaster führe. Eine gründliche Revision müsse rasch erfolgen, um ein solches Desaster zu verhindern, und die Hoffnung war, von den schlimmsten Bedingungen, zunächst vor allem auf dem Gebiet der Reparationen, des Handels, der beschlagnahmten deutschen Auslandsguthaben, der Entwaffnung und der noch nicht entschiedenen Territorialfragen in den Abstimmungsgebieten, besonders Oberschlesien, loszukommen, bevor sich die Nachkriegsordnung der Pariser Friedensverträge verfestigte. Erst nach und nach begriff man, daß der Versailler Vertrag zunächst einmal als Ausgangsbasis anzuerkennen sei und sozusagen komplettiert werden mußte – neben den noch offenen Grenzfragen in den Abstimmungsgebieten war auch die Höhe der Reparationsforderungen noch offen und sollte bis 1. Mai 1921 festgelegt werden. Hingegen war es durchaus angebracht, in den noch offenen Fragen so viel wie möglich für Deutschland herauszuholen, vorausgesetzt man ging im einzelnen geschickt genug vor, was nicht immer der Fall war. Denn einerseits brach immer wieder durch, daß man das Ganze ablehnte, andererseits erwies sich der nationalistische Druck im Innern und die Versuchung, zu flammenden oder empörten Appellen Zuflucht zu nehmen, häufig als sehr einflußreich. Danach erst konnte der Versuch einer Bestandsaufnahme und eines langfristigen, nach Prioritäten gegliederten und den politischen Möglichkeiten angepaßten Revisionsprogramms überhaupt gemacht werden. Im Grunde war das erst nach der Beendigung der Ruhrkrise von 1923 der Fall, nach all den bitteren und nachwirkenden Konfrontationen über die konkrete Ausgestaltung und Ausführung der Friedensbedingungen.

Derartige Orientierungsschwierigkeiten hingen auch mit der Situation eines geistigen, politischen und sozioökonomischen Umbruchs zusammen, mit der die Menschen fertigwerden mußten. Sie beeinträchtigten und überdeckten auch diejenigen Neuansätze, die tatsächlich geeignet waren, einer neuen Außenpolitik Profil zu geben. Aber sie waren immerhin vorhanden, obwohl sie in der vordergründigen Geschäftigkeit zunächst nicht angemessen zur Geltung kamen und auch nicht in einen umfassenden außenpolitischen Rahmen eingearbeitet wurden. Es handelte sich um das Prinzip der friedlichen Streitschlichtung und des Interessenausgleichs und das Prinzip der weltwirtschaftlichen Liberalisierung, der handelspolitischen und finanziellen Zusammenarbeit zwischen allen Ländern. Beide lagen als außenpolitische Grundsätze nahe und im deutschen Interesse, wenn man die Lage Deutschlands berücksichtigt – militärisch ohnmächtig, politisch abhängig von den Maßnahmen der Sieger, wirtschaftlich unter starkem, einschnürendem Druck und doch angewiesen auf einen florierenden internationalen Markt.

Das erste Prinzip war in allgemeiner Form in einer programmatischen Rede des Außenministers Hermann Müller (SPD) vom 23. Juli 1919 zum Ausdruck gekommen, in der er Verständigung, friedlichen Ausgleich und das Recht als Leitlinie deutscher Außenpolitik verkündete, aber auch den Willen zur Revision des Versailler Vertrags auf dem Wege friedlicher Übereinkunft, Revision also als Folge der Sicherung friedlicher Verhältnisse und der Verständigung mit den Siegern[60]. Die neu erwachte Liebe zum Völkerrecht – und zur rechtlichen Bindung der Sieger und zur Sicherung deutscher Gleichberechtigung – schlug sich grundsätzlich im Artikel 4 der Weimarer Reichsverfassung nieder. Daß dies ernst und auch praktisch gemeint war, ist eine der interessantesten, obwohl wenig Aufsehen erregenden Entwicklungen jener Jahre. Die neuen Intentionen schlugen sich nämlich nieder in dem ungewöhnlich sorgfältig vorbereiteten deutsch-schweizerischen Schiedsvertrag vom 3. Dezember 1921, der auch für die Theorie eine gewisse Bedeutung erlangte und ein Zeitalter der Schiedsverträge mit einleitete, und in den internen Erläuterungen dazu, besonders in der begleitenden Denkschrift, die deutlich machten, daß es sich nicht um puren Opportunismus handelte. Für die Kabinettsberatungen betonte Außenminister Rosen am 8. August 1921 »die grundsätzliche und programmatische Bedeutung des Vertrages«; er leite für Deutschland »eine neue Epoche auf dem Gebiet des Schiedswesens« ein. Dies zu betonen, war angesichts der früheren, negativen deutschen Haltung angebracht. Weiter hieß es in der internen Denkschrift, dieser erste Schritt sei »um so bedeutungsvoller, als es sich für die Deutsche Regierung zum ersten Mal darum handelt, ihr Bekenntnis zu einer dauernden vertraglichen Friedensordnung zwischen Staaten in die Tat umzusetzen, indem sie ihrer Auffassung über die Art einer solchen Frie-

[60] Siehe Dokumentenanhang, Nr. 1.

densordnung in einem Vertrage [...] bindenden Ausdruck gibt.«[61]

Zweifellos handelte es sich um eine Konzeption, gestaltet vom Rechtsexperten des Auswärtigen Amts, Gaus, die für weitere Verträge und für die deutsche Sicherheitspolitik in der Locarno-Ära völkerrechtspolitisch grundlegend blieb. Obwohl zunächst Deutschland nicht zum Völkerbund zugelassen worden war und der Beitritt nicht in Frage kam (trotz einer gewissen grundsätzlichen Sympathie innerhalb der Weimarer Koalition), weil der Völkerbund so, wie er Anfang 1920 ins Leben trat, weithin als Unterdrückungsinstrument der Sieger angesehen wurde, war es doch im deutsch-schweizerischen Schiedsvertrag und seiner internen Erläuterung ganz eindeutig, daß seine Bestimmungen mit den Völkerbundsbestimmungen in Einklang stehen sollten und das Auswärtige Amt vom späteren deutschen Beitritt zum Völkerbund und zum Statut des Internationalen Gerichtshofes ausging. Andernfalls blieb die Friedenssicherung durch zweiseitige Verträge nach Ansicht von Gaus unzulänglich. Die wesentlichen Neuerungen im Vertrag mit der Schweiz bestanden im folgenden: Sämtliche Streitfragen zwischen beiden Ländern mußten einem Verfahren unterworfen werden, rechtliche dem bindenden Spruch eines Schiedsgerichts, politische einem nicht bindenden, gutachtlichen Vergleichsverfahren, wobei der Bereich der Rechtsfragen ausgeweitet wurde; die alte, berühmt-berüchtigte Interessenklausel, die höchste Lebensinteressen etc. eines Staates dem Verfahren entzog, wurde genauer formuliert und war nicht mehr vom Ermessen eines Vertragspartners abhängig, sondern im Streitfall entschied das Schiedsgericht. Das immer wieder vorgebrachte Argument gegen das Schiedswesen, daß es wirkungslos sei, ist nicht ganz falsch, greift aber zu kurz. In den zwanziger Jahren hatte es, getragen von neuem Optimismus, eine politische Funktion für die Annäherung der Großmächte und der Kriegsgegner und wirkte entspannend. Es ist im übrigen – was auch in der historischen Forschung meist übersehen wird – schon von der Intention her eher indirekt wirksam, indem es durch entsprechende Bestimmungen dazu anhält, zunächst eine Lösung auf diplomatischem Wege zu versuchen und den vielleicht peinlichen Weg zum Schiedsverfahren zu vermeiden.

[61] PA, Abteilung V M, Schiedsvertrag Schweiz – Deutschland. Bd. 1; Vertragstext: Reichsgesetzblatt 1922, S. 217–221.

Das andere der beiden Prinzipien, die für die weitere Ausgestaltung der deutschen Außenpolitik von Bedeutung wurden, die weltwirtschaftliche Liberalisierung und Kooperation, konnte sehr viel unmittelbareres Interesse beanspruchen. Es ging vor allem um die lebensnotwendige Entfaltung der deutschen Industrie und des Außenhandels, um Kredite, um die Weckung des Eigeninteresses der anderen Staaten am Wohlergehen der deutschen Wirtschaft und um die Verbreitung der Auffassung, besonders in Wirtschaftskreisen, daß die Reparationen die wirtschaftliche Gesundung Europas verhinderten, falls sie nicht begrenzt und auf einer geschäftsmäßigen Basis abgewickelt würden. Erste Überlegungen einer europäischen wirtschaftlichen Kooperation tauchten auf, wie sich überhaupt damals umfassende internationale Lösungen großer Beliebtheit in Deutschland erfreuten, nicht nur weil sie wirtschaftlich sinnvoll waren, sondern auch, weil sie das Reich nicht isoliert dem Druck der Siegermächte, besonders Frankreichs, aussetzten. In einem Runderlaß des Außenministers Müller vom 21. Oktober 1919[62] kam das gut zum Ausdruck, vor allem für die Finanzprobleme und die Rolle der USA. Der Schwerpunkt weltwirtschaftlicher Liberalisierung lag indessen naturgemäß bei der Handelspolitik. Ihre Basis sollte der mit allem Nachdruck verfochtene Grundsatz der Meistbegünstigung werden, wenn möglich weiterentwickelt zu multilateralen Zoll- und Handelsregelungen etwa im Rahmen des Völkerbunds. Auch auf diesem Gebiet war die Ausgangsposition für Deutschland günstig, weil man ein modernes, der zunehmenden internationalen Verflechtung angemessenes Prinzip vertrat, zugleich aber den eigenen Handelsinteressen am besten diente, sich die Sympathie der Vereinigten Staaten erwarb und überdies jene handelspolitischen Bestimmungen des Versailler Vertrags untergrub, die den Deutschen bis Anfang 1925 die einseitige Meistbegünstigung zugunsten der Sieger und andere diskriminierende Klauseln auferlegten.

Schlagwortartig gefaßt, waren also Meistbegünstigung und Schiedswesen neue, bedeutsame Elemente in der deutschen Außenpolitik; allerdings waren sie noch nicht sinnvoll in eine umfassende Konzeption integriert. Hinzu trat noch das Bemühen des Auswärtigen Amts, eine zuverlässige, vertrauenerweckende Außenpolitik zu betreiben, ein mühsamer Prozeß mit gelegentlichen Rückschlägen, der nur sehr allmählich gewisse Erfolge

[62] Siehe Dokumentenanhang, Nr. 3.

zeitigte. An Zuverlässigkeit, internationalem Vertrauen und der Stabilisierung und Entkrampfung der Verhältnisse zwischen den Staaten waren auch die Vertreter der Wirtschaft interessiert, die angesichts der existentiellen Bedeutung der Wirtschaftsfragen für das Reich in ziemlich großer Zahl als selbstbewußte Experten der Regierung in internationalen Wirtschaftsverhandlungen aller Art auftraten. Sie fühlten sich häufig als die wahren Sachwalter außenwirtschaftlicher Interessen, um so mehr als der auswärtige Dienst seine klare und effiziente Linie noch nicht recht gefunden hatte und die Regierungspolitik häufig schwankte. Überlegungen, etwa des Krupp-Direktors Wiedfeldt, die Wirtschaftsberater der Friedensdelegation von 1919 mit ihren engen Kontakten in ein ständiges Gremium zu berufen und auf die Ausführung und die Revision einzelner Regelungen des Versailler Vertrags einzuwirken, ließen sich zwar nicht verwirklichen. Aber einige hervorragende Experten – vor allem wäre Melchior zu nennen – blieben weiterhin als Berater der Reichsregierung in Reparations-, Finanz- und Handelsfragen tätig und haben ihre Aufgabe z. T. hervorragend und loyal erfüllt.

Für die praktische Außenpolitik der zwanziger Jahre wurde es charakteristisch, daß sie in eine deutlich wahrnehmbare Diskrepanz zu den geschilderten Grundvorstellungen und ideengeschichtlichen Voraussetzungen über Deutschlands Stellung in der Welt und ihre vermeintlichen Erfordernisse und Gesetzmäßigkeiten geriet, ohne sich doch völlig von ihnen zu lösen. Obwohl es vorher bei den meisten Außenpolitikern und Diplomaten kaum zu einer tiefen Veränderung des Bewußtseins kam, machten sich in der alltäglichen Praxis neue Erfahrungen über die tatsächliche Lage und die angemessene Reaktion darauf geltend. Es wurden allmählich – von der berufsmäßigen Anpassungsfähigkeit der Diplomatie unterstützt – veränderte Verhaltensweisen und Methoden üblich. Die parlamentarische Regierungsform und die gewachsene Bedeutung von Presse und öffentlicher Meinung beförderten dies. Allerdings war die Zeit zu kurz, um einen neuen Stil und eine neue Tradition wirklich zu verankern. Als Anfang der dreißiger Jahre die innere und äußere Lage wieder sehr viel angespannter wurde und eine politische Verschiebung nach rechts sich durchsetzte, fand auch eine partielle Rücknahme modernerer pragmatischer Auffassungen statt, und bis in die Diktion des diplomatischen Schriftverkehrs hinein machte sich eine stärker nationalistische Einstellung und Wahrnehmungsweise bemerkbar.

3. Nach Versailles: Die Jahre der Unsicherheit 1919–1923

Am Anfang der außenpolitischen Karriere der Republik waren vor allem drei akute Probleme kennzeichnend für die heikle und schwer zu meisternde Lage, in der die Deutschen steckten: die Ostpolitik, die alliierte Forderung nach Auslieferung von Kriegsverbrechern gemäß Artikel 227–230 des Versailler Vertrags und die Kohlenverhandlungen mit Frankreich.

Im Osten war das Verhältnis zum bolschewistischen Rußland am wichtigsten. Nachdem die Reichsregierung am 5. November 1918, in der Anfangsphase der Novemberrevolution, die Beziehungen abgebrochen und damit die bereits vorhandenen engeren Kontakte zunächst wieder unterbunden hatte, behielt sie in der Folgezeit mit Rücksicht auf die Siegermächte diese Zurückhaltung bei. Aber es kann kein Zweifel daran bestehen, daß man aus wirtschaftlichen und politischen Gründen ein starkes Interesse daran hatte, auch mit einem bolschewistischen Rußland, bei dem man sich über seine Dauerhaftigkeit im unklaren war und ein nicht-kommunistisches Regime selbstverständlich vorgezogen hätte, wieder in enge Beziehungen zu treten, sobald die allgemeine außenpolitische Lage das erlaubte und Deutschland vor Revolutionierung sicher war. Der legendäre, große russische Markt übte seine wirtschaftliche Anziehungskraft aus, obwohl es schon im Frühjahr 1919 im Auswärtigen Amt und auch sonst nicht an skeptischen Stimmen fehlte. Jedoch sollten die im westlichen Teil des zaristischen Rußland neu geschaffenen Staaten erhalten bleiben und der deutsche Einfluß dort – es ging vor allem um das Baltikum – ebenfalls. Weil die Alliierten zunächst selber nicht eingreifen konnten, suchten sie die antibolschewistische Stoßrichtung der deutschen Truppen im Baltikum vorübergehend zu nutzen und erlaubten ihnen im Waffenstillstandsvertrag, bis auf weiteres dort zu bleiben. So entstand ein seltsames Zwischenspiel deutscher Hoffnungen, eigenmächtiger, schwer kontrollierbarer Handlungen des Militärs und ambivalenter Haltung der zivilen Vertreter des Reiches an Ort und Stelle. Als sich die Lage klärte und die Alliierten ihren eigenen Einfluß stärken wollten, forderten sie seit dem Frühsommer 1919 immer nachdrücklicher den Abzug der deutschen Truppen aus dem Baltikum. Nur mit Mühe konnte die Reichsregierung die Widerstände im eigenen Land überwinden und schließlich diesen Forderungen nachkommen. Aber in den folgenden Jahren ergaben sich neue Chancen durch behutsame und beharrliche Politik und vor allem durch den Außenhandel. Kurzfristig war also das Baltikum eine heikle Frage im sowieso noch angespannten Verhältnis Deutschlands zu den Alliierten, langfristig ging es um den Einfluß in Nordosteuropa, um die Position Rußlands und Polens. Im deutschen Interesse lag vor allem die Stärkung Litauens, damit Polen nicht etwa durch föderative Einverleibung dieses Landes zu mächtig würde; ferner sollte die Verbindung des Reiches nach Rußland gesichert werden. Deshalb wollte man auch die Besetzung Wilnas durch Polen verhindern, allerdings vergeblich. Der polnische Handstreich vom 9. Oktober 1920 – entgegen einem Votum des Völkerbunds – brachte das Gebiet an Polen und schuf einen weiteren Krisenherd in Osteuropa. Die deutschen Beziehungen zu Polen waren von Beginn an gespannt, sowohl aus traditionellen Gründen preußisch-deutscher Polenfeindschaft – das Erbe der polnischen Teilungen – und des Volkstumskampfes vor 1914 als auch wegen der territorialen Gewinne Polens und der starken deutschen Minderheit, die nun unter polnischer Herrschaft lebte. Trotzdem setzten sich, wie auch weiterhin, gelegentlich pragmatische Tendenzen durch mit dem Ziel, konkrete Vereinbarungen über das künftige Zusammenleben und die Regelung offener Fragen zu treffen. Dies wurde 1919/20 vor allem durch französischen Einspruch zunichte gemacht, denn Frankreich sah Polen als wichtigsten Verbündeten an und wollte derartige Regelungen selber kontrollieren und im Rahmen der Abwicklung des Friedensvertrags behandeln.

Die Auslieferung von Kriegsverbrechern zur Aburteilung durch die Siegermächte war wegen ihrer Verbindung zur Kriegsschuldfrage und zur nationalen Ehre äußerst heikel und konnte die Beziehungen zwischen den Kriegsgegnern nachhaltig beeinträchtigen. Sie wurde seit der Bekanntgabe der Friedensbedingungen teilweise leidenschaftlich diskutiert. Dadurch geriet sogar das Kabinett Bauer innenpolitisch in Gefahr. Den Höhepunkt bildete die alliierte Auslieferungsliste vom 20. Januar 1920 mit 895 Namen. Der deutsche Widerstand war einhellig; es erwies sich aber als wirkungsvoll, daß nicht nur eine empörte Ablehnung erfolgte, sondern der Gegenvorschlag, Kriegsverbrecher vor dem Reichsgericht zur Verantwortung zu ziehen. Damit deutete die Reichsregierung Verständigungsbereitschaft an und baute den Alliierten eine Brücke, die sie schließlich auch betraten. Hier war eine absolute Grenze deutschen Entgegenkommens markiert, was die Engländer am raschesten begriffen. Positiv an der Lösung war, daß diese gefährliche Klippe umschifft werden konnte und sich Verständigungen als möglich erwiesen, wenn sie sorgfältig bedacht wurden; negativ waren die mittelbaren Folgen, die Erregung nationalistischer Leidenschaft in Deutschland und die Schlußfolgerung besonders der politischen Rechten, daß nun feststehe, man brauche nur kräftig genug »Nein!« zu sagen, dann ließen sich die Regelungen des Friedensvertrags revidieren. Diese Einstellung fand seit Anfang 1922 mehr Resonanz; der Ruhrkampf 1923 war davon nicht unbeeinflußt und bot die Probe aufs Exempel, was daraus entstehen konnte, wenn die Gegenseite die Sache bis zum bitteren Ende durchfechten wollte.

Der dritte akute Bereich von Bedeutung schließlich, die französischen Forderungen nach deutschen Koks- und Kohlelieferungen auf Grund der Reparationsbestimmungen, verwickelte die beiden Hauptkontrahenten in direkte Auseinandersetzungen. Ausgangspunkt war der Austausch und die enge industrielle Verflechtung von deutscher Kohle und lothringischen und französischen Eisenerzen (Minette). Sie war durch die Einverleibung Lothringens durch Frankreich in Frage gestellt, aber wirtschaftlich ohne Zweifel sinnvoll. Schon am 25. Dezember 1918 kam es zu einer vorläufigen Austauschvereinbarung zwischen beiden Ländern, die allerdings zum 1. Mai 1919 von der Reichsregierung gekündigt wurde, aus folgenden Gründen: Die deutsche Schwerindustrie beschwerte sich, daß Deutschland seine Verpflichtungen erfüllt, Frankreich hingegen gar nichts geliefert habe, stark überhöhte Preise verlange und auf einem für die Deutschen ungünstigen Austauschverhältnis der Liefermengen bestehe. Zugleich war man sich auf deutscher Seite nach eingehenden Berechnungen und Schätzungen rasch darüber im klaren, daß Frankreich zwar auf Koks und Kohle aus Deutschland angewiesen sei, Deutschland aber nicht unbedingt auf französische Minette-Lieferungen. Mit diesen Begründungen waren die Stichworte für die politisch-industriellen Auseinandersetzungen der kommenden Jahre zwischen beiden Ländern gegeben, ein regelrechter wirtschaftlicher Machtkampf begann. Die Wiedergutmachung für die Zerstörung der französischen Kohlengruben durch die deutsche Armee spielte bald nur noch eine Nebenrolle, ebenso die dringende Versorgung Frankreichs mit Kohle, die in der unmittelbaren Nachkriegszeit knapp, später aber im Überfluß vorhanden war. Als entscheidend für die französische Politik stellte sich vielmehr folgendes heraus: Deutschland wirtschaftlich zu schwächen und zugleich durch langfristige große Lieferverpflichtungen unter Druck und in Abhängigkeit zu halten; den Rückstand des französischen Wirtschaftspotentials zu verringern durch Einflußnahme auf die deutsche Schwerindustrie mit Hilfe der politischen Machtstellung Frankreichs, die es erlauben sollte, die Industrie an Rhein und Ruhr nach Frankreich zu orientieren und für den Austausch und die Verflechtung von Erz und Kohle die Bedingungen zu diktieren; schließlich galten diese Pläne als Ersatz für die von Frankreich mit einem gewissen Recht als ungenügend betrachteten Sicherheitsgarantien des Versailler Vertrags gegenüber einem vor allem wirtschaftlich möglicherweise rasch wiedererstarkenden Deutschen Reich.

Es war in Paris zu einer Krise der Friedenskonferenz gekommen, bis Frankreich unter dem Druck der USA und Englands auf die Abtrennung des Rheinlands verzichtet hatte. An deren Stelle sollte ein Garantievertrag der angelsächsischen Mächte zur Gewährleistung der französischen Sicherheit treten. Das wäre eine grundlegende Änderung in der von Beginn an gegen Bündnisse und Garantien eingestellten amerikanischen Außenpolitik gewesen. Aber der am 28. Juni 1919 unterzeichnete Vertrag wurde ja von den USA nicht ratifiziert – ebensowenig der Versailler Vertrag oder der Eintritt in den Völkerbund. Infolgedessen tat sich eine gefährliche Lücke in der Friedensordnung auf. Dies wollte Frankreich in den folgenden Jahren kompensieren durch Ausbau und Änderung des Versailler Vertrags in seinem Sinne. Reichsregierung, Auswärtiges Amt und vor allem die Wirtschaftsvertreter waren von Beginn an alarmiert über die französischen Pläne an Saar, Rhein und Ruhr (schon 1919 gab es erste Hinweise, daß Frankreich deutsche Versäumnisse mit Besetzung weiterer Gebiete ahnden wolle). Dauernder wirtschaftlicher Druck und die wirtschaftliche Absperrung vom übrigen Reichsgebiet, verbunden mit lockenden Angeboten, sich nach Frankreich zu orientieren, würden auf längere Sicht zur Entfremdung dieser Gebiete führen. Die Warnungen der Wirtschaft, vor allem der rheinischen, vor den Folgen der Besetzung und den großen ökonomischen Problemen blieben auf der Tagesordnung und waren nach der französischen Ruhrinvasion einer der Gründe für die deutsche Initiative zur Locarno-Politik. Der Zusammenhang mit dem Druck der französischen Politik wegen der Kohle und der schwerindustriellen Verflechtung unter der Leitung Frankreichs war nicht zu übersehen. Die Deutschen wollten deshalb Vereinbarungen erst dann abschließen, wenn sie gleichberechtigt und wieder erstarkt waren, was praktisch auf eine partielle, stillschweigende Revision der wirtschaftlichen Friedensbedingungen hinausgelaufen wäre. Je mehr der französische Druck sich verstärkte, desto entschlossener wurde der Widerstand der deutschen Schwerindustrie, und sie behauptete sich schließlich: durch große Anstrengungen in der Erschließung neuer Erzquellen und Verzicht auf Minette-Lieferungen, durch straffe Verbandsorganisation, durch rücksichtslose Ausnutzung der Inflation und der innenpolitischen Position als Verteidiger gegen Frankreich und als wesentliches deutsches Wirtschaftpotential, das – darin war man sich in Deutschland einig – mit allen Mitteln als letzte Kraft- und Machtreserve gesichert werden mußte. Frankreich aber, das in der Schwerindustrie geradezu die Verkörperung des deutschen Widersachers erblickte, erreichte das Gegenteil von dem, was es beabsichtigte, und stärkte die Stellung dieses Wirtschaftszweiges, dessen Sieg für die innere Entwicklung der Weimarer Republik problematische Folgen hatte.

Die geschilderten drei akuten Bereiche in der Anfangsphase der Weimarer Außenpolitik haben fast exemplarisch die neuralgischen Punkte verdeutlicht: 1. Die ganz unkonsolidierte, gefährlich labile Lage der osteuropäischen Staaten, die meisten neu entstanden, ohne gesicherte innere Basis, wirtschaftlich schwach, außenpolitisch anfällig und zwischen divergierenden Großmachteinflüssen, besonders zwischen Rußland und Deutschland, eingezwängt. Die Alliierten hatten es nicht vermocht, dem ganzen Bereich von der Ostsee bis zur Ägäis eine stabile Ordnung zu geben. Dies war, ungeachtet des Anspruchs auf Revision der Ostgrenze des Reiches gegenüber Polen und Litauen (Memel), konstruktive Chance und Verführung zum Mißbrauch zugleich für die deutsche Politik, von der hier viel abhing. So wurde das Wechselverhältnis zwischen England, Frankreich, Deutschland und Rußland zu einem maßgebenden Faktor der europäischen Entwicklung in der Zwischenkriegszeit. 2. Ein weiterer, schwer kalkulierbarer Faktor war der deutsche Nationalismus. In der Auslieferungsfrage hatte er sein Gesicht gezeigt, die Formen, in denen er auftrat, die einseitig-rücksichtslose, mit der er die internationale Ordnung gefährdete, und die maßvolle, kompromißbereite, die bei aller bewiesenen Festigkeit – auch besonnene Beamte hatten sich geweigert, in irgendeiner Form sich mit der Auslieferungsnote überhaupt zu befassen – sich durchaus in den europäischen Rahmen einfügte. 3. Das jahrelange deutsch-französische Ringen war sofort voll im Gange: Frankreich, das sich gegenüber dem Reich nur behaupten zu können glaubte durch die hegemoniale Kontrolle Kontinentaleuropas und die Erweiterung seines wirtschaftlichen Potentials zu Lasten Deutschlands; und Deutschland, das mit aller Kraft die Basis einer eigenständigen Großmachtposition zu wahren suchte. In der französischen Ruhrinvasion steigerte sich die Auseinandersetzung bis zum Einsatz militärischer Mittel. Darunter litt Europa. Beide Kontrahenten waren so verbissen in ihren Anstrengungen und in ihrer Fixierung aufeinander, daß nur selten der nötige innere Abstand vorhanden war, um das Berechtigte in den Forderungen des Gegners als Basis für eine gütliche Einigung zu erkennen. Außerdem entfernten sich beide weit von der so dringend gebotenen Lösung der wirtschaftlichen und politischen Probleme in Europa durch internationale Zusammenarbeit. Sie allein war dem Umfang der Probleme und der trotz des Krieges rasch wieder zunehmenden engen Verflechtung der entwickelten Industriestaaten angemessen. Erst seit 1924 wurde zögernd und mit Vorbehalten für einige Jahre – bis zur Weltwirtschaftskrise – der mühsame Weg gemeinsamer internationaler Lösungen beschritten.

Die entscheidenden Probleme der deutschen Außenpolitik in den folgenden Jahren – und zeitweise auch der europäischen Entwicklung – waren einmal die Reparationen und die davon nicht zu trennenden Wirtschafts- und Finanzfragen der Wiederaufrichtung Europas, einschließlich der interalliierten Schulden; zum anderen die künftige Stellung Deutschlands zwischen Ost und West. Beide Problembereiche enthielten wesentliche Aspekte der künftigen Machtverteilung und der Sicherheit in Europa, besonders von Paris her betrachtet. Selbstverständlich gab es noch andere wichtige Fragen, die gelegentlich akut wurden und sich komplizierend mit den Hauptfragen vermengten, vor allem die deutsche Entwaffnung und im Rahmen der endgültigen Festlegung der deutschen Ostgrenze der Kampf um Oberschlesien. Aber sie beherrschten nicht durchgehend die Szene.

Die Auseinandersetzungen um diese Kernfragen begannen mit einem Paukenschlag, der die deutsche Handlungsfähigkeit, die Vertrauenswürdigkeit, auch in außenwirtschaftlicher Hinsicht, und die innenpolitische Basis schwer beeinträchtigte, dem

Kapp-Putsch vom 13. bis 17. März 1920. Er führte schockierend vor Augen, wie rasch die Rechte erstarkte, selbst die militante, und wie dünn und fragwürdig der politische Rückhalt einer gemäßigten und vernünftigen Reichsregierung und Außenpolitik war. Die Reichstagswahlen vom 6. Juni 1920, die, ein politischer Erdrutsch, die Weimarer Koalition von 78 Prozent auf 44,6 Prozent reduzierten, ein Schlag, von dem sie sich nie mehr erholte, bekräftigten diese Entwicklung und führten damit jene Situation ein, mit der die Außenpolitik bis 1933 leben mußte: Minderheitskabinette oder brüchige große Koalitionen (Weimarer Koalition plus Stresemanns DVP). Der Kapp-Putsch hatte neben den innenpolitischen auch außenpolitische Ursachen: Rechtsextreme Gruppierungen mit dem im Grunde völlig unbedeutenden ostpreußischen Generallandschaftsdirektor Kapp waren auch deshalb zur Aktion bereit, weil nach dem Rückzug der Baltikum-Truppen und dem Inkrafttreten des Versailler Vertrags Ostpreußen von Polen umklammert war, während für Teile der Armee die in ihren sozialen Auswirkungen tatsächlich bedenkliche Forderung der Alliierten auf rasche Reduzierung der Truppen das Signal zum Aufstand bildete. Die nachteiligste unmittelbare Konsequenz des Kapp-Putsches für die Außenpolitik ergab sich aus dem sogenannten Ruhrkrieg. Der Generalstreik gegen Kapp hatte sich dort zu einem großen, bewaffneten linksradikalen Aufstand ausgeweitet, dessen die Reichsregierung nur Herr werden konnte durch Truppenoperationen in der entmilitarisierten Zone. Frankreich versagte die Genehmigung und besetzte, unterstützt von belgischen Truppen, am 6. April 1920 Frankfurt am Main und das umliegende Gebiet; als nächste Sanktion drohte die Ruhrbesetzung. Die französische Regierung nutzte jede Schwäche, jedes Versäumnis der Reichsregierung und jede Chance, Deutschland zu schädigen oder seinen inneren Zusammenhalt in Frage zu stellen, etwa durch Unterstützung von Separatisten und die Versuche, diplomatische Vertretungen in den Einzelstaaten einzurichten. Dies stand im Gegensatz zur Politik Lloyd Georges. Mehr und mehr war er davon überzeugt – ebenso wie ein einflußreicher Teil der öffentlichen Meinung in England –, daß Deutschland als Handelspartner schon im Interesse der von der beginnenden Nachkriegsdepression schwer getroffenen englischen Wirtschaft in gewissem Ausmaß – ungeachtet der fortbestehenden Konkurrenz – wieder gestärkt und dann bei der Wiederaufrichtung und Beruhigung Europas beteiligt werden müsse und außerdem ein

Gegengewicht gegen ein übermächtiges Frankreich bilde. Auch verfolgte er eine ganz andere Vorgehensweise, nämlich soweit möglich zu vereinbarten Lösungen in den widerstreitenden Interessen zu kommen, und zwar auf breiter Basis. Deshalb sah er in großen Konferenzen und der Konferenzdiplomatie das beste Mittel, sofern die Voraussetzungen geklärt waren.

Dies schien der Fall bei der Konferenz von Spa (5.–16. Juli 1920), nachdem Frankreich und England ihre Divergenzen über die Behandlung Deutschlands in einem Kompromiß beigelegt hatten. Die französische Regierung hielt schon die Tatsache einer solchen Konferenz mit Vertretern der Reichsregierung für eine inakzeptable Aufweichung der strikten, notfalls gewaltsamen Durchführung des Versailler Vertrags. Von einer gleichberechtigten deutschen Teilnahme hielt sie schon gar nichts. Der Kompromiß bestand in der strikten Einschränkung des Tagungsprogramms bei vorangehender englisch-französischer Abstimmung sowie einer Zusicherung Lloyd Georges, für die umfassende Erfüllung des Versailler Vertrags notfalls auch mit Sanktionen, also Besetzung weiteren deutschen Gebiets zu sorgen, sobald das Reich sich renitent zeige. Die Reichsregierung, nach nicht sehr überzeugendem internem Gerangel bei den Vorbereitungen, war begierig, nun endlich zu den in Versailles verweigerten mündlichen Verhandlungen zu kommen und hoffte, ausgehend von der Kernfrage der Reparationen und der handelspolitischen Friedensregelungen den ersten Ansatzpunkt für einen umfassenden Revisionsprozeß zu gewinnen.

Taktisch war es ohne Zweifel am günstigsten, die gesamten Wirtschaftsklauseln des Versailler Vertrags als Hauptangriffsziel auszuwählen. Die Labilität und Unzulänglichkeit des internationalen Wirtschaftsaustauschs, die heftige Nachkriegsdepression, die ohne das inflationäre deutsche ›deficit spending‹ noch verschärft worden wäre, die vielfältigen politischen Hindernisse und Blockierungen wirtschaftlicher Kooperation in Europa und vor allem eine von Keynes' berühmtem Buch über die wirtschaftlichen Folgen des Friedensvertrags (1919) geförderte große öffentliche Diskussion über die Notwendigkeit, in erster Linie die Bestimmungen über die Reparationen zu revidieren, boten den Deutschen in den folgenden Jahren gute Voraussetzungen für eine geschickte, mit wirkungsvollen Argumenten zu untermauernde Politik. Doch dazu hätte es eines sachgerechten, zielsicheren, zurückhaltenden und geduldigen Vorgehens bedurft. So war die deutsche Außenpolitik damals indessen nicht beschaffen. Man war aufdringlich, im unpassenden Moment negativ oder nationalistisch-pathetisch, griff ziemlich hektisch nach jedem Argument und konzentrierte sich viel zu ausschließlich auf die eigenen Nöte und Ansprüche. Daran ändert auch die gebührende Berücksichtigung der ungemein schwierigen Lage der Reichsregierungen nur wenig. Denn es geht dabei weniger um die konkreten Schwierigkeiten als vielmehr um Stil und Verhaltensweise. Auch an sich richtige Argumente wirkten bald eintönig, manchmal übertrieben und vordergründig. Dabei war die tatsächliche Situation schwierig genug. Der Zwang, immer wieder, auch im Hinblick auf Unruhen, Hunger, Streik und mangelhafte Produktivität, der Versorgung der Bevölkerung besondere Aufmerksamkeit schenken zu müssen, machte Verhandlungen mit den Alliierten erforderlich, denen dadurch Gewinne und Pressionsmittel zufielen, wie beim Brüsseler Lebensmittelabkommen vom 15. März 1919, oder es wurden andere Verhandlungen erschwert und in den Hintergrund gedrängt, wie im Juli 1920 in Spa. Die Rohstoff- und Kreditknappheit machte sich dauernd bemerkbar, ebenso die Belastung des Haushalts infolge der Kriegsnachwirkungen und der Zahlungsbilanz infolge des großen Einfuhrbedarfs – und der vielzitierte deutsche Exportboom jener Jahre ging erstens von der Basis eines sehr niedrigen Handelsvolumens aus und zweitens erbrachte er nicht einmal eine aktive Handelsbilanz. Dies alles schränkte die außenpolitische Handlungsfähigkeit der Reichsregierung ein. Im Kampf der deutschen Industrie um das Überleben drängten sich, besonders bei der unter französischem Druck noch national aufgewerteten Schwerindustrie, auch in der Wirtschaft häufiger nationalistische Tendenzen der Abwehr nach außen in den Vordergrund und beeinträchtigten die zweifellos weiterhin wirksamen Bestrebungen, zu internationaler Zusammenarbeit und Liberalisierung der Weltwirtschaft zu gelangen. Der Überzeugungskraft deutscher Politik kam das nicht zugute.

Bei den dauernden Hinweisen auf die Zerrüttung von Wirtschaft und Finanzen in Deutschland und auf die Gefahren, die ein auf Grund von Reparationsforderungen und wirtschaftlicher Einschnürung darniederliegendes Deutschland für ganz Europa heraufbeschwöre, übersah auch die Reichsregierung geflissentlich einen wesentlichen Punkt. Die französische Regierung, mochte sie im übrigen oft ganz einseitig fixiert sein und unangemessen vorgehen, beharrte zu Recht auf einem entscheidenden Sachverhalt: Sie konnte nicht zulassen, daß unter der allgemeinen, einleuchtenden Devise, eine umfassende wirtschaftliche Erholung Europas müsse Vorrang haben, das Reich wieder eine überragende, vor allem politisch ins Gewicht fallende Machtposition gewann. Dies drohte die Sicherheitsfundamente, ja die in den Friedensverträgen mühsam gewonnene kontinentaleuropäische Vormachtstellung Frankreichs zu unterspülen. Die teilweise unter dem Druck der Industrie und unter dem Einfluß der These von der erforderlichen geschäftsmäßigen Behandlung der Reparations- und Außenwirtschaftsprobleme handelnde Reichsregierung hat bis 1923 dieser unausweichlichen politischen Dimension kaum Rechnung getragen. Dieses Versäumnis trug sehr dazu bei, daß die Deutschen mit ihrer zwar eigennützigen, aber grundsätzlich richtigen und nötigen Forderung nach wirtschaftlicher Vernunft und internationaler Kooperation nicht zum Zuge kamen und sich selbst im Wege standen. Sie mißachteten die politischen Voraussetzungen dafür. Zweifellos war in Anbetracht der uneinheitlichen Politik der Gegner und der Labilität der ganzen Situation eine in sich schlüssige und konsequente Außenpolitik zusätzlich erschwert, und der Reichsregierung mutete man auch psychologisch manchmal zuviel zu. Doch in sozialpsychologischer Hinsicht waren eben schon die Voraussetzungen in Deutschland ungünstig, so daß einige Maßnahmen und gelegentlich das Auftreten der Alliierten die Deutschen besonders empfindlich trafen. Außerdem zollte die Reichsregierung nach dem Ausscheiden der SPD – wegen des Wahlausgangs vom 6. Juni 1920 – dem Nationalismus höheren Tribut und erhob auch selber Protest gegen weitere Verzichtspolitik und nationale Demütigung. Dahinter aber stand nicht nur die öffentliche Meinung, sondern die fatale Wirksamkeit einer brisanten Verbindung von ökonomischem Durchsetzungswillen und scharfem Nationalismus, die von gewissen Kreisen der Wirtschaft vorgeführt wurde, vornehmlich der Schwerindustrie, die sich in vorderster Front des Abwehrkampfes gegen die Alliierten fühlte[63].

All die großen deutschen Vorbereitungen und Anläufe waren jedoch zunächst vergebens. Denn während der Konferenz von Spa kam es gar nicht zu den erhofften prinzipiellen Repara-

[63] Siehe dazu Hugo Stinnes, den mächtigsten Ruhrindustriellen, im Oktober 1922; Wolfgang Michalka/Gottfried Niedhart (Hrsg.), Die ungeliebte Republik. München 1980, S. 108–110.

tionsberatungen. Aber zum ersten Mal wurde von den Beteiligten demonstriert, daß trotz vordergründiger Polemik sinnvolle Kompromisse möglich waren, nämlich eine Regelung der umstrittenen deutschen Kohlenlieferungen auf Reparationskonto für ein halbes Jahr, die auch zu gut 90 Prozent erfüllt wurden – erst danach gab es größere Rückstände und Streit –, und eine Fristverlängerung bei der Reduzierung des deutschen Heeres auf 100000 Mann. Es war ein Erfolg der Konferenzdiplomatie Lloyd Georges, der ihn zu weiteren Taten anspornte.

Gleichzeitig allerdings drangen die sowjetischen Truppen im polnisch-russischen Krieg bis nahe Warschau vor. Für einen kurzen historischen Moment schien Europa den Atem anzuhalten. Ein sowjetischer Sieg hätte die Machtverhältnisse in Ost- und Mitteleuropa und die Stellung Deutschlands, das sich neutral erklärte, aber bei aller Vorsicht künftigen Hoffnungen einer gemeinsamen revisionistischen Politik mit Rußland aufgeschlossen war, weitgehend verändern können. Aber das Unwetter ging noch einmal glimpflich vorüber. Polen konnte im Gegenschlag seine Grenze weit nach Osten verlegen. So wurde 1921 das Jahr, in dem nach den sowjetischen Friedensverträgen mit den baltischen Staaten und Polen wenigstens auf kürzere Sicht die offenen Fragen im Osten leidlich geregelt waren, obwohl der russische Revisionsmus, der langfristig auf den Ostteil Polens, Bessarabien und die baltischen Staaten zielte, offensichtlich war, ebenso wie der deutsche, der sich vor allem gegen die Westgrenze Polens richtete, nachdem im Oktober 1921 auch die letzte konfliktträchtige Grenzfrage im Osten, in Oberschlesien, zunächst geregelt, wenn auch nicht beigelegt worden war. Offen und unmittelbar gefährlich blieb nur das türkische Problem. Es war nicht zu trennen von den unterschiedlichen englischen und französischen Interessen im Nahen Osten und im Hinblick auf das griechisch-türkische Verhältnis. Frankreich suchte sich mit der türkischen Nationalbewegung zu arrangieren, obwohl sie einen der sonst so heiligen Pariser Vorort-Friedensverträge (Sèvres, 10. August 1920) hinweggefegt hatte, bevor er überhaupt Wirklichkeit werden konnte; totale Revision und erfolgreiche Verweigerung also. England versuchte die Stellung gegen derart gewaltsame Veränderungen zu halten. Das hemmte seine Bewegungsfreiheit und wirkte belastend bis zum Sommer 1923, als auf der Konferenz von Lausanne eine Lösung gefunden wurde.

Die wichtigsten europäischen Probleme, zumal der deutschen

Außenpolitik, verknüpften sich allerdings mit den Reparationen. Bis zum 1. Mai 1921 sollte eine endgültige Summe festgelegt werden. Also auch hier schien 1921 das entscheidende Jahr zu werden, doch wurde das Jahr 1922 wegen der von Lloyd George initiierten und zustande gebrachten Konferenz von Genua, ihrer Ursachen und Folgen, noch wichtiger. Diese Konferenz war der erste Versuch seit den Friedensschlüssen, wesentliche europäische Probleme in einem umfassenden wirtschaftlichen und politischen Zusammenhang und unter gleichberechtigter Teilnahme aller europäischen Staaten sowie der USA gemeinsam zu regeln. Maßgeblich für Erfolg oder Mißerfolg war ein Mindestmaß an Kooperationsbereitschaft und Verständigungswillen aller Beteiligten. Gab es dafür deutliche Anhaltspunkte und Aussichten, mehr als bloße Hoffnungen? Es gab sie; wie sie sich entfalteten und wie sie zunichte wurden und am Ende die große Kraftprobe zwischen Frankreich und Deutschland stand, der Ruhrkampf, der brutal die tatsächlichen Verhältnisse und Möglichkeiten offenlegte: das ist der Kern der außenpolitischen Entwicklung bis zum Winter 1923/24.

Herausgewachsen aus den ersten Nachkriegserfahrungen, bestätigt im Verlauf der Konferenz von Spa, hatte in der französischen Außenpolitik die Auffassung Oberhand gewonnen, daß ein gewisses Entgegenkommen in der konkreten Verwirklichung und Erfüllung des Versailler Vertrags angezeigt sei. Soweit möglich, sollten also einvernehmliche Lösungen und Abstimmungen mit den Deutschen getroffen werden. Die Aufrechterhaltung aller Ziele und Rechte und die Durchführung des Friedensvertrags – wenn nicht anders, auch mit Gewalt – ohne Revision und unter ständiger Kontrolle sollten davon unberührt bleiben – was sich übrigens auf die Dauer, sofern dieser Wille zur Verständigung trotz seiner Eingrenzung ernst gemeint war, nicht hätte durchhalten lassen. Erste Anzeichen jedenfalls machten sich unter dem Eindruck der rasch wachsenden Bedeutung Rußlands bemerkbar. Deutsche Kontakte wegen industrieller Lieferungen und gemeinsamer Unternehmungen liefen schon seit Frühjahr 1920 mit Engländern und Russen über die deutsche Botschaft in London, Italien zeigte sich ebenfalls an der Zusammenarbeit mit dem Reich in Rußland interessiert, und so zog die französische Regierung unter Millerand ähnliches in Erwägung. Dies sollte sich, besonders in der Locarno-Ära, häufiger wiederholen, doch ohne bedeutsame Ergebnisse. Der zweite, ungleich wichtigere Ansatz, in den die russische Frage eingebettet wurde, erhielt Kontur durch die Reparationspläne des Direktors für Wirtschaftsbeziehungen im französischen Außenministerium, Jacques Seydoux. Der interalliierte Reparationszahlungsplan von Boulogne (22. Juni 1920) mit den legendären 269 Milliarden Goldmark[64] in 42 Jahresraten war nicht unmittelbar anwendbar, denn erst mußte die Reparationskommission die endgültige Summe festsetzen und Deutschland überhaupt hinreichend zahlungsfähig werden, was es, auch nach französischer Ansicht, damals nicht war.

Frankreich brauchte aber dringend Einnahmen, und so lag es nahe, sich auf die im Versailler Vertrag ebenfalls vorgesehenen deutschen Sachlieferungen – Industrieprodukte, Rohstoffe, vor allem Kohle etc. – und direkten Wiederaufbauleistungen zu konzentrieren. Die französische Wirtschaft wollte das Geschäft des Wiederaufbaus allerdings selber machen und sträubte sich. Seydoux bemühte sich deshalb, sie davon abzubringen und auf größere Exportmärkte zu lenken, besonders zum Ausbau der Position Frankreichs in Ostmittel- und Südosteuropa, indem mittels günstiger und genau kalkulierter deutscher Zulieferungen die französische Konkurrenzfähigkeit erhöht würde. Das war ganz im Sinne des übergreifenden französischen Programms, das Wirtschaftspotential Frankreichs zu Lasten Deutschlands zu stärken. Daher sollten Sachlieferungsverträge beträchtlich ausgedehnt, auch in der Preisfestsetzung liberaler gehandhabt und durch eine darüber hinausgehende enge wirtschaftliche Zusammenarbeit bis hin zum Erwerb von Anteilen an der deutschen Industrie ergänzt werden. Dies alles natürlich unter französischem Kommando mit Deutschland als nicht gleichberechtigtem Juniorpartner, beide zusammen als Zugpferde des europäischen Wiederaufbaus und der Konjunktur und gemeinsam in Osteuropa und Rußland sich wirtschaftlich betätigend. Auch die Idee, einen Teil der deutschen Exporterlöse als Reparation abzuführen, fand hier Platz.

Die von Lloyd George geplante große Reparations- und Wirtschaftskonferenz in Genf kam nicht zustande, statt dessen aber ein Treffen der alliierten und deutschen Experten in Brüssel (16.–22. Dezember 1920). Die Atmosphäre und die Sachlichkeit der Verhandlungen war vor allem wegen der entgegenkom-

[64] Heutzutage sind wir schon härter gesotten und an das Jonglieren mit großen Milliardenbeträgen gewöhnt; damals, bei viel höherem Geldwert, waren das unfaßbare Summen.

menden französischen Haltung bemerkenswert. Doch dieser erste wichtige Versuch, durch französisch-deutsche Verständigung und allgemeines Einvernehmen aus der Sackgasse herauszukommen, scheiterte; erst der Dawes-Plan bot 1924 eine neue Chance. Die deutsche Wirtschaft und daraufhin die Reichsregierung fürchteten – angesichts des deutschen Potentials wohl zu sehr – den dominierenden französischen Einfluß auf die deutsche Außenwirtschaft, die zunächst beiseite gelassenen ungeheuren Zahlungsverpflichtungen und die fortbestehende französische Sanktionsdrohung, obwohl der Grundgedanke einleuchtete. England war mißtrauisch wegen eines möglichen deutsch-französischen Wirtschaftsblocks auf dem Kontinent und wollte die Unsicherheit hinsichtlich der Höhe der endgültigen Reparationssumme beenden. Das führte zu dem englischen Vorschlag einer deutlich unter den Zahlen von Boulogne liegenden Gesamtsumme, die nun wieder von den Franzosen mit Entrüstung zurückgewiesen wurde. Dann ein Kompromiß: die Idee des Provisoriums und der Übergangsphase begrenzter Leistungen für eine Reihe von Jahren statt der sofort durchgesetzten endgültigen Regelung; und dies verbunden mit dem Seydoux-Plan. Die Idee blieb bis zum Dawes-Plan und – in der Einführung einer Übergangsphase – sogar in begrenztem Umfang bis zum Young-Plan erhalten; im Januar 1921 aber scheiterte sie faktisch am Regierungswechsel in Frankreich. Die Reichsregierung hingegen wäre schließlich nur dann bereit gewesen, darauf einzugehen, wenn ein umfangreiches Revisionsprogramm den Versailler Vertrag völlig verändert hätte, was aber ganz illusorisch und typisch für die nationale Egozentrik war. Oberschlesien – die Volksabstimmung sollte am 20. März 1921 stattfinden – müßte vor allem im wirtschaftlich wichtigen Teil deutsch bleiben; alle Handelseinschränkungen sowie die Liquidationen deutschen Eigentums hätten aufzuhören; die Reparationslasten müßten deutlich niedriger bemessen und alle besetzten Gebiete nach einer endgültigen Reparationsfestlegung freigegeben werden – auch wegen der hohen Besatzungskosten. Außerdem kam man sinnigerweise in offiziellen Verlautbarungen wieder häufiger auf die Unannehmbarkeit des »Kriegsschuldartikels« zurück und forderte im übrigen ganz umfassend die deutsche Gleichberechtigung[65]. Fazit: ohne Revision keine Reparation.

[65] Akten der Reichskanzlei. Das Kabinett Fehrenbach. Boppard 1972, S. 416 f., 476 f., 485–491.

Was folgte, sah so aus, als spitze sich die Entwicklung auf die Alternative zu zwischen einem Weg in eine neue Katastrophe oder einem noch rechtzeitigen Einlenken, so daß Lloyd George die Chance erhielt, eine üble europäische Konstellation schlecht und recht zu überbrücken und seine Politik der schrittweisen Normalisierung und der Verständigung auf Konferenzen unter Einschluß Deutschlands in günstigeres Fahrwasser hinüberzuretten. Die Deutschen machten es ihm allerdings schwer. Die Fortsetzung des Spiels mit hohen Milliardensummen – auch wenn man stets genau hinsehen muß, da die vielen Ziffern auf unterschiedlichen Grundlagen und Zahlungsmodalitäten beruhten – auf der Konferenz der Alliierten in Paris (24.–29. Januar 1921) rief den üblichen, mit kräftigen nationalistischen und demagogischen Tönen garnierten Proteststurm in Deutschland hervor. Selbst die Regierung hielt es für angebracht, das Thema zu wechseln und sich der nationalen Ehre und Not sowie der »Kriegsschuldlüge« als angebliche Basis der Reparationsforderungen anzunehmen. Dies war wieder das berüchtigte Stimmungmachen in schwierigen, entscheidenden Situationen. Die Konferenz von London (1.–7. März 1921) wurde dann auch wegen des provozierend niedrigen deutschen Reparationsangebots und der auch taktisch ganz unzulänglichen Aufführung der Delegation, die allerdings von Berlin gegängelt wurde, ein völliger Fehlschlag. Bei der Abreise der Delegierten hatte die Menge »Fest bleiben! Nicht nachgeben!« gerufen; am Ende mußte Lloyd George selber die Sanktionen fordern, die Deutschland im Falle einer unbefriedigenden Antwort auferlegt werden sollten[66]. Er wollte ausgedehnteren Forderungen der Franzosen zuvorkommen, und so wurden die Besetzung des wirtschaftlich und verkehrsmäßig wichtigen Gebiets von Düsseldorf, Duisburg und Ruhrort vorgenommen, 50 Prozent der deutschen Exporterlöse einbehalten und von Frankreich im Verfolg seiner Rheinpolitik eine Zollgrenze um das gesamte besetzte Gebiet durchgesetzt.

Die nun einsetzenden hektischen Bemühungen der Reichsregierung, eigene großzügigere Angebote zu machen, um Schlimmeres zu verhüten, entwickelten vier interessante Eigentümlichkeiten: 1. Mit behutsamer Unterstützung des Vatikans, die jedoch durch diplomatischen Dilettantismus der Deutschen

[66] Horst Gründer, Walter Simons als Staatsmann, Jurist und Kirchenpolitiker. Neustadt a.d. Aisch 1975, S. 177 ff.

entwertet wurde, versuchte man als letzte Rettung, die USA unter ihrem neuen Präsidenten Harding zur Vermittlung zu bewegen. Bei der unklaren Situation in Europa und der noch keineswegs vorhandenen Neigung, völlig auf die amerikanischen Vorstellungen einzugehen, war die Aktion verfrüht und zum Scheitern verurteilt. Die Amerika-Experten im Auswärtigen Amt hatten sie von vornherein als »katastrophale Dummheit« bezeichnet; das Ganze war typisch für die uneinheitliche Diplomatie. 2. Unter heftigen internen Diskussionen entrang man sich schließlich ein respektables Angebot: 50 Milliarden Goldmark Gegenwartswert bzw. 200 Milliarden in Jahresraten, also einschließlich Verzinsung. Damit beeinflußte die Reichsregierung immerhin das spätere Londoner Ultimatum der Alliierten. 3. Das Angebot enthielt auch einige künftig bedeutsame Gedanken: Die schon seit der Friedensvorbereitung ventilierte große Anleihe, sowohl für das Wiedererstarken der deutschen Wirtschaft als auch für Reparationen; Verpfändung von Sicherheiten (bestimmte Staatseinnahmen); ein Teil der Barzahlungen sollte variabel nach der Wirtschaftslage gestaltet werden; ganz wichtig schließlich: die Forderung nach Überprüfung der deutschen Leistungsfähigkeit durch eine Expertenkommission, und das bedeutete, auf der Basis des Urteils der internationalen Geschäftswelt und der weltwirtschaftlichen Lage. Alles dies wurde für die Erarbeitung des Dawes-Plans von Bedeutung. 4. Selbst hier fehlte nicht das zuvor erwähnte deutsche Revisionsprogramm, obwohl es eher unscheinbar auftauchte[67].

Die Angebote halfen aber nichts. Nachdem sozusagen in letzter Stunde die Reparationskommission am 27. April 1921 eine endgültige Summe und einen Zahlungsplan festgelegt hatte, konnte Lloyd George darangehen, das französische Drängen auf Besetzung des Ruhrgebiets abzubiegen. Das Ganze wurde gegenüber Deutschland mit einigem Donner als Londoner Ultimatum vom 5. Mai 1921 inszeniert, obwohl die festgelegte Summe, die viel zitierten 132 Milliarden Goldmark, zwar einigermaßen imposant aussah, aber recht nah bei dem deutschen Angebot von 50 Milliarden lag, denn in erster Linie kamen nur die sogenannten A- und B-Bonds in Betracht, weniger die auf eine ferne Zukunft verschobenen 82 Milliarden C-Bonds. Das Ultimatum erstreckte sich im übrigen noch auf weitere

[67] Peter Krüger, Die Außenpolitik der Republik von Weimar. Darmstadt 1985, S. 127–129.

Forderungen, insbesondere die Entwaffnung. Gerade diejenigen in Deutschland, die für eine gemäßigte Politik der Verständigung eintraten im Gegensatz zu Konfrontation und Katastrophenpolitik, erkannten dies durchaus. Die Reichsregierung allerdings steckte endgültig in der Sackgasse ihrer sich oft den wirklichen Aufgaben entziehenden und uneinheitlichen, zu sehr auf schnelle Revision zielenden Außenpolitik und trat zurück. Nachfolger wurde ein Minderheitskabinett der Weimarer Koalition unter Joseph Wirth (Zentrum). Er leitete das neue Konzept der Erfüllungspolitik ein, die dazu beitrug, daß noch einmal die Verständigung Deutschlands mit den Alliierten im europäischen Rahmen eine Chance erhielt, und zwar in Form der zur Konferenz von Genua führenden Politik Lloyd Georges. Als sie zunichte wurde, hatte das schlimmere Folgen für Europa als der Mißerfolg der unkoordinierten, teilweise gegensätzlichen Initiativen Lloyd Georges und Seydoux' 1920.

»Erfüllungspolitik« bedeutete zunächst einmal ganz konkret Annahme des Ultimatums. Darüber hinaus aber war sie der Versuch, durch das Anstreben von Verständigungen mit den Alliierten und dem demonstrativen Willen zur Erfüllung von Verpflichtungen ein neues außenpolitisches Verhalten an den Tag zu legen – Ansätze dazu hatte besonders am Schluß schon die vorangehende Regierung gezeigt –, mehr Vertrauen und Reputation im Ausland zu gewinnen und vor allem in der Reparationsfrage durch Erfüllung statt Ausweichen zu beweisen, daß die Forderungen im Grunde unerfüllbar und ruinös seien. Das war zweifellos ein vernünftiger und vielversprechender Ansatz. Der kritische Punkt dabei war aber weniger die bisher stets in den Vordergrund gerückte Frage nach den Auswirkungen auf die Reparationspolitik als vielmehr die grundsätzliche Frage, inwieweit die Erfüllungspolitik bloß instrumentalen, also möglicherweise vorübergehenden Charakter trug oder eine prinzipielle Entscheidung für eine auswärtige Politik der Loyalität und Verständigung bedeutete. Maßgebend für ihre Entfaltungsmöglichkeiten war ferner, was Erfüllung eben nicht bedeutete und welche innen- und wirtschaftspolitischen Grenzen sie hatte. Bis zur Weltwirtschaftskrise sollte Erfüllung keinesfalls so weit gehen, daß um der Reparationsaufbringung willen die Steuern noch beträchtlich erhöht, ein rigoroser Deflationskurs gesteuert und rücksichtslose Sparsamkeit des Staates eingeführt worden wären. Dies hätte, so fürchtete man nicht zu Unrecht, den wesentlichen, aber labilen gesellschaftlich-wirtschaftlichen Basiskompromiß der Weimarer Republik zerstört. Nicht nur die Unternehmer, auch die Gewerkschaften, die um ihre sozialen Errungenschaften seit 1918 fürchteten, und alle anderen wichtigen Gruppen der Gesellschaft wären gegen eine derartige, das inflationäre deficit spending abrupt beendende Politik aufgestanden. Vollbeschäftigung, Investitionsneigung, laufende Industrieproduktion, Einkommensniveau und sozialer Friede standen auf dem Spiel. England und andere von der Depression schwer getroffene Länder führten das vor. Erfüllung kam also nur in einem begrenzten steuerlichen Rahmen in Frage und hing deshalb auch von Auslandsanleihen und einer beträchtlichen Exportsteigerung ohne starke Senkung des inneren Kosten- und Preisniveaus ab.

Aber ein starker Anstieg der Inflation konnte noch gefährlicher werden, deshalb kam nur eine behutsame Gratwanderung der Reichsregierung zwischen zwei Abgründen in Frage. Die Außenpolitik wurde daraufhin in ungewöhnlichem Maße wichtig für die innere Stabilität. Nicht nur, daß sie für nationale Erfolgserlebnisse sorgen mußte, hier ging es wesentlich darum, ob sie es vermochte, die Reparationsforderungen zu senken, Kredite zu ermöglichen und günstige Bedingungen für den Außenhandel zu schaffen und damit auch die Last der Inflationsbekämpfung mit zu tragen. Deutschland war als Markt wie als Lieferant – und als Konkurrent – ein bedeutender Faktor auf dem Weltmarkt. England reagierte darauf auf Grund seiner eigenen Wirtschaftsstruktur am empfindlichsten. Das gab den Ausgleichsbemühungen Lloyd Georges ständig neue Impulse, auch wenn die Engländer das Reich keinesfalls zu stark werden lassen wollten, und in Deutschland stellte man das sehr genau in Rechnung. Die wirtschaftliche Labilität in Europa und ihre Verschärfung durch die Reparationen, dazu die Drohung einer inflationsgestützten deutschen Exportflut, wurden allenthalben mit wachsender Sorge betrachtet und konnten den Deutschen dabei helfen, indirekt einige Fundamente des Versailler Vertrags zu erschüttern. Die französische Regierung war alarmiert. Sie versuchte zunächst die Fortsetzung der Seydouxschen Politik in den am 12. und 13. Juni 1921 mit Rathenau, damals Wiederaufbauminister, ausgehandelten umfangreichen Sachlieferungsverträgen, die jedoch auf Grund der Abneigung der Industrie in beiden Ländern nicht erfolgreich waren. Die wichtigere Frage war, wie sich die französische Außenpolitik auf die Bemühungen Lloyd Georges einstellte, die europäischen Probleme in einer großen, gut vorbereiteten Wirtschafts- und Wiederaufbaukonferenz zu lösen. Das war der Weg nach Genua. Allerdings bereitete nicht nur Deutschland dabei Kopfzerbrechen; bedeutenden Einfluß auf Erfolg oder Mißerfolg übten Sowjet-Rußland und die USA aus.

Die deutsche Haltung war daran nicht unbeteiligt, außerdem stellten die USA und Rußland Faktoren von besonderem Gewicht für die deutsche Außenpolitik dar. Denn sie bestand von Beginn an für Wirth nicht nur in der Erfüllungspolitik und der Verständigung mit den Alliierten, sondern auch in der Ausdehnung des internationalen Handlungsspielraums. Dem sollte der Ausbau der deutsch-amerikanischen und der deutsch-russischen Beziehungen dienen. Für die USA war das Reich der ideale Angelpunkt ihrer vorwiegend außenwirtschaftlich, indirekt und unter Vermeidung von Bindungen in Erscheinung tretenden Europapolitik mit dem Ziel eines stabilisierenden Interessenausgleichs und der Öffnung Europas für die wirtschaftlichen und politischen Interessen der Amerikaner, obgleich der günstige Moment zur Verwirklichung dieser Politik noch nicht gekommen war. Deutschland sollte gegen die störenden Bestrebungen und Gewaltmaßnahmen der französischen Regierung gestützt werden, weil es mit seinem Potential nach wie vor maßgebende Bedeutung für die europäische Entwicklung besaß, handelspolitisch ähnlichen Grundsätzen wie die USA folgte, seit 1918 sich ganz auf die USA als Gegengewicht gegen die Alliierten und als Kreditgeber eingestellt hatte und von ihnen in gewissem Ausmaß abhängig war. Dies erklärt auch den »ungleichen« Friedensvertrag vom 25. August 1921, in dem sich die amerikanische Regierung alle Rechte aus dem Versailler Vertrag sicherte, den sie im übrigen ja ablehnte, besonders was die Pflichten und Bindungen daraus betraf.

Brisanter und direktere Auswirkungen versprechend war die Intensivierung der Beziehungen zu Rußland. Die Gefährdungen des um seine Behauptung kämpfenden bolschewistischen Staates waren immens: wirtschaftliche Bedrängnis, Aufstände, die große Hungersnot des Sommers 1921 – die Hilfe der kapitalistischen Länder war unentbehrlich, aber sie sollten gegeneinander ausgespielt werden. So kam es zu einer genau kalkulierten, begrenzten Öffnung nach Westen und zur Ausnutzung des Wettlaufs um den russischen Markt. Dabei wollte gerade Deutschland nicht zurückstehen. Die Reichsregierung schwankte allerdings mit Rücksicht auf die Alliierten zwischen vorsichtigem Zögern und vorprellendem Zupacken. Neben frühen wirtschaftlichen Kontakten – das erste Handelsabkommen wurde am 6. Mai 1921 nach dem Vorangehen Englands abgeschlossen – kam es 1920 zu ersten inoffiziellen Fühlungnahmen und seit dem Sommer jenes Jahres zum schrittweisen Ausbau militärischer, nur ganz wenigen Politikern bekannter Kontakte zwischen Reichswehr und Roter Armee. Für den Chef der Heeresleitung, Generaloberst Hans von Seeckt, ging es sowohl um die Wiedereinführung einer militärisch-machtpolitischen Bündnispolitik gegen Polen und das ganze Versailler System als auch um die Entwicklung, Erprobung und in gewissem Umfang die Produktion von schweren und modernen Waffen, die Deutschland nach dem Versailler Vertrag verboten waren. Wirth billigte und förderte diese Politik. Für Lloyd George hingegen und ebenso für die französische Führung wurde es zum Alptraum, daß sich möglicherweise Deutschland und Rußland als zwei fortdauernd Unruhe hervorrufende, das europäische Staatensystem grundsätzlich in Frage stellende Mächte zusammentaten. Schon daß sich die Hunger- und Gesundheitshilfe der westlichen Länder für Rußland als unkoordinierbar erwies, beunruhigte Lloyd George tief; er wollte diese Hilfe einfügen in ein gemeinsames, umfassendes wirtschaftliches Wiederaufbauprogramm der europäischen Länder und der USA für Europa, besonders für Rußland und den Osten. Im Gegensatz zur harten Linie der Franzosen bevorzugte er dabei das Angebot der gleichberechtigten Teilnahme Deutschlands und Rußlands, um beide Staaten sowohl durch attraktive Vorteile als auch durch die Aushandlung der Bedingungen auf einer gemeinsamen Konferenz aller interessierten Länder, also ohne die Möglichkeit isolierter Abkommen mit einzelnen Partnern, einzubinden und ihre Kraftentfaltung einzudämmen und zu kontrollieren. Ziel sollte ein neu zu errichtendes System aus wirtschaftlicher Zusammenarbeit, politischer Friedenssicherung und Interessenausgleich in Europa sein, unter Wahrung der englisch-französischen Entente und auf der Basis einer begrenzten Erfüllung der weitgehenden Forderungen Frankreichs nach militärischen Garantien für seine eigene Sicherheit und die seiner östlichen Verbündeten. Schon hier zeigte sich, daß England allenfalls zu einer Verpflichtung in bezug auf die französische Ostgrenze, keinesfalls jedoch hinsichtlich Polens und der deutsch-polnischen Grenze bereit war. Kein Weg jedoch führte nach englischen Auffassungen darum herum, die Reparationen auf eine neue

Basis zu stellen, sonst lohnten auch die übrigen Anstrengungen nicht.

Auf eine derartige Einstellung hatte die Reichsregierung ja hingearbeitet, doch nun konnte sie nicht mehr wie geplant die Einsicht und die Überlegungen all derer abwarten, die in der einen oder anderen Form durch die wirtschaftlichen Auswirkungen der Reparationen geschädigt wurden, sondern mußte selber in die taktisch ungünstige Rolle des Bittstellers treten und am 14. Dezember 1921, auch auf englischen Rat, um Zahlungsaufschub nachsuchen. Das kam so: Die erste Reparationsrate in Höhe von einer Milliarde Goldmark war im August 1921 pünktlich gezahlt worden, allerdings für den Kurs der Mark mit katastrophalen Folgen. Weil die Summe in der Währung der Empfänger transferiert werden mußte, hatte man Devisen aufkaufen müssen und kurzfristige Kredite aufgenommen. Es war abzusehen, daß sich dies bei der nächsten Milliarde im Winter nicht wiederholen ließ. Langfristige Auslandsanleihen waren unter diesen Umständen nicht zu bekommen, was in wachsendem Maße zu dem den Deutschen so erwünschten Ergebnis führte, daß die internationale Geschäftswelt in dem Druck einer die ökonomischen Bedingungen außer acht lassenden Reparationspolitik die Hauptursache der gefährlich sich hinziehenden wirtschaftlichen Misere sah. Eine Kreditaktion der deutschen Industrie scheiterte, da ein Teil der Industrie überzogene soziale und wirtschaftspolitische Gegenforderungen stellte und ohne Verringerung der Reparationslasten auch nicht an einer Währungsstabilisierung interessiert war. Jetzt gab es für die Deutschen im Grunde nur zwei Möglichkeiten: Entweder die Pläne Lloyd Georges erfüllten sich, und es kam zu einer Neuregelung der Reparationen durch verstärkten deutschen Export, vor allem im Rahmen des russischen Wiederaufbaus. Mit Rathenau, dem Abgesandten Wirths, sprach man daher im Dezember 1921 in London ab, daß ein beträchtlicher Teil dieser Exporterlöse als Reparationen verwendet werden könnte. Oder alles scheiterte, dann kamen die Franzosen mit ihrer Forderung nach »produktiven Pfändern« und Garantien zum Zuge, also nach dem Ruhrgebiet, um es so lange als Reparationsprovinz auszubeuten, bis die Deutschen sie durch ihre Zahlungen wieder auslösten. Das würde aber auf schärfsten Widerstand des Reiches stoßen, und dann wäre der große Konflikt kaum noch aufzuhalten.

Zwischen Inflation und Reparation geriet die deutsche Politik also in eine gewisse Zwangslage, die es angezeigt erscheinen ließ, Lloyd Georges Genua-Politik nach Kräften zu unterstützen. Die internationale Konstellation schien nicht ungünstig. Auf der Washingtoner Konferenz vom 13. Oktober 1921–6. Februar 1922[68] kam unter amerikanischer Führung ein gewisser Interessenausgleich in dem ausgedehnten pazifisch-ostasiatischen Teilbereich des internationalen Systems zustande, und die Abrüstung erhielt neue Impulse durch die erfolgreiche Begrenzung der Seerüstungen aller größeren Seemächte auf der Basis einer englisch-amerikanischen Flottenparität. Abgesehen von Interessendivergenzen zwischen beiden Ländern war das Resultat im Grunde durchaus im Sinne der global engagierten und daher auf Ausgleich bedachten, schwächer werdenden englischen Weltmacht. Das konnte der dringend nötigen Neustrukturierung auch im europäischen Bereich weiteren Antrieb geben. Selbst der sonst für die internationale Entwicklung schädlich wirkende Druck der USA auf ihre Kriegsverbündeten, allmählich mit der Rückzahlung der interalliierten Schulden aus dem Krieg zu beginnen, hätte in dieser Situation eher positive Wirkungen entfalten können, um in Europa gemeinsam die Voraussetzungen größerer Prosperität zu schaffen. Entscheidend aber konnte werden, daß es in Verhandlungen vom 19.–22. Dezember 1921 zu einer Annäherung der beiden Regierungschefs Lloyd George und Briand – auch Rathenau, der auf britischen Wunsch inoffiziell in London war, wurde gelegentlich hinzugezogen – kam, wobei man sich auf Einberufung einer großen Konferenz einigte[69]. Hauptpunkt sollte der wirtschaftliche Wiederaufbau Europas sein, zunächst mit dem gemeinsamen Anfang in Rußland; ferner die Schaffung besserer Voraussetzungen für die Reparationszahlungen; die Einbeziehung Rußlands und Deutschlands; Beseitigung von Handels- und Finanzierungshemmnissen; und vor allem die Berücksichtigung der politischen Voraussetzungen: Entspannung und Bindung der europäischen Staaten durch allgemeine Sicherheitsab-

[68] Thomas Buckley, The United States and the Washington Conference, 1921–1922. Knoxville (Tenn.) 1970; Roger Dingman, Power in the Pacific. The origins of naval arms limitation, 1914–1922. Chicago 1976.

[69] Documents on British foreign policy, 1919–1939. Serie 1, Bd. 15, London 1967, S. 760–805; Akten der Reichskanzlei. Die Kabinette Wirth I und II. Boppard 1973, S. 481–485; umfassend Carole Fink, The Genoa Conference. European diplomacy, 1921–22. Chapel Hill (N.C.) 1984. Siehe auch Dokumentenanhang, Nr. 4–6.

machungen und erste Abrüstungsschritte sowie für die speziellen französischen Bedürfnisse ein Garantievertrag zwischen England und Frankreich.

Aber vieles entwickelte sich ungünstig. Obwohl die neue Weltmacht USA auch im europäischen Bereich zu verantwortungsvoller Beteiligung aufgerufen war, versagte sie sich, weil sie Bindungen befürchtete und die Konferenz nicht ihren Vorstellungen entsprach. Briand trat am Ende der vorbereitenden Konferenz von Cannes (4.–13. Januar 1922) zurück. Nachfolger wurde Poincaré, der die Genua-Konferenz im Grunde für überflüssig und den französischen Interessen abträglich hielt und sie mit einer Reihe einschränkender Bedingungen belastete, vor allem der Ausklammerung der Reparationen wie überhaupt des Versailler Vertrages. Da Rußland von vornherein gegen eine Einheitsfront der westlichen Länder kämpfte und sie zu entzweien suchte, hing sehr viel vom Verhalten der fünften wichtigen Macht ab, Deutschland. Unter glücklichen Umständen und großen deutschen Anstrengungen hätte Genua eine Kombination von Reparations-, Wirtschafts- und Sicherheitsregelungen einleiten können, ähnlich wie Dawes-Plan und Locarno zusammen. Aber abgesehen von der sich verschlechternden internationalen Konstellation fehlten dazu auf deutscher Seite die Voraussetzungen. Höchstens Rathenau, der am 1. Februar 1922 Außenminister wurde, hatte etwas vom Zusammenhang zwischen Reparationen und Wirtschaft auf der einen, Sicherheit und politischer Ordnung des europäischen Staatensystems auf der anderen Seite erfaßt, aber nicht genug, um das zur Basis seiner Politik zu machen. Vor allem aber war ja Wirth immer nachdrücklicher auf der Suche nach mehr Handlungsspielraum und neuen Möglichkeiten außerhalb der Reichweite der Alliierten, besonders im Ausbau des Verhältnisses zu Rußland. Die Versuchung, hier eigene Wege zu gehen, wurde noch verstärkt durch die geheime militärische Zusammenarbeit und die wirtschaftlichen Interessen, und sie dauerte bis in den Zweiten Weltkrieg an. Doch es ging nicht bloß, wie bisher meist angenommen, um den russischen Trumpf im deutschen Spiel und den Weg nach Rapallo. Es wirkte sich auch eine gewisse ungeduldige Enttäuschung über die spärlichen Erfolge der Erfüllungspolitik aus. Sie sollte nicht beendet werden, aber der innenpolitische Erfolgszwang und die vorauszusehende Einschnürung der Reichsregierung in der Reparationspolitik ließen es ihr angezeigt erscheinen, zu demonstrieren, daß sie nicht völlig von den Alliierten abhängig und sogar zu begrenztem Konflikt entschlossen war, um mehr Entgegenkommen zu erreichen und sich der nationalen Stimmung und Unterstützung bis weit in die SPD hinein wieder zu versichern. Ziel war auf längere Sicht, die der Reichsregierung über den Kopf wachsenden inneren und äußeren Probleme aus einer Position größerer Unabhängigkeit von alliierten Pressionen und als eigenständige Großmacht zu lösen. Zwei Ereignisse trugen dazu nachhaltig bei:

1. Nachdem am 20. März 1921 in der Oberschlesien-Abstimmung knapp 60 Prozent für Deutschland votiert hatten, gelang es trotzdem auch mit Unterstützung der Engländer nicht, ganz Oberschlesien für das Reich zu sichern. Weil die Alliierten sich nicht einigen konnten, ersuchten sie den Völkerbund um ein Votum und folgten ihm. Das war ein französischer Erfolg; Oberschlesien wurde geteilt in der Weise, daß die wirtschaftlich wertvollen Teile an Polen kamen. Frankreich wollte Polen stärken und zugleich wirtschaftlich durchdringen, und das fügte sich in seine Konzeption, sich in Ost- und Südosteuropa militärisch und politisch auszudehnen. In Deutschland ergab sich daraus ein schwerer Rückschlag für die Erfüllungs- und Verständigungspolitik. Nicht nur der rabiate Nationalismus fand neue Nahrung und sah sich durch das Treiben der Separatisten und der französischen Rhein-Politik in der Ansicht bestätigt, daß die Alliierten immer mehr Gebiete vom Reich abtrennen wollten, auch die Wirtschaft sang in diesem gemischten Chor, den die Reichsregierung nicht recht zu dirigieren wußte, ihren Part und klagte, daß Deutschlands wirtschaftliche Gesundung und Reparationsfähigkeit noch weiter zurückgeworfen worden sei. Wirth bildete ein neues Kabinett, übernahm zunächst selbst den Außenministerposten und nutzte die organisatorische Straffung des Auswärtigen Amts (Beginn der Zusammenlegung der sechs Regionalabteilungen in drei), um den Vertreter einer stärkeren Rußlandorientierung, den Ministerialdirektor Freiherr von Maltzan, in eine leitende Position zu bringen. Mit ihm arbeitete er eng zusammen.

2. Im Frühjahr 1922 zeigte sich auch Rathenau zu einer riskanteren Reparationspolitik entschlossen. Er wollte noch vor Genua den Alliierten erklären, »was wir bereits mit den Reparationen geleistet haben und daß wir jetzt am Rande unserer Kräfte angelangt sind und nicht mehr weiter leisten können«[70]; es

[70] Nachlaß Schubert, Bd. 18, Aufzeichnung vom 17. 3. 1922.

müsse ein längeres Moratorium und eine gründliche Neuregelung erfolgen. Wenige Tage später trafen am 21. März 1922 die Noten der Reparationskommission ein, die zwar das Moratorium von Cannes für 1922 bestätigte (720 Millionen Goldmark in bar, Sachlieferungen in Höhe von 1450 Millionen), aber außerdem weitere große Steuererhöhungen über den Steuerkompromiß der Reichsregierung hinaus, weitere gesetzliche Maßnahmen zur finanziellen Konsolidierung und für sich selber eine Kontrolle der deutschen Finanzen verlangte. Die vielen Kontrollen und Überwachungskommissionen waren sowieso verhaßt und zunehmend auch der Reichsregierung unerträglich. Empörung und Enttäuschung brachen sich in Berlin Bahn, besonnene Stimmen, die auf günstige Punkte der Noten verwiesen, kamen nicht zum Zuge, wurden übrigens auch bei späteren Verhandlungen von Wirth scharf angegriffen, und als dann noch Lloyd George den Franzosen große Zugeständnisse zu machen schien, war Genua nicht mehr viel wert. Das beschleunigte die Einigung mit den Russen; auf dem Wege nach Genua wurden sie sich mit den Deutschen weitgehend einig über jenen Vertrag, der dann am 16. April 1922 in Rapallo abgeschlossen wurde, auf der Basis der Aufnahme diplomatischer Beziehungen, des gegenseitigen Verzichts auf Forderungen (Vorkriegszeit, Krieg – Artikel 116 des Versailler Vertrages – und Sozialisierungsschäden mit einem geheimen Zusatz für den Fall von Zugeständnissen an die Alliierten), der Meistbegünstigung und der Vertiefung der Wirtschaftsbeziehungen.

Die Konferenz von Genua (10. April – 19. Mai 1922) vergrößerte auf deutscher Seite die Beunruhigung, als die Alliierten sich mit den Russen zu gesonderten Beratungen zurückzogen. Dies gab Maltzan die Chance, den vor einem Eklat zurückschreckenden Rathenau regelrecht einzuwickeln und für die Abschlußverhandlungen und die Unterzeichnung des deutschrussischen Vertrages die Vorbereitungen zu treffen. Der Rapallo-Vertrag wirkte wie eine Bombe und nahm der Konferenz die letzten Chancen eines wirklichen Erfolgs. Lloyd George war gescheitert. Das gemeinsame Vorgehen, besonders gegenüber Rußland, und die Ansätze internationaler wirtschaftlicher und politischer Kooperation waren zunächst verschüttet. Die deutschen Positionsgewinne in den finanziellen und wirtschaftlichen Unterkommissionen brachten nichts, ebensowenig die gründlichen handelspolitischen Pläne, die im Ziel einer europäischen Zollunion gipfelten. Die eigentlichen Gewinner waren die Russen; sie hatten die Isolierung durchbrochen, gemeinsame Lösungen verhindert und, indem sie Deutschland auf ihre Seite zogen, die beste Sicherheitsgarantie an ihrer europäischen Flanke gewonnen. Erst wenn Deutschland sich gegen sie wandte, war ihre Sicherheit wirklich bedroht. Wo die deutschen Vorteile der so oft beschworenen unabhängigeren Außenpolitik lagen, ist schwer ersichtlich. Der Ausgleich mit Moskau war wichtig, konnte gelegentlich auch taktisch genutzt werden, aber er mußte nicht unbedingt in Genua und auf diese Weise erfolgen. Die Kritiker regten sich unter den Finanzsachverständigen der Delegation, aber auch im Auswärtigen Amt, wo sich nun die Gegenkräfte herausgefordert fühlten und vor allem unter dem immer einflußreicher werdenden Ministerialdirektor von Schubert an einer Konzeption der Verständigungspolitik und der Kooperation mit England, den USA und Frankreich gearbeitet wurde. Wirth und Rathenau vermochten mit ihrem Vorgehen in den entscheidenden Fragen der Reparationen, der europäischen Wirtschaft, der Auslandskredite, des Verhältnisses zu den Alliierten keinerlei Erfolge aufzuweisen. Rapallo offenbarte, daß sie gar keine schlüssige außenpolitische Konzeption besaßen; denn die Rußlandpolitik, so wichtig sie gegenüber Polen und überhaupt in Osteuropa war, stand in keiner durchdachten Beziehung zur übrigen Außenpolitik.

Die negativen Folgen ließen nicht lange auf sich warten. Das Mißtrauen gegenüber den unkalkulierbaren Deutschen war wieder überall gewachsen, der Reputationsgewinn aus der Erfüllungspolitik weitgehend verspielt. Die letzte Möglichkeit einer umfassenderen Kompromißlösung in der Reparationsfrage war dahin; für Poincaré war Rapallo der Beweis dafür, wie verfehlt eine Politik der Nachgiebigkeit gegenüber Deutschland war. Er schlug jetzt eine schärfere Gangart ein. Sollten seine Bemühungen, ein gemeinsames alliiertes Vorgehen gemäß seinen Vorstellungen zu erreichen, vergeblich bleiben, so war er schließlich auch zu gewaltsamen Sanktionen, zur Besetzung des Ruhrgebiets, entschlossen, weil die von Deutschland angestrebte Revision des Londoner Zahlungsplans einen Eckpfeiler der Politik Frankreichs und indirekt auch seiner Sicherheitsgarantie erschütterte. Dieser Moment näherte sich rasch. Deutschland glitt im Sommer 1922 in die Phase der Hyperinflation hinüber und war immer weniger in der Lage, den in Cannes reduzierten Reparationsverpflichtungen nachzukommen. Die allgemein gedrückte Stimmung in Deutschland nach dem Fehlschlag der

Erfüllungspolitik und der Genua-Konferenz sank weiter. Die Inflationserwartung beschleunigte sich fast zusehends und machte Exportvorteile aus dem Kursverfall der Mark zunichte. Die Hoffnungen auf Erholung wurden zweifelhaft, wirtschaftliche Schwierigkeiten und soziale Spannungen auf der einen Seite, ein Ausbruch extremen Nationalismus auf der anderen Seite waren die Folge, und die Ermordung Rathenaus am 24. Juni 1922 ein schreckliches, auch im Ausland mit Betroffenheit wahrgenommenes Menetekel. Die Reparationsfrage beherrschte die Außenpolitik immer mehr, vor allem das Bemühen, unter dem ständig wachsenden französischen Druck noch irgendeine internationale Lösung zu finden. Poincaré war entschlossen, Deutschland so oder so zur Unterwerfung unter die französische Politik zu bewegen, die auf die Aufrechterhaltung aller Forderungen und strikte wirtschaftliche und politische Kontrolle des Reiches hinauslief und auch die verschiedenen Möglichkeiten besonderen Einflusses im Ruhrgebiet und in den Rheinlanden bis zu den Plänen ihrer Abtrennung umfaßte. Welche Variante schließlich verwirklicht werden sollte, blieb auch während des Ruhrkampfes zunächst offen.

Die fehlgeschlagenen Bemühungen, die Ruhr-Invasion zu verhindern, waren vielfältig: Auf der Ebene der internationalen Finanzwelt war es die von der Reparationskommission veranstaltete Tagung von Bankiers und Finanzexperten in Paris (24. Mai–10. Juni 1922), die den deutschen Vorstellungen nahekamen. Die Vertreter der international verflochtenen Bank- und Geschäftswelt traten für eine große Reparationsanleihe mit Moratorium ein und für die Reduzierung der Reparationen auf das wirtschaftlich Akzeptable, womit im Grunde weniger die schwierige Größe der deutschen Leistungsfähigkeit gemeint war, als vielmehr dic Verträglichkeit der Reparationen mit dem internationalen Waren- und Kapitalverkehr, ein künftig ganz entscheidender Punkt als Voraussetzung des dringend erforderlichen Aufschwungs des Handels und der Stabilisierung der Währungen. Der Einspruch der französischen Regierung erfolgte bei der Reduzierung der Reparationen und den Modalitäten von Anleihe und Moratorium. Ein Versuch von Stinnes, im September auf der Basis einer privatwirtschaftlichen Sachlieferungsvereinbarung mit den Franzosen durch direkte Kooperation und mit Wissen des Auswärtigen Amts eine Verständigung zu erreichen, blieb ohne Ergebnisse. Auf der Ebene von Regierungskonferenzen und Notenwechseln kam es ebenfalls zu keiner Einigung. Die Konferenz der Alliierten in London (7. bis 14. August 1922) war überschattet von den durch England provozierten Diskrepanzen in der Frage der interalliierten Schulden und blieb sowohl in der Frage der Restzahlungen für 1922 als auch in bezug auf die Garantien und »produktiven Pfänder«, die Frankreich vor allem im Ruhrgebiet verlangte und Deutschland mit allen Kräften verhindern wollte, ohne Ergebnis. Als Wirth eine Verbreiterung der Regierungsbasis um die DVP zur großen Koalition mißlang – sie scheiterte vornehmlich an seiner Person –, versuchte sein Nachfolger Cuno im November und Dezember mit Kompromißvorschlägen neue Verhandlungen einzuleiten. Er hatte ebensowenig Erfolg wie die Engländer mit ihren reduzierten Zahlungsplänen auf den alliierten Konferenzen von London (9.–11. Dezember 1922) und Paris (2.–4. Januar 1923). Schließlich brachte auch eine erneute Initiative (September-Dezember) bei der amerikanischen Regierung noch keine greifbaren Ergebnisse, obgleich die Aufmerksamkeit gesteigert wurde, die USA durchaus an einem umfassenden deutschen Vorschlag sehr interessiert waren und ihre – sowieso nur inoffizielle – Hilfestellung bei der Lösung der Reparations- und Wirtschaftsprobleme davon abhängig machten, daß sich alle Beteiligten der amerikanischen Auffassung unterordneten. Die Reichsregierung hatte dabei immerhin – wie Cunos allerdings wenig überzeugende Rheinpaktidee, eine Nichtangriffsverpflichtung »zu treuen Händen« der USA vom 13. Dezember 1922, zeigte[71] – den Zusammenhang zwischen Reparationen und Sicherheitsfrage erfaßt. Außerdem trat hier der weiterweisende Gedanke einer internationalen Expertenkommission über die Reparationen in den Vordergrund, während die ganze Problematik in den Zusammenhang einer erforderlichen wirtschaftlichen Kooperation in Europa und einer weltweiten Beseitigung von Handelshemmnissen gestellt wurde. Allerdings gab es kein geschlossenes deutsches Programm dazu.

Nachdem all diese Anstrengungen umsonst geblieben waren, mußte ein relativ geringfügiger deutscher Rückstand bei den Sachlieferungen herhalten, damit Frankreich in der Reparationskommission die rechtlich anfechtbare Entscheidung, daß Deutschland böswillig seinen Verpflichtungen nicht nachkomme, durchsetzen, Italien und Belgien auf seine Seite ziehen und gegen den Willen der Engländer am 11. Januar 1923 in das

[71] Krüger, Außenpolitik der Republik von Weimar, S. 195.

Ruhrgebiet einmarschieren konnte. Es ging um weit mehr als die Sicherstellung von Reparationszahlungen; sie boten ja von Anfang an auch die Grundlage für den letzten Versuch Frankreichs, die Früchte des Sieges von 1918 doch noch zu ernten, Deutschland dauerhaft zu schwächen und unter Kontrolle zu halten und an Rhein, Saar und Ruhr maßgebenden französischen Einfluß durchzusetzen. Als die Reichsregierung daraufhin den passiven Widerstand verkündete und bis zum Herbst durchhielt, wurde aus dieser Aktion eine rücksichtslose Machtprobe, einer Fortsetzung des Krieges ähnlich, die Deutschland an den Rand des völligen Zerfalls brachte – Währungszusammenbruch, links- und vor allem rechtsradikale Aufstände, Gefährdung der Reichseinheit durch die Separatisten, besonders im Rheinland. Sie hinterließ in beiden Ländern tiefe Spuren. Die Sondierungen und Kontakte über den Vatikan, über amerikanische Geschäftsleute und über Mittelsmänner der Reichsregierung, außerdem die Noten des Auswärtigen Amts mit neuen Vorschlägen vermochten zwar unterstützend zu wirken bei der in England und den USA sich vertiefenden Erkenntnis, daß dringend etwas geschehen müsse angesichts eines drohenden Chaos oder eines unter französischer Führung stehenden politisch-wirtschaftlichen Blocks in Kontinentaleuropa zu Lasten ihrer eigenen Interessen und des europäischen Machtgleichgewichts. Aber die Voraussetzung war doch die Aufgabe des passiven Widerstands. Denn England wollte weder die Entente mit Frankreich zum Bruch treiben noch vorbehaltlos auf Deutschlands Seite treten, sondern ähnlich wie die USA, wenn auch nach wie vor in einer gewissen Rivalität zu ihnen, eine Neuregelung der Reparationen und eine Konsolidierung der europäischen Verhältnisse durchsetzen. Als Cuno nicht mehr weiter wußte und zurücktrat, mußte infolgedessen das endlich zustande gekommene Kabinett der großen Koalition unter dem Vorsitzenden der DVP, Gustav Stresemann, die unerträglich sich kumulierenden inneren und äußeren Probleme in Angriff nehmen und die Kapitulation im Ruhrkampf (26. September 1923) einleiten, auf der Poincaré bestand. Verhandeln tat er mit der Reichsregierung aber nicht; sie sollte in ihren eigenen Schwierigkeiten versinken und Deutschland den Einflüssen der Zersetzung preisgegeben sein. Als Ende Oktober 1923 die Separatisten im Rheinland eigene Regierungen bildeten, geschah das mit voller Billigung und Förderung durch die französische Regierung.

Auf der anderen Seite war die deutsche Kalkulation, daß die angelsächsischen Mächte schon im eigenen Interesse eingreifen müßten, keineswegs abwegig. Die britische Regierung, durch den Vertrag von Lausanne vom 24. Juli 1923 und die Regelung der Nahostkonflikte auch diplomatisch beweglicher, hatte am 11. August 1923 nicht nur die Ruhrbesetzung für unrechtmäßig erklärt, sondern das Ziel einer Sachverständigenkonferenz über die Neufestsetzung der Reparationsleistungen verkündet. Dies entsprach den amerikanischen Vorstellungen. Poincaré, mit der Ruhr und einem desolaten Deutschland als Faustpfand, wollte eine internationale Absicherung seiner Gewinne durch die USA und England; also mußte er Verhandlungen anstreben. Nachdem er sich aber erst einmal darauf eingelassen und nach zähem Ringen unter vielen Restriktionen am 23. November 1923 einer Expertenkonferenz zugestimmt hatte, konnten die angelsächsischen Mächte sich immer stärker durchsetzen, um so mehr als Frankreich sich finanziell übernommen hatte und vor allem auf amerikanische Hilfe beim Verfall des Franc angewiesen war. Das Auswärtige Amt hatte insofern die Entwicklung richtig erfaßt, als es sich den englischen und amerikanischen Intentionen mit seiner eigenen Konzeption einfügte und mit der Note vom 24. Oktober 1923 an die Reparationskommission als letzte vertragsmäßige und zuständige Instanz, an der auch Poincaré in seiner Betonung des Versailler Vertrags nicht vorbeigehen konnte, einen gut berechneten und klärenden Schritt tat. Man beantragte die Prüfung der deutschen Leistungsfähigkeit und ein Moratorium. In der Kommission konnten auch England und die USA – durch ein beobachtendes Mitglied – zum Zuge kommen. Der Weg zur Sachverständigenkommission und zu ihrem Ergebnis, dem Dawes-Plan, benannt nach dem amerikanischen Leiter des entscheidenden Gremiums, war gewiesen, auch wenn er noch geebnet werden mußte. Der Dawes-Plan hatte auch große politische Bedeutung und zog weitere Regelungen nach sich, so daß hier eine Wende der außenpolitischen Nachkriegsentwicklung sich ankündigte.

Der Machtkampf der beiden wichtigsten Länder Kontinentaleuropas war in nationaler Einseitigkeit und Verbissenheit durchgekämpft worden und endete in einer Sackgasse, aus der dann nur die längst überfällige internationale Regelung als einzig angemessene Lösung herausführte. Die Reparationen und die mit ihnen verbundenen Fragen demonstrierten die internationale Verflechtung und betrafen eben zu viele Länder, als daß sie in der Form eines nationalen Zweikampfs sich hätten lösen lassen. Die Ergebnisse und Erfahrungen hatten das eine Gute, daß die nachfolgende Phase der Verständigungspolitik erleichtert wurde, Einsicht und Vernunft eine Chance bekamen und große Hindernisse beiseite geräumt waren. Für die deutsche Außenpolitik begann die Bewährungsprobe einer auf internationale, multilaterale Verständigungen und Abmachungen gerichteten Politik, die der zunehmenden Verflechtung in Europa und in der Welt entsprach. Verständigung hatte die Reichsregierung früher auch schon gesucht, internationale Kooperation ebenso. Aber nur sporadisch, es war nicht die maßgebende außenpolitische Grundlinie gewesen. In der ganzen Phase von 1919 bis 1923 standen die Hoffnung und das – manchmal hektische – Drängen auf rasche, angeblich unumgängliche Revision des Versailler Vertrages im Vordergrund. Man fühlte sich tief bedroht und unsicher und hatte wenig Verständnis für die grundsätzliche Bedeutung des Aufbaus von Strukturen internationaler Verständigung – Abmachungen, Institutionen, Verhaltensweisen – und für die Probleme der Friedenssicherung, Dinge, die langfristig im Interesse einer hochentwickelten, auf enge Wechselbeziehungen zu den anderen Ländern angewiesenen Industrienation wie Deutschland lagen und nicht nur kurzfristig einsetzbare taktische Mittel waren. In der Spannung zwischen Revision und Friedenssicherung schließlich wuchs die Erkenntnis, daß es sich nicht um einen Gegensatz handelte, sondern um eine besonnene Revisionspolitik, die nur in Verbindung mit Friedenssicherung und internationaler Zusammenarbeit überhaupt möglich war.

4. Die Ära der Verständigungspolitik 1924–1930

Der erneute tiefe Sturz der Nation; das von der Mehrheit der Deutschen ganz unmittelbar erfahrene Elend, für viele sogar die Gefährdung ihrer Existenzgrundlagen als Folge des Ruhrkampfes, der ja doch nur um den Preis der sich überschlagenden Hyperinflation hatte geführt werden können und die letzten Reserven nicht nur des Staates verschlang; schließlich die nun schon wiederholte, das Selbst- und Weltverständnis erschütternde Erfahrung der Ohnmacht, des Ausgeliefertseins, ja des Chaotischen, eine Erfahrung, die häufig zugleich national und ganz persönlich war: Dieses ganze schreckliche Jahr 1923 grub sich tief in die Erinnerung der Deutschen ein. Die Kommentare der Publizisten und Politiker, auch der gemäßigten und derjenigen, die einen neuen Anfang machen wollten, standen noch lange danach unter dem Eindruck jener Ereignisse, und ihre Rhetorik war davon gefärbt. Die ständig wiederholten Wendungen von den Fesseln, den Sklavenketten, der mißhandelten und entehrten Nation, der tiefsten Erniedrigung und Wehrlosigkeit schienen geradezu mit neuer lebendiger Überzeugung gefüllt und überdeckten doch unvereinbare politische Kräfte, die nur – schlimm und folgenreich genug – gelegentlich dieselben Formulierungen benutzten. Denn die Gemäßigten, die nun verstärkt auf internationale Verständigung als Weg aus der Sackgassc bedacht waren, sie wollten zugleich nationale Gemeinsamkeit demonstrieren und die schon damals so häufig beschworene Volksgemeinschaft verwirklichen. Die krassen Unterschiede wurden offenbar in den Konsequenzen, die man jeweils aus diesen Beschwörungsformeln für den Zustand und die Politik der Nation zog. Gegen die Deutsch-Völkischen und Rechtsextremen jeder Couleur gewendet, lautete die Schlußfolgerung der Gemäßigten eben nicht, daß so schnell wie möglich Remedur geschaffen und rücksichtslos Widerstand gegen jegliche alliierte Zumutung geleistet werden müsse, sondern im Gegenteil: Bedrohung und Gewaltanwendung zwischen den Staaten müßten beendet werden und einer Phase des kompromißbereiten Interessenausgleichs weichen, um zu stabileren und entspannteren internationalen Verhältnissen und ganz allmählich zum deutschen Wiederaufstieg im Einvernehmen mit den anderen Mächten zu gelangen.

Friedrich Meinecke, dessen Beiträge als Äußerungen liberaler

Politik in der Öffentlichkeit Beachtung fanden, zeigte sich geradezu gepeinigt von dem Gedanken, im Frühjahr 1924 könnten die ersten hoffnungsvollen Anzeichen dafür, daß eine Verständigungspolitik möglich wäre, in der innenpolitischen Auseinandersetzung ersticken. Ein »extrem sich gebärdendes Deutschland würde sofort ein noch extremer sich gebärdendes Frankreich provozieren«, schrieb Meinecke am 20. April 1924 im Wahlkampf[72]. Die wilden Ausbrüche des extremen Nationalismus waren für ihn und seinesgleichen völlig inakzeptabel – bis auf die nationale Gemeinsamkeit, wenigstens in der Rhetorik: »Wir sind nach heldenhaftem Kampf in Sklavenketten geschlagen, versuchen sie abzuschütteln und können es doch nicht, weder jetzt noch in absehbarer Zukunft«; das sei eine fürchterliche Lage, aber ein Revanchekrieg komme nicht in Frage. Meinecke wies auf den Wandel und die Schrecken des modernen Krieges hin; nicht Irrationalismus, sondern nur ein Interessenausgleich auf der Basis von Recht und Vernunft führe weiter[73].

Die Ambivalenz der eigenen nationalistischen Gefühle und der Rhetorik auf der einen und der konkreten Politik und ihrer Grundsätze auf der anderen Seite verkörperte natürlich Stresemann selber in dieser ungemein kennzeichnenden Ausgangssituation der Verständigungspolitik sozusagen am authentischsten. In einer Rede am 17. Februar 1924 nahm er den vielzitierten »Silberstreifen an dem sonst düsteren Horizont« wahr[74]. Der Kampf um die Akzeptierung des Dawes-Plans setzte ein, die Fesseln, in die man Deutschland geschlagen hat, gehören auch zu Stresemanns Repertoire, nationalistische Rhetorik und das Werben für eine realistische, vernünftige Interessenpolitik auf der Basis internationaler Verständigung sind untrennbar ineinander verwoben. Den Dawes-Plan suchte Stresemann in einer Art Osterbotschaft 1924[75] den Deutschen durch folgende rhetorische Einkleidung schmackhaft zu machen: »Wollen wir die Entrechtung und Knechtung an Rhein und Ruhr weiter dulden [...], oder sollen wir den Versuch machen, durch eine Gesamthaftung der Wirtschaft und des Staates die besetzten Gebiete hiervon zu befreien? Wir kämpfen damit für eine Freimachung von den wirtschaftlichen Fesseln [...], für die Wie-

[72] Meinecke, Politische Schriften und Reden, S. 366.
[73] Ebd., S. 380f.
[74] Gustav Stresemann, Vermächtnis. Bd. 1, Berlin 1932, S. 300.
[75] Ebd. S. 393; dazu Dokumentenanhang, Nr. 7.

derherstellung von Recht und Freiheit.« Seine Gegner in der DNVP und rechts von ihr, aber nicht nur sie, sahen das gerade anders: Der Dawes-Plan schlage Deutschland erst recht in Fesseln und liefere es der Kontrolle der Alliierten aus. Die Auseinandersetzung schien sich also vordergründig auf die Frage zu reduzieren, wo nun eigentlich die Fesseln seien und wann und wodurch sie abgestreift würden. Es kam bloß auf den jeweiligen Standpunkt, nicht auf die Natur der Sache an, um zu konstatieren, ob eine wichtige außenpolitische Entscheidung als nationale Befreiung oder weitere Fesselung zu betrachten sei. Dies blieb kennzeichnend für die politische Auseinandersetzung in Deutschland; man hatte oft gemeinsame Worte, aber keine gemeinsame Sprache, die einen sachbezogenen, kontroversen Dialog zwischen den politischen Lagern erlaubt hätte.

Der Silberstreifen, den Stresemann wahrzunehmen glaubte, weckte bei den meisten Deutschen in ihren Alltagsnöten noch keine Zukunftshoffnungen. Der Außenminister vermochte sich aber auf andere günstige Umstände zu stützen. Im Herbst 1923 war es ihm als Reichskanzler gelungen, die völlig chaotische, schlimme Entbehrungen und empörende soziale Ungerechtigkeit verursachende Hyperinflation zu beenden und eine Stabilisierung der Währung einzuleiten. Die Einheit des Reiches blieb gewahrt; Putschversuche und Aufruhr waren abgewehrt worden, und geordnete Verhältnisse setzten sich wieder durch. Seit 1914 hatte das deutsche Volk unter dauernder Anspannung gelebt; es war einem unerhörten Veränderungsdruck ausgesetzt, und viele standen mehr als einmal vor der völligen Ungewißheit ihrer künftigen Existenz. Das Maß war voll. Die Menschen verlangten nach normalen und beruhigten Lebensumständen. Diese Haltung kam der Ausgleichspolitik Stresemanns entgegen, obwohl der im Ruhrkampf erneut entfesselte, nach Selbstbestätigung und emotionaler Gemeinsamkeit verlangende exaltierte Nationalismus sie langfristig gefährdete. Günstig war außerdem, daß Frankreich und Deutschland die Machtprobe bis zum letzten ausgefochten hatten; die Trümpfe der Gewaltsamkeit waren ausgespielt und hatten gezeigt, was sie vermochten. Beide Länder steckten, aufeinander fixiert, in der Sackgasse, und die Interessen der übrigen Mächte erlaubten es nicht länger, dem zerstörerischen Zweikampf tatenlos zuzusehen, der nicht einmal dem zeitweiligen Sieger Frankreich die erhofften Sicherheiten für seine Vormachtstellung und glänzende Zukunftsaussichten eingebracht hatte. Diese Entwicklung ermöglichte den Versuch, auf dem Wege internationaler Zusammenarbeit unter Einschluß Deutschlands als allmählich wieder gleichberechtigter Partner weiterzukommen. Der erste bedeutende Schritt auf diesem Wege war der Dawes-Plan. Die internationale Konstellation erwies sich ebenfalls als günstig. Die Regierung der Vereinigten Staaten sah endlich hinreichende Gewähr dafür gegeben, daß der Einsatz der überlegenen amerikanischen Finanz- und Wirtschaftskraft zur wirtschaftlichen Gesundung und Stabilisierung Europas nun unter Bedingungen erfolgen konnte, in denen die amerikanischen Interessen voll zur Geltung kamen. In England bildete Ramsay MacDonald Anfang 1924 die erste Labour-Regierung, die sich nachhaltig für internationale Entspannung, Kooperation und Friedenssicherung engagierte. In Frankreich schließlich, dessen Währung und Finanzen zunehmend unter Druck gerieten, wuchs die Unzufriedenheit mit Poincaré und brachte am 11. Mai 1924 die aufsehenerregende Wahlniederlage des Nationalen Blocks und den Sieg des Linkskartells unter Edouard Herriot zustande.

Die Ingangsetzung des Dawes-Plans war die erste bedeutende internationale Maßnahme nach 1919, die eine gewisse Einsicht in die Erforderlichkeit und den Vorrang multilateraler Lösungen für die Probleme der Nachkriegszeit bezeugte und Konsequenzen aus den alarmierenden Erfahrungen mit nationalistischer Einseitigkeit und bilateralen Auseinandersetzungen zog. Die Sitzungen der von der Reparationskommission eingesetzten Sachverständigenkomitees hatten am 14. Januar 1924 begonnen, am 9. April 1924 lag der Dawes-Plan, wie das Sachverständigen-Gutachten kurz und bündig genannt wurde, vor, und bei den Regierungen lag danach die Entscheidung über sein weiteres Schicksal. Sie zu treffen war deshalb so schwerwiegend, weil es um grundlegende, langfristig wirksame außenpolitische Fragen und nicht nur um die Basis für einen wirtschaftlich sinnvollen Modus vivendi in der Reparationsfrage ging. Dabei war die Frage allein schon wichtig genug, denn die Reparationen stellten die schwerste akute Belastung für die europäische Wirtschaft und Politik dar. Der Dawes-Plan machte die Reparationslast erträglicher und überschaubarer, legte Verfahren fest im Falle wirtschaftlicher Überforderung oder Zahlungsverzugs des Reiches und entzog den ganzen Komplex der machtpolitischen Ausnutzung durch die Gläubiger. Einseitige Pfandnahme und Sanktionen waren nicht mehr möglich; die zentrale Position, die des Reparationsagenten, blieb den Amerikanern vorbehalten. Der Druck der amerikanischen Regierung und Bankiers hinter den Kulissen, wie überhaupt der internationalen Geschäftswelt, wirkte sich aus in einer maßvollen, an dem Ziel der allgemeinen wirtschaftlichen Gesundung in Europa orientierten Regelung, die keine endgültige Reparationssumme nannte, sondern vom Provisoriumsgedanken ausging und Jahreszahlungen festlegte. Sie stiegen an von 1 Milliarde Goldmark 1924/25 auf 2,5 Milliarden 1928/29; dies sollte dann die Normalannuität werden. Auch die Quellen der Reparationszahlungen wurden festgelegt und zugleich die rein finanziellen Garantien: Haushaltsmittel, besonders aus bestimmten Zöllen und Verbrauchssteuern und die Erträge aus einer in Form von Obligationen erhobenen Belastung der Reichsbahn und der deutschen Industrie. Im Streitfall schließlich sollte ein Schiedsgericht urteilen. Der ganze Plan hing ab von einer stabilen deutschen Währung, von solider Haushaltsgestaltung und hinreichenden Zahlungsbilanzüberschüssen, die nach den Vorstellungen der Gutachter in erster Linie durch Exportüberschüsse erzielt werden sollten. Das sollte zwar anders kommen, aber durch diese Konstruktion war es möglich, theoretisch korrekt die Aufbringung der Annuitäten zum Ziel der deutschen Anstrengungen zu machen, nicht den Transfer in die Währungen der Gläubigerländer, der dann Aufgabe des Reparationsagenten auf der Basis der deutschen Devisenlage war. Selbstverständlich kamen die Deutschen nicht ohne Kontrollen und Gewährleistungen davon; sie wurden rein finanziell betrachtet sogar wirksamer als bisher: Der Generalagent überwachte das Finanzgebaren der öffentlichen Hand in Deutschland und beobachtete die volkswirtschaftliche Gesamtentwicklung; die Reichsbank und die Reichsbahn wurden in unabhängige Gesellschaften mit starker ausländischer Beteiligung umgewandelt. Trotzem blieb diese Verschiebung des ganzen dornigen Problems auf die wirtschaftliche Ebene und in den Einflußbereich der internationalen Geschäftsinteressen, weg von der bilateralen Konfrontation und den Gewaltmaßnahmen im deutsch-französischen Machtkampf ein bedeutsamer Erfolg für das Reich.

Nach schwierigen Vorverhandlungen und reichlicher Ungewißheit über den Ausgang kam es zur abschließenden Übereinkunft der beteiligten Mächte – abgesehen von der offiziell unbeteiligten, aber desto wirksamer hinter den Kulissen agierenden amerikanischen Regierung – auf der Londoner Konferenz vom

16. Juli–16. August 1924[76], an der die Reichsregierung gleichberechtigt teilnahm und infolgedessen ein ausgehandeltes Ergebnis und kein Diktat mit nach Hause brachte. Dort war erwartungsgemäß das Protestgeschrei groß. Doch bei der Annahme der Dawes-Gesetze im Reichstag war, nicht zuletzt unter dem gelinden Druck der Amerikaner auf deutsche Wirtschaftskreise, die Zahl der Besonnenen groß genug, daß in einem Fall sogar genügend DNVP-Stimmen zur Verfügung standen, um ein verfassungänderndes Gesetz über die Hürden zu bringen. Die deutsche Stellung in Europa wurde gestärkt und man zog Vorteile aus der neuen Konstellation. Das änderte sich erst allmählich, als die Franzosen ihren Schock überwunden und sich auf die neuen Verhältnisse eingestellt hatten. Frankreich befand sich in einer fatalen Situation. Wichtige Machtmittel gegenüber Deutschland wurden ihm entwunden, denn England und die Vereinigten Staaten wollten eine wirtschaftliche Lösung ohne politische Komplikationen unter Dach und Fach bringen. Dies nutzend, gelang es Stresemann und der deutschen Delegation, auch noch die französische Zusage durchzusetzen, das Ruhrgebiet binnen einem Jahr zu räumen, indem das Argument der ungehinderten wirtschaftlichen Verfügbarkeit über eine der wichtigsten und politisch heikelsten deutschen Regionen im Zusammenspiel mit den Forderungen vor allem der angelsächsischen Bankiers erfolgreich zum Tragen kam.

Die Vereinbarungen reichten also in ihren Wirkungen weit über eine vorläufige Lösung des Reparationsproblems hinaus. Es war eine Regelung unter weltwirtschaftlichem Aspekt, der für alle Länder immer bedeutsamer wurde, mit beträchtlichen Rückwirkungen sowohl auf die unmittelbar beteiligten als auch infolge der Handels- und Finanzverflechtungen auf die nicht beteiligten Staaten. Mehr noch, es war der erste Schritt auf dem mit zahlreichen Hindernissen versehenen Weg zu einer Politik der internationalen Verständigung und des Interessenausgleichs. Gerade weil dieser Anlauf so weitreichend, jedoch zunächst nur wirtschaftlich gestützt war, verlangte er nach politischer Ergänzung angesichts der Machtverschiebungen, die er in Europa bewirkte. Für Frankreich bildeten die Reparationen ja einen wesentlichen Teil ihrer Deutschland- und Sicherheitspoli-

[76] Siehe dazu das interessante Tagebuch der Reichskanzlei und zugehörige Dokumente; Akten der Reichskanzlei. Die Kabinette Marx I und II. Boppard 1973, S. 1283–1342.

tik. Schlug man den Franzosen dieses Machtmittel aus der Hand, trat ein ganz unbefriedigender Zustand ein, dem durch andere Formen der Absicherung, in erster Linie durch die seit 1919 geforderten internationalen Garantien abgeholfen werden mußte. Darüber war sich die englische Regierung ebenso im klaren wie die deutsche, sofern sie nicht riskieren wollten, daß die Keime europäischer Verständigung gleich wieder abstarben. Damit begann die Suche nach Sicherheitslösungen, die nach Locarno führte. Für die deutsche Außenpolitik unter Stresemann bedeutete dies, sofern sie an Grundsatz und Methode der Verständigung festhielt, Friedenssicherung und Revisionspolitik gleichzeitig zu verfolgen und immer wieder einen Ausgleich zwischen beiden Zielen herzustellen. Der dritte zentrale Bereich deutscher Außenpolitik, die Mitgestaltung des internationalen Kapital- und Warenaustauschs, einschließlich der Entwicklung des Verkehrswesens, vermochte, solange das nationale Interesse sich vorwiegend an einer liberalisierten weltwirtschaftlichen Verflechtung orientierte, jenen schwierigen Ausgleich zu erleichtern, ja oft tatsächlich herzustellen. Denn es handelte sich um ein übergreifendes Interesse, das zu seiner außenpolitischen Gewährleistung beider Zielsetzungen bedurfte, sowohl der Friedenssicherung als auch einer gemäßigten Revisionspolitik vor allem im Hinblick auf die Reparationen und die Räumung aller besetzten Gebiete. Das außenwirtschaftliche Interesse konnte im übrigen dic Revisionspolitik insgesamt dämpfen und ihr zugleich infolge der wirtschaftlichen Stärkung Deutschlands größeren Spielraum verschaffen.

Das deutsche Verlangen nach Revision des Versailler Vertrages wirkte zweifellos beunruhigend in Europa. Aber es wäre unsinnig gewesen, dem Reich einen Verzicht auf Revisionsforderungen abzuverlangen; keine Reichsregierung hätte derartiges angesichts der einhelligen Revisionsstimmung politisch überlebt.

Ob die Forderungen also zu einer unerträglichen Belastung des europäischen Staatensystems führten – die territorialen Forderungen waren ohne Frage die schwerwiegendsten –, hing daher von Umfang und Art der Revisionsziele ab, vor allem aber von der Art ihrer Verwirklichung, von den außenpolitischen Methoden. Stresemann hat immer wieder hervorgehoben, daß er auf das Einvernehmen mit den Westmächten setze und nur eine friedliche Revisionspolitik in Frage komme. Die Nagelprobe einer solchen Haltung mußte in dem Augenblick bevorstehen, wenn ein bestimmtes Revisionsziel auf friedlichem Wege nicht mehr durchzusetzen war. In diese Situation geriet die Weimarer Republik nicht; aber im Sinne einer konsequenten Politik hätte dann die Revisionsforderung fallengelassen werden müssen, auch deshalb, weil sonst die internationale Position des Reiches, seine Glaubwürdigkeit und seine gewichtigen außenwirtschaftlichen Interessen aufs Spiel gesetzt worden wären – sofern nicht eine folgenreiche Veränderung der Zielsetzungen, der Präferenzen und der außenpolitischen Methoden stattgefunden hätte. Insgesamt gesehen ging es bei den zeitgenössischen Kontroversen über die Aufrechterhaltung des Status quo gemäß dem Versailler Vertrag oder seine Revision um ein viel umfassenderes, auch heute noch nicht gelöstes Problem: Wie ist das grundlegende Verhältnis zwischen Stabilität und Veränderung im internationalen System jeweils angemessen zu regeln? Der unaufhörlich sich vollziehende Wandel – die Macht- und Interessenverschiebungen, neue internationale Rahmenbedingungen, die unterschiedlichen Ansprüche und Lebensbedingungen der Staaten etc. – macht es unabweisbar, daß Möglichkeiten des Kompromisses, der friedlichen Anpassung und Veränderung entwickelt werden müssen, wenn die einseitige und gewaltsame Lösung von Interessenkonflikten überwunden werden soll. Weil die Reichsregierung in gewissem Ausmaß den Status quo zu verändern trachtete, sich jedoch zugleich in nüchterner Interessenabwägung unter dem Einfluß Stresemanns für die Verständigungspolitik entschied, war es durchaus konsequent, daß sich das Auswärtige Amt um völkerrechtlich abgesicherte Verfahren für eine friedliche Veränderung des Status quo und für einen friedlichen Interessenausgleich bemühte. Stresemann bekannte einmal, und zwar nicht bei der Propagierung außenpolitischer Ziele, er sei in seinem Leben zu der Ansicht gekommen, »daß *ohne Kompromiß*, d.h. ohne einen Ausgleich, *noch nie etwas Großes in der Welt geschaffen worden ist,* was Bestand hatte«[77]. Kompromißbereitschaft und Wille zum Ausgleich waren in der Tat das Signum der deutschen Außenpolitik in den folgenden Jahren.

Der Vorgeschichte von Locarno, die im einzelnen kompliziert ist, lag ein ziemlich einfacher Sachverhalt zugrunde: das Streben nach Sicherheit und Entspannung. Frankreich hatte im-

[77] Gustav Stresemann, Schriften. Hrsg. von Arnold Harttung, Berlin 1976, S. 140 (21. 5. 1927).

mer noch keinen Ersatz für den gescheiterten Garantie- und Beistandsvertrag vom 28. Juni 1919 mit England und den USA erhalten. Die Sorge vor dem potentiell überlegenen deutschen Nachbarn blieb bestehen, ja die Lage hatte sich sogar verschlechtert, seitdem die Machtmittel und Handhaben gegen das Reich, welche die Reparationen boten, durch den Dawes-Plan mehr oder weniger zunichte gemacht wurden. Das Auswärtige Amt war sich über diese Problematik durchaus im klaren, vor allem jene Gruppe, deren Exponent der Ministerialdirektor von Schubert war und die seit dem Scheitern von Genua und der Fehlleistung von Rapallo nach Möglichkeiten suchte, die deutsch-französische Konfrontation, in der Deutschland den kürzeren ziehen mußte, die Sackgasse der Reparationen und die Sicherheitsprobleme zu überwinden und auf breiterer internationaler Basis zu behandeln. Infolgedessen erhielt die Westpolitik eindeutig den Vorrang. Maltzan war im Herbst 1922 Staatssekretär geworden, und er stimmte mit Schubert, der unbestritten der zweitmächtigste Mann im Auswärtigen Amt war, überein. Schubert machte sich besonders unter dem Eindruck der Ruhr-Invasion daran, eine Konzeption zu entwickeln, in der endlich die unentbehrliche Abstimmung zwischen Reparationen und Sicherheitsfrage vorgenommen und die Möglichkeit eröffnet wurde, den deutsch-französischen Konflikt im Rahmen internationaler Entspannung, die außerdem Deutschlands Gleichberechtigung, seine finanzielle Entlastung und einen allgemeinen Wirtschaftsaufschwung fördern sollte, zu entschärfen.

Akut ging es um die bedrohten Rheinlande. Schubert hob 1923 immer wieder hervor, daß sie noch mehr gefährdet seien als das Ruhrgebiet. Diese Auffassung herrschte auch in der Wirtschaft vor. Sie war seit 1918/19 mit dieser Frage konfrontiert, fürchtete die politische und wirtschaftliche Entfremdung der besetzten Gebiete und hatte deshalb bei allen deutschen Erörterungen und Reparationsvorschlägen darauf gedrungen, auch für eine vorzeitige Räumung dieser Gebiete einzutreten. Im Frühjahr 1923 erarbeitete der Leiter der Rechtsabteilung, Gaus, in enger Absprache mit Schubert die Grundgedanken eines differenzierten und eng verzahnten Systems von Sicherheits-, Garantie- und Schiedsverträgen, die Anfang 1925 zur Basis der deutschen Sicherheitsinitiative wurden und zu den Locarno-Verträgen führten. Der Kern der Vorschläge bestand in einem durch Schiedsverträge ergänzten Sicherheitspakt, in dem die am Rhein gelegenen Länder einander die bestehenden Grenzen und die Einhaltung der Entmilitarisierungsbestimmungen für das Rheinland aus dem Versailler Vertrag gewährleisteten. Diesem Pakt sollte England als Garant beitreten; in einer späteren Ausarbeitung des Plans auch Italien. Da gleichzeitig gegenüber Polen und der Tschechoslowakei zwar bewußt keine Garantie der deutschen Ostgrenzen, wohl aber der Abschluß von Schiedsverträgen nach dem deutschen, zuerst im Vertrag mit der Schweiz verwirklichten Muster angeboten wurde, handelte es sich um ein System der Sicherheit und des friedlichen Interessenausgleichs, das mit Ausnahme der Sowjetunion alle wichtigen europäischen Mächte einschloß und damit zugleich die Grundlage eines neuen europäischen Konzerts bot. Auf Polen wäre das Auswärtige Amt am liebsten gar nicht eingegangen, doch war bekannt, daß Frankreich zu keinem derartigen Vertragssystem bereit war ohne eine gewisse Friedenssicherung auch gegenüber seinen Ostverbündeten.

Schubert wollte diese Vorschläge als zusätzliche Garantien für Vertragserfüllung und Verständigungsbereitschaft der Deutschen organisch einfügen in einen umfassenden Reparationsplan mit neuen Elementen, die den Gedanken einer maßgeblich urteilenden Expertenkommission und wichtige Punkte des Dawes-Plans vorwegnahmen. Dazu kam es nicht, weil das dem Außenminister von Rosenberg zu weit ging, so daß nur die bekannte, in ihren Halbheiten verunglückte deutsche Reparations-Note vom 2. Mai 1923 übrigblieb. Die Gesamtkonzeption Schuberts reichte aber weiter. Sie schloß auch den Eintritt in den Völkerbund ein, sobald die Voraussetzungen dafür – in erster Linie ein den Großmachtstatus des Reiches bekräftigender ständiger Sitz im Völkerbundsrat – gegeben waren. Dies entsprach gleichermaßen der außenpolitischen Leitlinie, die Beziehungen zu England zu verbessern. Denn die englische Regierung hatte sich schon 1922 für den deutschen Völkerbundsbeitritt ausgesprochen. Die bedrängte Lage seit dem Beginn des Ruhrkampfes verfehlte ihre wohltuende Wirkung im Sinne eines wachsenden Verständnisses der Reichsregierung für den Völkerbund nicht. Und das ganze Konzept sollte schließlich auch dazu dienen, den Amerikanern, von denen man den Eindruck gewann, sie scheuten sich aus Furcht vor einem Mißerfolg, irgendeinen Schritt zu tun, die Entscheidung zu erleichtern, damit sie sich in die europäischen Probleme einschalteten. Abgesehen von einer wirtschaftlich vernünftigen, auch im amerikanischen Interesse an der Entspannung und Stabilisierung Europas liegenden Reparationslösung richteten sich die erwartungsvollen Blicke der Deutschen vornehmlich auf die Chance, mit Hilfe reichlicher Kredite aus den USA die Kapitalknappheit der deutschen Wirtschaft zu beheben. Politisch wurde auf diese Weise zugleich die Stellung des Reiches in Europa beachtlich gestärkt und das gegen Deutschland gerichtete Vormachtstreben Frankreichs nachhaltig gebremst.

Das wurde ja durch den Dawes-Plan erreicht. Auch bildete tatsächlich die amerikanische Dawes-Anleihe das erwartete Signal für das Hereinströmen amerikanischen Kapitals nach Deutschland, und es diente vielen Zwecken: Die Wirtschaft deckte ihren Kapitalbedarf; die Reparations-Annuitäten gemäß dem Dawes-Plan konnten dank dieser reichlich fließenden Devisenquelle transferiert werden, obwohl keine Handelsbilanz-Überschüsse zur Verfügung standen; der amerikanische Einfluß auf die deutsche Außenpolitik war gesichert, aber Stresemann konnte auch die Tatsache ausnutzen, daß die USA durch ihr starkes finanzielles Engagement an Deutschland und sein Wohlergehen gebunden waren und eine willkommene Rückendeckung gegenüber Frankreich boten. Da es aber gleichzeitig zu den unerläßlichen Zielen der Verständigungspolitik gehörte, einen Ausgleich und einen Zustand vertrauensvoller Zusammenarbeit mit Frankreich herzustellen, erwies es sich – übrigens bis heute – als eine der ganz schwierigen Aufgaben deutscher Außenpolitik, das spannungsreiche Verhältnis zwischen europäischer und atlantischer Orientierung immer wieder zum Ausgleich zu bringen. Unbestritten und eindrucksvoll hatte sich im übrigen die Bedeutung der Wirtschaft, insbesondere des Handels und des Kapitalverkehrs für die internationalen Beziehungen manifestiert. Das Ruhe- und Regenerierungsbedürfnis in Europa war ebenso offensichtlich wie die Schädlichkeit nationalistischer Alleingänge; es keimte die Hoffnung, der Dawes-Plan könne eine wirtschaftliche Erholung einleiten, die schließlich auch der wirtschaftlichen und politischen Kooperation, ja Integration Europas Impulse zu geben vermöge. Ausschlaggebend war dafür die Akzeptierung eines Prozesses wirtschaftlicher und politischer Interessenverflechtung, der wiederum einen höheren Grad an Sicherheit, Stabilität und außenpolitischer Kalkulierbarkeit im Verhalten aller Beteiligten zur Voraussetzung hatte und den außenpolitischen Handlungsspielraum einschränkte.

In einem weitgehend entwaffneten Land und aus politischer Einsicht in die zweckmäßigste Wahrnehmung der Interessen eines hochentwickelten Industriestaates verfolgte also die Reichsregierung bis zur Weltwirtschaftskrise eine jenen Gegebenheiten entsprechende Politik internationaler Verflechtung und Zusammenarbeit. Doch sie war nie unbestritten und oft nur mit Mühe durchzuhalten. Die Haltung der Gegner von Dawes-Plan und Locarno innerhalb der keineswegs einheitlichen DNVP und der rechts von ihr angesiedelten politischen Gruppierungen war in erster Linie negativ bestimmt, gegen jedes weitere Zugeständnis, gegen Fesseln, Versklavung und Tribute, wie es hieß; gegen Kompromisse und Verständigung mit den ehemaligen Gegnern, wenigstens solange nicht das vermeintliche Unrecht von Versailles getilgt wäre; und gegen internationale Bindungen und Verflechtungen als Konsequenz der modernen Industriegesellschaft. Was über reine Ablehnung hinaus an eigenen Bestrebungen und konkreten außenpolitischen Leitlinien zutage trat, war nicht eben viel oder gedanklich eindrucksvoll, und trotzdem hatte es große politische Bedeutung, weil es auf breite Zustimmung stieß: rasche Wiedererringung der Wehrhoheit und militärische Stärke; Absicherung der »nationalen Produktion« von Landwirtschaft und Industrie, also stärkere Abschottung nach außen, Binnenmarktorientierung und wirtschaftliche Eigenständigkeit; Herauslösung aus internationalen Bindungen und Verpflichtungen und damit zugleich freie Hand für eine weniger rücksichtsvolle nationalistische Machtpolitik; vor allem – fast alles übrige verneinend – die Mitteleuropa-Idee, die Schaffung eines unter deutscher Vorherrschaft stehenden, wirtschaftlich und politisch geeinten mitteleuropäischen Raumes, bei der extremen Rechten geprägt von dem Überlegenheitskult völkischer oder schärfer noch – wie bei den Nationalsozialisten – rassischer Deutschtumsideologien.

Selbst die gemäßigteren Zielsetzungen dieser Observanz waren mit der modernen Entwicklung ganz unvereinbar und verdichteten sich häufig zur Reichsidee, die den Deutschen traditionell in Europa einen besonderen Vorrang einräumte. Diese Vorstellung fand viele, zum Teil suggestive, wenn auch groteske Ausformungen. Der publizistisch wirkungsvolle, vom Zentrum kommende DNVP-Politiker Martin Spahn – von Hause aus Historiker – bemühte sich um eine möglichst einleuchtende, geschichtlich hergeleitete Anpassung der Reichsidee an die Aufgabe nationaler Erneuerung seiner durch Versailles, westliche

Demokratie, liberale Wirtschaft und Technisierung verunstalteten Gegenwart. Die Existenz vieler Völkerschaften, »die besondere Art Mitteleuropas«, schrieb er 1927, »erfordert eine föderalistische Organisation« des künftigen Reiches. Allerdings bedeutete die zukunftsträchtige Idee eines föderalistischen Zusammenschlusses Europas hier – ganz typisch für die moderne Anpassung – bloß eine Verbrämung. Denn an der eindeutigen Vorherrschaft der Deutschen, die diesen Raum seit dem Mittelalter besiedelt und kulturell entwickelt hätten, durfte keinerlei Zweifel aufkommen; ebensowenig an der ziemlich verbreiteten Ablehnung und Bekämpfung alles »Westlichen«. Die Pariser »westliche« Neuordnung von 1919 widerspreche – so Spahn – den Lebensbedingungen dieses Raumes und der in ihm wohnenden Völker (Spahn war engagierter Anhänger geopolitischer Lehren). Deutschlands „mitteleuropäische Sendung« sollte auch die Berufung zur Führungsmacht eines Großwirtschaftsraumes umfassen, der sich nach außen soweit irgend möglich abzuschließen habe[78].

Mythen von Reich, Volk und Raum – und als Ziel der Aufstieg »zum Führervolke Europas«: Welche kaum überbrückbare Distanz und zugleich tief beunruhigende Nähe zu den Entwicklungsschwierigkeiten der Industriegesellschaft! Distanz, weil hier im Grunde die vorindustrielle Reaktion gegen die moderne Gesellschaft durchbricht und verschmilzt mit der späteren industrie- und zivilisationskritischen, häufig auch anti-urbanen Reaktion, ohne angemessene Antwort auf die eigentlich drängenden Fragen; Nähe, weil es zum Wesen, wenigstens aber zu den Krisenerscheinungen in der Entfaltung dieser modernen Gesellschaft gehört, daß die in ihr Lebenden hin und wieder aus ihr ausbrechen wollen, unbefriedigte Sehnsüchte haben und den Verkündern einer einfacheren, heilen Welt zuhören. Es kamen hinzu die Vorbehalte gegen die aufgestülpte Republik und die oft hemmungslose, demagogisch immer wieder angefachte Verdammung des Versailler Vertrags mit dem simplen, aber wirksamen Trick, fast alle auftretenden Gebrechen, Belastungen und Kränkungen der Deutschen auf diesen Vertrag zu schieben statt auf die Niederlage im Weltkrieg, die strukturellen Mängel in Politik und Gesellschaft als unbewältigte Hinterlassenschaft des

[78] Clemens, Martin Spahn und der Rechtskatholizismus, S. 110–113, 130f.; zum Verhältnis von Raum und Politik: Josef Matznetter (Hrsg.), Politische Geographie. Darmstadt 1977.

Kaiserreichs und die neu aufgetretenen Schwierigkeiten der zwanziger Jahre. Dies trug erheblich dazu bei, daß eine labile, für Ideologien anfällige und in gewisser Hinsicht politisch disponible Gesellschaft entstand, die weder in der Innen- noch in der Außenpolitik eine konsequente, der Republik angemessene Linie erreichte. Die Republik insgesamt und der langsame außenpolitische Verständigungsprozeß im besonderen wirkten glanzlos, mühsam, manchmal unerquicklich und enttäuschend, so daß demgegenüber die Phantasien eines künftigen »Dritten Reiches«, das nationale Ehre, Glanz und Macht versprach, den Gefühlen und Erwartungen ganz anders entgegenkamen. Daher war es nicht erstaunlich, daß die nationalistische Leidenschaft immer wieder leicht entfacht und auf das verhaßte negative Symbol des Versailler Vertrags als Ursache allen Übels gelenkt werden konnte. Das setzte dann die außenpolitisch maßvollen Politiker ständig unter Druck, weil Änderungen nur allmählich und in kleinen Schritten vor sich gingen.

Eine derart beschaffene allgemeine Stimmung und überwiegende öffentliche Meinung tendierte infolgedessen zu einer weniger kompromißbereiten, schärferen Außenpolitik. Nachhaltiger außenpolitischer Druck wurde gefordert, um deutsche Ansprüche auf Revision des Versailler Vertrags durchzusetzen und einen exaltierten Sinn für nationale Ehre zu befriedigen, der auch in breiten Bevölkerungsschichten aus einem Gefühl tiefer Demütigung und Mißachtung der Deutschen durch das Ausland entstanden war – unabhängig davon, wie berechtigt dieses Gefühl und wie sinnvoll die Reaktion war. Dies bot jedenfalls politischen Vorstellungen vom Wiedergewinn einer unabhängigen deutschen Machtstellung und von stärkerer Absperrung nach außen – übrigens auch geistig und kulturell – eine beachtliche Basis. Und es bot schließlich der Reichswehr eine enorme Unterstützung. Das Militär hatte im Kaiserreich eine überragende Rolle gespielt und war das Rückgrat des preußisch-deutschen Nationalstaates gewesen. So etwas ließ sich nicht von heute auf morgen auslöschen. Die weitgehende Entwaffnung empfand der überwiegende Teil der Deutschen als entehrend und ungerecht. Sie geriet daher in engen Zusammenhang mit dem immer wieder die größte Empörung auslösenden Kriegsschuldvorwurf, dessen Bekämpfung – selbst in der dezenteren pseudo-wissenschaftlichen Form des Auswärtigen Amtes – die Leidenschaften wachhielt und auf längere Sicht bedenkliche Folgen für die inneren Voraussetzungen deutscher Außenpolitik hatte. Die Reichswehr war auf jeden Fall eindeutiger Nutznießer. Sie wurde politisch gedeckt, auch wenn sie gegen die Entwaffnungsbestimmungen verstieß und sich in geheimer Zusammenarbeit mit der Roten Armee in der Sowjetunion weiterzuentwickeln versuchte. Zwar zeigte sich die Reichswehrführung nach der Entlassung Seeckts (Oktober 1926) und in Anpassung an die Locarno-Politik auf politisches Wohlverhalten und ein gutes Verhältnis zum Auswärtigen Amt bedacht, um ihre politische Stellung unter dem dafür zuständigen General von Schleicher neu zu bestimmen und ihre weitere Entwicklung, besonders bei der Organisation und künftigen Steigerung der Wehrkraft, besser den modernen Verhältnissen anzupassen. Aber dessen ungeachtet blieb die Reichswehr ein bedeutender Faktor nicht nur für die Lenkung der allgemeinen Politik, namentlich seit der kaiserliche Generalfeldmarschall von Hindenburg Reichspräsident geworden war, sondern auch für die Außenpolitik, sei es als stets verfügbare Basis, sei es als treibende Kraft für eine Alternative zur Verständigungspolitik, vor allem in einer Phase verschärfter Revisions- und Aufrüstungsforderungen während der Weltwirtschaftskrise.

Was all den geschilderten Vorstellungen und Verhaltensweisen gemeinsam war, von der Absicherung der »nationalen Produktion« und der Herauslösung Deutschlands aus internationalen Bindungen über die Mitteleuropa-Ideen bis zur Wiedererringung der Wehrhoheit, das war das Streben nach möglichst großer Handlungsfreiheit und Machtkonzentration im Geiste eines vornehmlich gegenüber dem sogenannten »Westen« sich abgrenzenden, als etwas Besonderes empfindenden Nationalismus. Ihn kennzeichnete ein gewisser Führungs- und Ausdehnungsanspruch, der sich nach Osten und Südosten richtete. Trotz mancher, teilweise seltsamer Überschneidungen manifestierte sich hierin die Gegenwelt zu den noch keineswegs fundierten Modernisierungsprozessen, die etwa entsprechend den westeuropäisch-amerikanischen Entwicklungen der parlamentarisch-pluralistischen Industriegesellschaft verliefen. Deren zunehmende Kompliziertheit, in der die Staaten wie die Menschen immer stärker voneinander abhängig wurden, bildete das Angriffsziel dieser in sich ziemlich uneinheitlichen und unklaren Gegenbewegung. Folgerichtig war die Außenpolitik ein bevorzugter Kampfplatz, und hier galten die Angriffe der westlichen Orientierung, der Verständigungspolitik und der internationalen Verflechtung in der Ära Stresemann. Gewiß ließen sich die Lager in der Wirklichkeit nicht so scharf trennen; es gab fließende Übergänge und von der Tradition her begreifliche Gemeinsamkeiten. Eine starke deutsche Stellung in Mittel- und Südosteuropa, besonders wirtschaftlich, wollten die meisten. Doch gab es deutliche Unterschiede hinsichtlich der Priorität in der außenpolitischen Zielsetzung, der erstrebten Intensität deutschen Einflusses und der Art des Vorgehens. Ähnlich verhielt es sich mit den Militärfragen und den übrigen Revisionsforderungen: Revision ja – aber wie weit man die Ansprüche spannen und wie schnell und mit welchen Methoden man vorgehen sollte, blieb oft leidenschaftlich umstritten.

Der Punkt, an dem sich die Geister schieden, der wirklich wesentliche Unterschied im außenpolitischen Verhalten bis zum Ende der Weimarer Republik verlief zwischen den Leitlinien möglichst weitgehender, sich abgrenzender nationaler Handlungsfreiheit und internationaler, die wechselseitige Abhängigkeit akzeptierender Kooperation. Das grundsätzliche außenpolitische Problem bestand also – nicht nur für die Deutschen – darin, ob die Regierungen einseitige, rücksichtslos nationalistische Maßnahmen anwenden oder zu gemeinsamen Lösungen auf der Basis fortlaufenden Interessenausgleichs übergehen wollten. Das war weniger eine Frage hehrer Ideale als vielmehr der Vernunft, der nüchternen Erkenntnis wachsender internationaler Verflechtung und ihrer Folgen und der schlüssigen Interessenabwägung. Der Haken bei der Sache war nur, daß auf dem für entwickelte Industriestaaten entscheidenden Sektor der wirtschaftlichen Verflechtung die Zweckmäßigkeit der Zusammenarbeit und einer Problemregelung, die über die nationalen Grenzen hinausgriff, anerkannt wurde und ungeachtet aller harten Konkurrenz besser funktionierte als in der traditionellen Außenpolitik der Regierungen. Das lag zwar in erster Linie an der Verschiedenheit der Aufgaben; denn innerhalb eines Wirtschaftszweigs, etwa der Banken, vermochte man sich naturgemäß international leichter über ein vernünftiges, geschäftsmäßiges Krisenmanagement zu einigen als zwischen Staaten, deren Regierungen zunächst einmal intern zwischen verschiedenen Wirtschaftszweigen und einer Fülle weiterer Interessen einen Ausgleich herzustellen hatten und demzufolge über weniger Spielraum verfügten. Trotzdem aber war man sich der unangenehmen Diskrepanz durchaus bewußt, auch in Deutschland. Das traf gerade für Stresemann zu. Er war ein überzeugter Verfechter der internationalen Zusammenarbeit und der westlichen

Orientierung. Mehr noch, ein ganz wichtiges Kennzeichen seiner Verständigungspolitik war das Bemühen, jene Diskrepanz, jene wachsende und gefährliche Spannung, das Auseinanderstreben traditioneller, einseitig nationalistischer Politik der Staaten einerseits und sich verdichtender internationaler, vor allem wirtschaftlicher Verflechtung andererseits zu verringern, beides besser in Einklang zu bringen, zu neuen Grundlagen der Kooperation durch zähes Ringen um Interessenausgleich und Verständigungen zu gelangen[79].

Der weitaus wichtigste, den weiteren Verlauf der deutschen Außenpolitik prägende Schritt zur Verwirklichung derartiger Erwägungen war die Initiative Stresemanns und Schuberts zur Locarno-Politik. Wirklich zu verstehen ist sie nur als Ergebnis des engen Zusammenhangs zwischen politischer Entspannung und wirtschaftlicher Prosperität in Europa. Die Erkenntnis vom praktischen Nutzen der Verständigung, vor allem mit Frankreich, hatte sich durchgesetzt. Konkret bedeutete dies, Stresemann und Schubert zogen damit die Konsequenzen aus der Tatsache, daß der Dawes-Plan nur der wirtschaftliche Teil der so ungemein schwierigen internationalen Regelung des Problemkomplexes Reparationen und Sicherheit war und daß er in der Luft hing ohne die politische Bereinigung, die besonders Frankreich verlangte; und das hieß vor allem, einen Weg zur Gewährleistung der französischen Sicherheit zu finden.

Dieser Aufbruch nach Locarno begann in einer ganz bemerkenswerten Konstellation, in der für die deutsche Außenpolitik wichtige Entwicklungen und Entscheidungssituationen in seltener Fülle zusammentrafen. Im Hinblick auf die französischen Forderungen und eine dauerhafte Annäherung zwischen den Großmächten waren schon im Frühjahr 1923 deutsch-britische diplomatische Erörterungen in Gang gekommen und 1924 fortgesetzt worden. Ramsay MacDonald, der erste britische Labour-Premierminister, hat dann etwas überraschend, unter dem Eindruck der französischen Politik und der seit 1922 im Völkerbund diskutierten Sicherheits-, Garantie- und Abrüstungspläne, in einer Rede in Genf am 4. September 1924 die Reichsregierung aufgefordert, dem Völkerbund beizutreten. Beschäftigt hatte sie sich damit intensiver seit der französischen Ruhrinvasion, nun mußte sie Stellung nehmen. Es ging schon um die künftigen Machtpositionen und das Verhältnis der Großmächte

[79] Siehe Dokumentenanhang, Nr. 8 u. 9.

in Europa. Weil die ganze Situation für Deutschland noch recht unübersichtlich war, kam der Schritt zu früh. In einem Memorandum, das am 29. September 1924 an die im Völkerbundsrat vertretenen Staaten geschickt wurde, legte die Reichsregierung ihre Position fest. Wichtig war vor allem die Bedingung eines ständiges Sitzes im wichtigsten Gremium, dem Völkerbundsrat, und damit praktisch die Anerkennung Deutschlands als Großmacht, und außerdem die Weigerung des Reiches, sich an Sanktionen gemäß Artikel 16 und 17 der Völkerbundssatzung zu beteiligen. Weil im weiteren Verlauf die Angelegenheit an den Generalsekretär des Völkerbunds kam, erreichten die Deutschen zwar den gewünschten Zeitgewinn, aber jetzt stand mit der Haltung zum Artikel 16 eine der brisantesten internationalen Fragen zur Debatte, die in der Vorgeschichte der Locarno-Verträge für beträchtliche Schwierigkeiten sorgte. Obwohl die offizielle deutsche Begründung, daß ein entwaffnetes Land sich nicht dem Risiko militärischer Konflikte aussetzen könne, nicht aus der Luft gegriffen war, stellten doch die Beziehungen zur Sowjetunion und zu Polen die eigentliche, kaum verhüllte Sorge der Reichsregierung dar.

Damit stand man in Berlin auf einem weiteren wesentlichen Feld auswärtiger Beziehungen vor einer Entscheidungssituation, nämlich in der komplizierten und immer brisanten Ostpolitik. Zwar hatten England und Frankreich 1924 die Sowjetunion anerkannt, womit sich die europäische Mächtekonstellation für Deutschland nachhaltig komplizierte, aber das keineswegs ungetrübte deutsch-sowjetische Verhältnis blieb stets etwas Besonderes. Die wechselseitigen Handels- und Finanzinteressen waren wichtig, auch wenn die deutsche Industrie die großen Möglichkeiten des russischen Marktes wegen der starken Einschränkungen durch das sowjetische Wirtschaftssystem mit wachsender Skepsis beurteilte. Die intensiven geheimen Kontakte zwischen Reichswehr und Roter Armee konzentrierten sich auf Konstruktion und Erprobung der im Versailler Vertrag verbotenen Luft- und Panzerwaffe. Politisch war der Rapallo-Vertrag auch für diejenigen, die den Zeitpunkt und die Umstände seines Abschlusses abgelehnt hatten, durchaus wertvoll und stellte mit dem, wenn auch nicht unproblematischen, Rückhalt an der Sowjetunion einen diplomatischen Trumpf im europäischen Staatensystem dar. Weil es allerdings heikel war, ihn auszuspielen, wirkte sich mehr die Möglichkeit als die Verwirklichung einer engeren Zusammenarbeit mit der Sowjetunion international vorteilhaft aus. Für die Russen war die Verbindung zu einem freundlich eingestellten Deutschland eine grundlegende Voraussetzung ihrer Sicherheit in ihrem westlichen Vorfeld, insbesondere in einer Entwicklungsphase, in der die sowjetische Führung auf außenpolitische Absicherung großen Wert legte. Seine spezielle Note erhielt das deutsch-sowjetische Verhältnis schließlich mit der gemeinsamen Frontstellung gegen Polen. So wie das Reich die auf Grund des Versailler Vertrags festgelegte Grenze zu Polen revidieren wollte, warteten die Russen auf eine Möglichkeit, die nach dem polnisch-russischen Krieg 1920 zu ihren Lasten erfolgte Verschiebung der Ostgrenze Polens rückgängig zu machen. Dies fügt sich ein in die immer wieder virulent gewordene, bedrückende antipolnische Tradition in der Zusammenarbeit Preußens und Deutschlands mit Rußland, von der ersten polnischen Teilung (1772) bis zu den Folgen des Hitler-Stalin-Paktes von 1939.

Als im Herbst 1924 der Eintritt des Reiches in den Völkerbund naherückte, war die Sowjetunion, die den Völkerbund für einen dezidiert antisowjetischen Verein hielt, alarmiert. Ihr drohte im Konfliktfall eine Sanktion des Völkerbundes gemäß Artikel 16, durchgeführt von einer geschlossenen Front einschließlich Deutschlands. Man rechnete in Moskau damit, daß schließlich auch die Deutschen nicht daran interessiert waren, bei einem russisch-polnischen Konflikt möglicherweise im Rahmen des Völkerbundes zur Unterstützung Polens verpflichtet zu sein – ganz im Gegenteil konnte sich ja gerade dann die Chance bieten, die eigenen Forderungen gegenüber Polen durchzusetzen. Allerdings wurde dieser Chance vom Auswärtigen Amt – nicht zuletzt wegen der auf Entspannung zielenden Locarno-Politik – in den folgenden Jahren keine große Bedeutung beigemessen. Doch es ging im diplomatischen Ringen Mitte der zwanziger Jahre mehr um das Beziehen bestimmter Positionen und das Abstecken künftiger außenpolitischer Orientierungen, Spielräume, Kompromiß- und Entfaltungsmöglichkeiten und des Kernbereichs an außenpolitischen Forderungen, der nicht angetastet werden durfte – im deutschen Fall etwa sollte die Möglichkeit auch territorialer Revision des Versailler Vertrags offengehalten werden. Jedoch schätzte das Auswärtige Amt die aktuelle Realisierungschance so gering ein, daß es auf den sowjetischen Köder eines gemeinsamen Vorgehens gegen Polen vom Dezember 1924 nicht anbiß und auch die dahinter liegende, zäh verfolgte Absicht erkannte, das Reich noch im

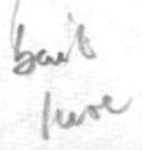

letzten Augenblick mit Hilfe einer weitgehenden vertraglichen Bindung an die Sowjetunion von der Westorientierung und dem Völkerbundsbeitritt abzuhalten. Das war schon eine Entscheidungssituation mit langfristigen Wirkungen. Das Auswärtige Amt ließ die russische Initiative ins Leere laufen; Vorrang hatte die Westpolitik. Allerdings wollte man das Kunststück fertigbringen, trotzdem ein gutes Verhältnis zur Sowjetunion zu bewahren.

Neben Völkerbundsfrage, Sowjetunion und der Entscheidung über die weitere Ausrichtung der deutschen Politik kam als weiteres und wesentliches Element der internationalen Konstellation der politische Druck der französischen Regierung hinzu. Sie wollte europäische Sicherheitssysteme und Garantien in ihrem Sinne durchsetzen. Abgesehen von kleineren Maßnahmen bestand das bemerkenswerteste Ergebnis der französischen Bemühungen im Genfer Protokoll über die friedliche Regelung internationaler Streitigkeiten vom 2. Oktober 1924[80]. Dieses bedeutsame Dokument hätte eine entscheidende Weiterentwicklung des Völkerbunds zur Folge gehabt und obligatorische friedliche Streitschlichtung, Sanktionsverpflichtung und Abrüstungsansätze zu einem lückenlosen System verbunden, das allerdings im französischen Interesse den Status quo zementierte, den Deutschen praktisch sogar die Möglichkeit friedlicher Revision des Versailler Vertrags nahm und England dem Zwang unabsehbarer Verpflichtungen aussetzte. Als noch im selben Monat die Regierung MacDonalds durch ein konservatives Kabinett abgelöst wurde, wurde die Politik der Begrenzung englischer Bindungen wieder bekräftigt; die Vorbehalte gegen das Genfer Protokoll waren unüberhörbar.

Dies hatte zur Folge, daß Frankreich sich wieder stärker auf einen Garantiepakt mit England und Belgien konzentrierte und der termingerechten Räumung der ersten (Kölner) Besatzungszone am 10. Januar 1925 widersetzte. Anlaß dazu bot einer der heikelsten Punkte in der deutschen Politik, die Entwaffnungsfrage. Mit der Reichswehr hatte es von Anfang an Schwierigkeiten gegeben; sie hatte kurzsichtig und einfallslos um jeden Mann und jedes Gewehr gekämpft und leistete hinhaltenden Widerstand vor allem in Fragen der Organisation sowie der Produktion und Beschaffung von Waffen. Besonders die über-

[80] K[arl] Schwendemann, Abrüstung und Sicherheit. Handbuch der Sicherheitsfrage und der Abrüstungskonferenz. Bd. 1, 2. Aufl. Leipzig (1933), S. 510–522.

wachungslose Zeit während des Ruhrkampfes war zu einer wenn auch nicht sehr umfangreichen Aufstockung von Mannschaften (»Schwarze Reichswehr«) und Material genutzt worden. Nur unter größten Mühen war es dem Auswärtigen Amt gelungen, Anfang 1924 eine von den Alliierten geforderte Wiederaufnahme der Überprüfung – ein Test auch für die Verständigungsbereitschaft der Reichsregierung – durchzusetzen. Die Beanstandungen der Kontroll-Kommission waren keineswegs belanglos, aber auch nicht sensationell; immerhin mußten sie als Begründung dafür herhalten, daß kurz vor dem 10. Januar 1925 die Räumung der Kölner Zone verweigert wurde: Besetzung noch einmal als Faustpfand für französische Sicherheit – und als schwerstes Hindernis für einen grundlegenden deutsch-französischen Ausgleich. Das konnte den Zusammenbruch der Außenpolitik Stresemanns bedeuten; Deutschland drohte wieder zum Objekt der Alliierten zu werden, und die Verständigungspolitik drohte im Keim zu ersticken. Dies wäre auch für die lebenswichtige wirtschaftliche Erholung und Ausweitung des Handels gefährlich geworden. Erneute Spannungen zwischen den Großmächten hätten leicht den Zufluß der amerikanischen Kredite und den Neuaufbau der deutschen Handelspolitik zu gefährden vermocht – auch auf diesem Feld also eine kritische Situation. Denn am 10. Januar 1925 liefen die handelspolitischen Diskriminierungen des Versailler Vertrags aus, vor allem die französischen Vorzugsrechte über Elsaß-Lothringen und die einseitig den Alliierten zu gewährende Meistbegünstigung. Es ging um den Aufbau eines einigermaßen liberalen, auf dem Prinzip der uneingeschränkten Meistbegünstigung beruhenden Handelsvertragssystems[81], speziell um seinen wesentlichsten Teil, ein neues Vertragsverhältnis zu Frankreich. Auf der Londoner Konferenz hatten die Deutschen es geschickt vermieden, als Ausgleich für die französische Akzeptierung des Dawes-Plans und das Versprechen, ohne weitere Bedingungen binnen Jahresfrist das Ruhrgebiet zu räumen, wenigstens die handelspolitische Vorzugsstellung Frankreichs anzuerkennen. Nun verhandelte man seit Anfang Oktober 1924 auf dem Fuße der Gleichberechtigung und unter Einbeziehung direkter Vereinba-

[81] Der lang anhaltende Kampf der Interessenten und Parteien verhinderte allerdings einen rechtzeitigen Abschluß der Vorbereitungen; die große Zolltarif-Novelle konnte erst am 17. 8. 1925 verabschiedet werden (RGBl. 1925, I, S. 261 ff.) und stellte einen Kompromiß mit den protektionistischen Kräften dar. Im internationalen Vergleich war sie immer noch gemäßigt.

rungen der wichtigsten Industriezweige. Einerseits mußten diese Verhandlungen, die dann fast drei Jahre dauerten, behutsam geführt werden, um den politischen Annäherungsprozeß nicht zu stören, sondern zu unterstützen; andererseits drohte das frühe Scheitern der Verständigungspolitik die außenwirtschaftliche Lage des Reiches einschließlich der Aussichten auf die dringend benötigten Auslandsanleihen deutlich zu verschlechtern.

Passives Abwarten konnte die Situation nur noch ungünstiger gestalten. Den letzten Anstoß für die berühmte, zunächst ganz geheime deutsche Sicherheitsinitiative, die nach Locarno führte, gab eine Andeutung D'Abernons in einem vielzitierten Gespräch mit Schubert am 29. Dezember 1924, daß nun der Zeitpunkt für eine Wiederaufnahme der deutschen Sicherheitsvorschläge gekommen sei. Schubert hatte seit 1922/23 sporadisch den Kontakt mit D'Abernon in dieser Frage gehalten und war seit dem 20. Dezember 1924 Staatssekretär des Auswärtigen Amts. Er leitete die Aktion auf der Basis der erwähnten Vorschläge vom Frühjahr 1923 unverzüglich ein. Hilfreich war, daß die Regierungskrise beim Übergang von der Regierung Marx zur Regierung Luther die Aufmerksamkeit auf sich zog. Sie brachte die erste Regierungsbeteiligung der DNVP; ihr folgte nach Eberts Tod die Wahl Hindenburgs zum Reichspräsidenten. Das erschwerte die Außenpolitik, gab ihr aber auch mehr Gewicht.

Die deutschen Vorschläge[82], flexibel und als Anregung für intensive Verhandlungen gestaltet, sollten Ausmaß und Grenzen der deutschen Zugeständnisse abstecken bei dem Versuch, Frankreich von der Basis des Versailler Vertrags aus – und nicht im Angriff auf ihn – ein attraktives Sicherheitssystem anzubieten; das gelang. Das Memorandum ging ausdrücklich von den »akuten Entwaffnungs- und Räumungsfragen« – also von der fortbestehenden Bedrohung des Rheinlandes durch französische Sanktionen – und dem Sicherheitsverlangen Frankreichs aus. Der Ausgleich mit Frankreich war als Kernproblem der weiteren deutschen Außenpolitik erkannt worden. Dahinter stand außerdem die Sorge um die bedrohte Verständigungspolitik als Grundlage eines neuen europäischen Konzerts unter gleichberechtigter Beteiligung Deutschlands und um die Ver-

[82] Memoranden vom 20. 1. (nach London) und 9. 2. 1925 (nach Paris); Text: Locarno-Konferenz 1925. Eine Dokumentensammlung. Berlin (Ost) 1962, S. 52f., 61f.

wirklichung des politischen Grundsatzes, daß zur Förderung der Revisionschancen das enge Einvernehmen mit den Alliierten geeigneter sei als die Konfrontation. Es kam zu sehr schwierigen innen- und außenpolitischen Verhandlungen, ehe auf der Konferenz von Locarno (5. – 16. Oktober 1925) das ganze Vertragswerk vollendet werden konnte[83]. Hauptstreitpunkte waren bis zuletzt die Ostfragen, neben den Wirtschaftsproblemen die bedrohlichsten Krisenherde Europas. Um die drängenden Sowjets zufriedenzustellen, erstrebten die Deutschen wenn nicht eine Befreiung vom Artikel 16 der Völkerbundssatzung so doch eine Auslegung, die es ihnen notfalls erlaubte, an Sanktionen nicht teilzunehmen. Die Auslegung fand man schließlich in früheren Erörterungen des Völkerbunds und legte sie in einer Erklärung, der Anlage F zum Schlußprotokoll von Locarno, nieder. Viel wichtiger noch war die von Frankreich verlangte Absicherung seiner Ostverbündeten Polen und Tschechoslowakei. Angesichts der tiefsitzenden antipolnischen Ressentiments und des angespannten Verhältnisses zwischen beiden Ländern – wegen der Grenze, der Stellung der deutschen Minderheit und seit Juni 1925 wegen des Zollkriegs – war für keine deutsche Regierung die von Frankreich erstrebte Anerkennung und Garantie der deutsch-polnischen Grenze politisch durchzusetzen. England war außerdem nach wie vor nicht bereit, für diesen Fall ähnliche Garantien wie am Rhein zu übernehmen und damit seine Verpflichtungen auf eine Region voller Risiken und unter Einschränkung seiner politischen Entscheidungsfreiheit auszudehnen. So mußten sich Polen und die Tschechoslowakei schließlich mit Schiedsverträgen nach deutschem Muster, obgleich in verbesserter Form, als Ausdruck des deutschen Gewaltverzichts zufriedengeben[84].

Fast gleichlautende Schiedsverträge wurden mit Frankreich und Belgien abgeschlossen. Den Kern des Vertragswerks vom 16. Oktober 1925 bildete der »Rheinpakt«, die »Unverletzlichkeit« der deutschen Westgrenze, also praktisch der Verzicht auf Elsaß-Lothringen, und die Bekräftigung der Entmilitarisierung des Rheinlandes gemäß Artikel 42 und 43 des Versailler Vertrags. Garantiert wurde dies von allen Vertragspartnern: Frankreich, England, Italien, Belgien und Deutschland.

[83] Siehe Dokumentenanhang, Nr. 10.

[84] Peter Krüger, Der deutsch-polnische Schiedsvertrag im Rahmen der deutschen Sicherheitsinitiative von 1925. In: Historische Zeitschrift 230 (1980), S. 577 bis 612.

Über das weitere Vorgehen in der Entwaffnungsfrage einigte man sich in Locarno ebenfalls; damit war der Weg frei für die Räumung der Kölner Zone. Die vorzeitige Räumung der übrigen Zonen und die Rückgabe des Saargebiets waren deutsche Forderungen, die auf längere Sicht nicht hoffnungslos erschienen, deren Erfüllung Stresemann jedoch wegen des innenpolitischen Erwartungsdrucks in bezug auf die »Rückwirkungen« von Locarno schon früher benötigte – ein jahrelanges Ringen. Was aber gelang, waren engere Kontakte zwischen den führenden Staatsmännern, ein einmaliges Verhältnis zwischen Stresemann und dem französischen Außenminister Briand, ein geradezu erstaunlicher Wandel der gesamten Atmosphäre in Europa – eine Reaktion wie befreit von einem Alpdruck, neue Zuversicht und neues internationales Vertrauen kamen auf. Entspannung als Voraussetzung zur Lösung weiterer politischer und wirtschaftlicher Probleme, so steht es ausdrücklich im Schlußprotokoll – und so betrachteten es auch die USA, die Locarno hinter den Kulissen unterstützten.

Um die Sicherungen und die Einbindung Deutschlands zu verstärken und dem erstrebten gemeinsamen Interessenausgleich der Großmächte in Europa Stetigkeit und Orientierung zu verleihen, knüpfte man schließlich die Verbindung zwischen Locarno-Verträgen und Völkerbund so eng wie möglich, nicht nur in einzelnen Bestimmungen, sondern auch durch die Bedingung, daß Deutschland dem Völkerbund beitreten solle – mit einem ständigen Ratssitz selbstverständlich. Zwar brachten ein unglückliches Manöver Briands, der die Enttäuschung der Polen über Locarno durch Schaffung eines weiteren Ratssitzes dämpfen wollte, und die Ratssitzansprüche Brasiliens und Spaniens die Sondersession des Völkerbunds im März 1926 zum Scheitern, aber nach schwierigen Vorbereitungen und einer kleinen Ratsreform, bei der sich die Deutschen durchaus kompromißbereit zeigten, konnte die deutsche Delegation am 10. September 1926 beifallumrauscht ihren Einzug in den Völkerbund halten. Nun konnten die Locarno-Mächte anläßlich der vierteljährlich stattfindenden Tagungen des Völkerbundsrates regelmäßig zusammenkommen, quasi ein institutionalisiertes europäisches Konzert ständiger Konsultation, in dem alle wesentlichen Probleme der deutschen Revisionsforderungen beraten und die Lösungen abgeklärt wurden, von dem Ende der Militärkontrolle am 31. Januar 1927 über die Truppenreduzierung in den besetzten Rheinlanden (August 1927), bis zur großangelegten, von Schubert vorbereiteten deutschen Initiative 1928 zur vorzeitigen Räumung der besetzten Gebiete, zur endgültigen Reparationslösung und zur Absicherung der Locarno-Politik. Darüber hinaus wurden aber in diesen Zusammenkünften auch weitere Spannungen und Reibungen zwischen europäischen Mächten behandelt. Dabei stellte die deutsche Außenpolitik immerhin unter Beweis, daß sie – wenn auch mühsam – bereit war, allgemein für Entspannung, Kooperation und Konfliktdämpfung in Europa einzutreten, selbst in Fällen, wo man hätte erwarten können, die Reichsregierung würde im Interesse ihrer oft diskutierten besseren Revisionschancen Unruhen und Spannungen ausnutzen und gerade im Osten im Zusammenspiel mit der Sowjetunion sich eine unabhängige, vorteilhafte Stellung verschaffen. Nicht wenige dachten so, selbst im Auswärtigen Amt kam das vor, und keineswegs nur rücksichtslose Nationalisten. Aber die für die deutsche Außenpolitik Verantwortlichen haben da nicht geschwankt und etwa in der Wilna-Krise 1927/28 zwischen Polen und Litauen sich zusammen mit den Westmächten, wie schon in den Balkankrisen 1927 – Jugoslawien, Albanien, Italien –, wirkungsvoll für Beruhigung und Kompromißlösungen eingesetzt.

Allgemein bedeutsam war, daß der Völkerbund auf diese Weise eine vermittelnde, übernationale Ebene begrenzter Übereinstimmung – wenigstens über die Vorgehensweise in schwierigen Fragen – und kontinuierlicher Konsultation zur Verfügung stellte. Nur so ließ sich eine gewisse Distanz zu den direkten Auseinandersetzungen der Staaten gewinnen, nur so der Zusammenprall der Interessen in oft fruchtlosen zweiseitigen Verhandlungen dämpfen und nur auf einer solchen übergeordneten Ebene unter der Einwirkung weiterer Länder und durch Vermehrung der Lösungsmöglichkeiten oder größere Kompromißbereitschaft ein Ausgleich finden. Dies ist inzwischen für das internationale System angesichts zunehmender Verflechtung und häufig durchschlagender Innenpolitik noch viel wichtiger geworden. Auch für bilaterale deutsch-französische Kontakte erwies sich der Völkerbund als hilfreich. Thoiry bei Genf ist das herausragende Beispiel, als sich Briand und Stresemann am 17. September 1926 in ländlicher Abgeschiedenheit insgeheim trafen, der mißtrauischen Heimat und dem ganzen diplomatischen und politischen Apparat offizieller Verhandlungen entrückt. Es ist ja auch außer enttäuschten Hoffnungen nichts dabei herausgekommen, könnte man einwenden. Aber das lag mehr an dem weitgespannten Rahmen, dem atemberaubenden Versuch, Elemente und Methoden eines umfassenden deutsch-französischen Ausgleichs zu bestimmen und eine Marschroute dafür zu entwerfen. Widerstände erhoben sich nicht nur in Frankreich, sondern auch in England und den USA, wo ja zum großen Teil die Gelder herkommen mußten, wenn man tatsächlich zur finanziellen Unterstützung Frankreichs Reparationsobligationen aus dem Dawes-Plan vorzeitig mobilisieren und damit vor allem die Rheinlandräumung und die Rückgliederung des Saargebiets erreichen wollte. Vielfältige wirtschaftliche und politische Interessen waren berührt, und es lag nun klar zutage, daß die Regelung des deutsch-französischen Verhältnisses eine große internationale Frage war und nicht mehr von Deutschland und Frankreich allein abhing. Im übrigen zeigten sich hier die politischen Grenzen des Versuchs, durch finanzielle Leistungen Revisionsziele zu verwirklichen und den Versailler Vertrag zu durchlöchern.

Das brachte natürlich die Revisionspolitik mit friedlichen Mitteln oder zumindest ihr Tempo ins Stocken; Ähnliches hatte das Auswärtige Amt 1926 auch im Falle Belgiens (wegen der Rückgliederung Eupen-Malmedys gegen finanzielle Hilfestellung des Reiches, was besonders Poincaré hintertrieb) und Polens (Rückgewinnung Oberschlesiens und des Korridors mit Danzig als Gegenleistung für die dringend nötige finanzielle Sanierung Polens) versucht. In beiden Fällen, besonders im polnischen, war Schubert dagegen eingeschritten, weil es sich rasch zeigte, daß die Polen durch wirtschaftlichen Druck nicht zu territorialen Zugeständnissen zu zwingen waren und eine Obstruktion Deutschlands gegen internationale Sanierungsmaßnahmen sich mit der Entspannungspolitik schlecht vertrug.

Damit stellt sich die grundsätzliche Frage, inwieweit Locarno-Politik und Ostpolitik überhaupt zueinander paßten. Trotz aller Mißgunst, ja Feindschaft gegenüber Polen erwies es sich rasch, daß Verständigungspolitik unteilbar war und die Stresemannsche Außenpolitik unglaubwürdig gewesen wäre, hätte man die Ostpolitik im scharfen Kontrast zur Westpolitik entwickelt. Zwar wurde selbst von Frankreich akzeptiert, daß sich der tiefe deutsch-polnische Gegensatz zunächst nicht überwinden ließ und die endgültige Anerkennung der deutschen Ostgrenze durch die Reichsregierung ein Ding der politischen Unmöglichkeit war. Aber ein gewisser Modus vivendi war unumgänglich. Und um ihn bemühte sich das Auswärtige Amt unverdrossen, wenn auch manchmal zähneknirschend und immer mit großen innenpolitischen Widerständen konfrontiert, die nicht bloß auf Feindseligkeit und Revisionsverlangen gegenüber Polen zurückzuführen waren, sondern gerade im Handelsverkehr auf handfeste wirtschaftliche Interessenkonflikte. Jedenfalls ist es den Außenpolitikern der Stresemann-Ära, wobei ein besonderes Verdienst dem deutschen Gesandten in Warschau, Rauscher, zukam, gelungen, im zähen Ringen für die wesentlichen umstrittenen Fragen – von den ausgeklammerten Grenzproblemen abgesehen – Kompromißlösungen und zwei wichtige Verträge zu erreichen, das Liquidationsabkommen vom 31. Oktober 1929 und das Handelsabkommen vom 17. März 1930, das allerdings nach dem Ende der letzten parlamentarischen Regierung der Weimarer Republik unter Hermann Müller – und dem Ende der Verständigungspolitik – nicht mehr ratifiziert wurde. Verständigungspolitik als maßvolle, pragmatische Interessenpolitik auf der Basis des Einvernehmens und einer gewissen internationalen Verantwortung erwies sich also tatsächlich als unteilbar. Polen war durch Locarno sicherer geworden. Fraglich war für die anderen Länder nur, wie tief diese Politik in Deutschland verankert war.

Auch die deutsch-sowjetischen Beziehungen standen eindeutig unter dem Vorrang der Locarno-Politik. Die Verdächtigungen und Befürchtungen der Russen, das Reich werde sich in die Reihe ihrer Gegner einreihen, und ihr immer drängenderes Verlangen nach einem uneingeschränkten Neutralitäts- und Konsultationsvertrag fanden starken Widerhall in Deutschland bis in das Auswärtige Amt hinein bei allen, die dem Verhältnis zur Sowjetunion grundlegende Bedeutung beimaßen. Dazu gehörte auch Graf Brockdorff-Rantzau, 1922 bis 1928 Botschafter in Moskau. Er reichte am 28. November 1925 ein Rücktrittsgesuch ein und schrieb dazu an Hindenburg[85], daß »unser Verhältnis zu Rußland« durch die Westpolitik »grundlegend, und zwar für immer« verändert sei; »das Atout, das wir seit Rapallo den Alliierten gegenüber besaßen«, das »wichtigste Druckmittel« habe man aufgegeben. Das war übertrieben ausgedrückt, aber im Kern richtig. Die Sowjetunion allerdings ließ sich nicht mit feierlichen Erklärungen oder den Wirtschaftsabkommen vom 12. Oktober 1925 abspeisen, und weil auch Stresemann und Schubert dem, was von dem Trumpf noch übriggeblieben

[85] Locarno-Konferenz 1925, S. 220–223.

war, durchaus Bedeutung beimaßen und gute Beziehungen zu einem Land wahren wollten, das stets großes Gewicht für das europäische Staatensystem besaß, wurde nach schwierigen Verhandlungen am 24. April 1926 der Berliner Vertrag[86] unterzeichnet, der eine Neutralitätszusage, begrenzt durch die künftigen deutschen Völkerbundsverpflichtungen, ein Konsultationsversprechen und die Bekräftigung des Rapallo-Vertrages enthielt. Die Locarno-Partner wurden vorher loyal informiert. Darüber hinaus überprüften die Juristen der Außenministerien in Paris, Berlin und London gemeinsam den Vertrag und erklärten, er halte sich im Rahmen der Locarno-Verträge und der Völkerbundssatzung. Damit war die neue Stellung Deutschlands, und zwar wieder als Großmacht, in ausgewogener Form konsolidiert worden. In der politischen Praxis der folgenden Jahre konnte jedenfalls die Sowjetunion nur noch von begrenztem Nutzen für das Reich sein, und die deutschen Bemühungen liefen konsequent auf eine Normalisierung der Beziehungen und die bessere Einbeziehung der Sowjetunion in das internationale System hinaus. Die geheime militärische Zusammenarbeit suchte das Auswärtige Amt so zu begrenzen, daß auch bei der Enthüllung kein großer Schaden entstand. Die wirtschaftlichen Beziehungen schließlich waren wichtig, allerdings schwierig, und lösten trotz des 300-Millionen-Mark-Kredits vom Sommer 1926 weder eine atemberaubende Marktausweitung noch überschäumende Begeisterung bei der deutschen Industrie aus.

Die Klärung des Verhältnisses zur Sowjetunion und zu Polen wurde ergänzt durch das insgesamt, trotz der schwierigen Lage der rund drei Millionen Sudetendeutschen, recht freundliche Verhältnis zur Tschechoslowakei und durch die behutsame Stärkung der deutschen Position – besonders wirtschaftlich – in Südosteuropa. Dabei standen Schubert und Stresemann einer aktiven Politik des österreichischen Anschlusses deutlich reserviert gegenüber[87]. Allgemein zeigte es sich rasch, daß die Annäherung an den Westen mit dem Höhepunkt von Locarno dem Reich in Europa und in Übersee deutliche Prestigegewinne und neue wirtschaftliche Chancen gebracht hatte. Dazu trugen auch bemerkenswerte technische, wissenschaftliche und künstlerische Leistungen bei. Die Aussichten für internationale Zusammenarbeit schienen sich auf den verschiedensten Gebieten ge-

[86] ADAP, Serie B, Bd. 2/1, S. 402–406.
[87] Siehe Dokumentenanhang, Nr. 12.

bessert zu haben. Was die Welt brauchte, war eine längere Phase ruhiger Entwicklung und wirtschaftlicher Prosperität. Dafür schien vor allem die überlegene, weltweite Machtstellung der USA und ihre ökonomische Dynamik hinreichende Gewähr zu bieten. Deutschland hatte sich mehr noch als andere Staaten auf die amerikanische Politik und Wirtschaftskraft eingestellt, eine finanzielle Abhängigkeit vom Zustrom amerikanischer Kredite bewußt in Kauf genommen, denn das stärkte seine europäische Stellung und hielt im übrigen das Interesse des Gläubigers am Wohlergehen des Schuldners wach.

Vom Ansatz der Locarno-Politik her, von der Intention, den Wiederaufstieg Deutschlands mit friedlichen Mitteln und auf dem Wege einer den modernen Entwicklungen allein angemessenen Form des Interessenausgleichs und der internationalen Kooperation zu suchen, war es folgerichtig und sinnvoll, sich mit den Kernfragen des Staatensystems zu befassen: der Sicherheit und der wirtschaftlichen Verflechtung. Ohne überzeugende Konzeptionen in diesen Bereichen wird überhaupt eine moderne Verständigungspolitik kaum Bestand haben. Wenn Konfrontation und Gewalt zur Durchsetzung der deutschen Revisionsansprüche nicht in Frage kamen und die Methoden der Außenpolitik ins Zentrum der Debatte rückten, dann war die Überlegung schlüssig, Revisionspolitik und Friedenssicherung zu verbinden, um so mehr, da über die Revisionsziele weit hinausreichende Erfordernisse und Ziele zu bedenken waren, z.B. in der Außenwirtschaft. In bezug auf Sicherheit und Friedenssicherung war sich das Auswärtige Amt – abgesehen von der Gruppe der Skeptiker wie der Vortragende Legationsrat B. W. von Bülow, denen die ganze Richtung nicht paßte – sehr bald dessen bewußt geworden, daß zum Beweis deutscher Fortschrittlichkeit auf diesem Gebiet der Kraftakt von Locarno nicht genügte, sondern eine kontinuierliche Politik nötig war. »Der Geist von Locarno« strahlte seine kurzlebige Faszination aus, mehr als ein Schlagwort, Hoffnung eines neuen Impulses. Das Eis schien gebrochen. Friedrich Meinecke brachte in einem Artikel vom 8. November 1925 zum Ausdruck, was viele empfanden: »Unter allen bisherigen Versuchen, die Hypertrophie der Machtpolitik, unter der Europa zusammenzubrechen drohte, einzudämmen durch einen *realpolitischen Pazifismus,* ist Locarno der ernsteste, ja der einzige wirklich ernst zu nehmende.«[88]

[88] Meinecke, Politische Schriften und Reden, S. 393.

Anstöße, vor allem der kleineren Länder, zu wirksamerer Friedenssicherung kamen besonders im Sommer und Herbst 1927, auch im Zusammenhang mit der im Herbst 1925 einberufenen, jahrelang nahezu ergebnislos tagenden Völkerbunds-Kommission zur Vorbereitung einer Abrüstungskonferenz. Trotz mancher taktischen Erwägungen und kleinlicher Bedenken konnte und wollte sich das Auswärtige Amt dem nicht entziehen. In der Abrüstung ging das Auswärtige Amt von langwierigen Verhandlungen aus, bei denen Deutschland zwar, da entwaffnet, taktisch als »Abrüstungsgläubiger« auftreten, aber keine Maximalforderungen stellen sollte; fernes Ziel war ein Rüstungsausgleich durch Abrüstung der anderen und mit der Hoffnung auf eine sehr begrenzte deutsche Aufrüstung und Verbesserung der Rüstungsstruktur. Das war besonnen, aber angesichts des bedrohlichen Weltproblems der Rüstungen zu wenig. Im Sicherheitskomitee des Völkerbunds trat das Auswärtige Amt mit eigenen Initiativen auf den Plan, die Beachtung fanden und eine Weiterentwicklung der Überlegungen während der Vorbereitung von Locarno darstellten. Sie beruhten auf dem Prinzip, daß man die Instrumente der friedlichen Streitschlichtung ausbauen müsse, wenn man den Krieg als Mittel der Konfliktlösung ausschalten wolle. Die Führung des Auswärtigen Amts war sich darüber völlig im klaren und akzeptierte es, daß dies die deutsche Handlungsfreiheit, etwa bei der Ausnutzung einer günstigen Gelegenheit zur Durchsetzung von Revisionen, weiter einschränken würde – ein Gedanke, den man gar nicht laut äußern durfte. In einem kurzen Memorandum, fertiggestellt am 26. Januar 1928[89] und später ergänzt durch Vorschläge für eine Abkühlungsfrist bei Kriegsgefahr, wurden Anregungen gegeben für ein lückenloses System von Schlichtungsmöglichkeiten unter besonderer Betonung von Vergleichs- und Vermittlungsverfahren. Grundlegend war der Gedanke, einen friedlichen Wandel im Hinblick auf die Anpassung des Völkerrechts an die modernen Veränderungsprozesse zu ermöglichen – bis heute ein wesentliches theoretisches und praktisches Problem. Natürlich handelte es sich auch um den Aufbau einer günstigen taktischen Position gegenüber der für Deutschland besonders bedenklichen französischen Doktrin vom Vorrang

[89] Dazu Peter Krüger, Friedenssicherung und deutsche Revisionspolitik. Die deutsche Außenpolitik und die Verhandlungen über den Kellogg-Pakt. In: Vierteljahrshefte für Zeitgeschichte 22 (1974), S. 227–257.

der Status-quo-Sicherung und möglichst automatischer, rigoroser Sanktionen. Schließlich konnte sich das Auswärtige Amt auf Grund dieser Klärung seiner Konzeption wirkungsvoll in die Vorbereitung zu dem berühmten Versuch eines Kriegsverzichtsvertrags, des Kellogg-Paktes vom 27. August 1928, einschalten und hatte erheblichen Anteil an seinem Zustandekommen, weil Briand an seinem ursprünglichen Vorstoß keinen Gefallen mehr fand, als der amerikanische Außenminister Kellogg daraus einen weltumfassenden Vertrag machen wollte. Damit hatten die Deutschen sich zugleich eine günstige Stimmung in den USA für das Ringen um die endgültige Reparationsregelung geschaffen.

Die andere Kernfrage des Staatensystems, die wirtschaftliche Verflechtung, war für Deutschland als außenhandelsorientierte Industrienation noch drängender, eine direkte Herausforderung, denn es ging um die Voraussetzungen für die wirtschaftliche Stabilisierung der Weimarer Republik. Stresemann und das Auswärtige Amt, in der Regel unterstützt von Reichswirtschafts- und Reichsfinanzministerium, betrachteten eine möglichst weitgehend von Hemmnissen befreite Weltwirtschaft als entscheidend. Senkung des Zollniveaus, Durchsetzung des Prinzips der Meistbegünstigung, Reduzierung staatlicher Eingriffe, multilaterale Vereinbarungen, aber auch – nicht immer ganz im Einklang mit liberalen Grundsätzen – internationale privatwirtschaftliche Einigung einzelner, besonders in Schwierigkeiten geratener Wirtschaftszweige im Sinne der Produktionsbegrenzung (bemerkenswertestes Beispiel: die Internationale Rohstahlgemeinschaft zwischen Frankreich, Belgien, Luxemburg und Deutschland vom 30. September 1926): dies waren die wesentlichen Instrumente. Vor allem die Industrieabsprachen waren hilfreich in den fast drei Jahre dauernden Verhandlungen über das Handelsabkommen zwischen Frankreich und Deutschland vom 17. August 1927 – ein Meilenstein auf dem Wege deutsch-französischer Verständigung, bedeutsam für die gesamte europäische Handelspolitik, denn es gelang, den französischen Protektionismus zu dämpfen und die Meistbegünstigung durchzusetzen. Es waren äußerst komplizierte und zähe Verhandlungen, weil es nicht nur um die Interessen vieler Wirtschaftszweige ging, sondern auch um die künftige Machtverteilung der beiden maßgebenden kontinentaleuropäischen Großmächte und den Abbau der letzten wirtschaftlichen Vorzugsstellung Frankreichs aus dem Versailler Vertrag (von der zeitweisen Ausbeutung des Saargebiets und der Rheinlandbesetzung abgesehen). Die langwierigen Verhandlungen selber führten entgegen üblichen Erfahrungen nicht etwa zu Verdruß und Verbitterung, vielmehr zu tieferem wechselseitigem Verständnis. Gelegentlich kam eine fast euphorische Stimmung des Aufbruchs zu neuen Ufern auf, und Hinweise hoher französischer Diplomaten auf eine mögliche deutsch-französische Zollunion waren nicht aus der Luft gegriffen. Eine europäische Zollunion – das war der bemerkenswerteste neue Impuls, wirksam schon in den deutsch-französischen Verhandlungen, weil die Einigung mit Frankreich die Voraussetzung war, noch deutlicher und konsequenter aber in der deutschen Planung für die seit Herbst 1925 vorbereitete Weltwirtschaftskonferenz des Völkerbunds in Genf vom 4. bis 23. Mai 1927. Es handelte sich um die überfällige Inangriffnahme der schwerwiegenden weltwirtschaftlichen Probleme durch den Völkerbund, um auf längere Sicht die Regierungen zu mehr Gemeinsamkeit und internationalen Regelungen zu bewegen. Die Bemühungen hatten erste Erfolge, bis die Weltwirtschaftskrise alles zunichte machte.

Das Auswärtige Amt hatte sich mit besonderem Nachdruck für diese Ziele eingesetzt; es war ohne Frage der wirksamste Teil deutscher Völkerbundspolitik. Diese Politik war so angelegt, daß sie sich nicht nur für die Verbesserung weltwirtschaftlichen Austauschs und engerer Kooperation der Staaten einsetzte, sondern in diesem allgemeinen Rahmen auch Maßnahmen befürwortete, die der Vorbereitung einer europäischen Zollunion und überhaupt einer engen wirtschaftlichen Zusammenarbeit in Europa dienten. Auch hier ist der Antrieb durch die Locarno-Politik, die Verbindung der politischen mit der wirtschaftlichen Kooperation spürbar. Das erste knappe Exposé über Probleme und Bedeutung einer europäischen Zollunion – die Grundfragen und Entwicklungsschritte nach 1949 sind ziemlich ähnlich – entstand am 28. Dezember 1925[90]. Dabei mußte man mit Rücksicht auf unterschiedliche Widerstände im In- und Ausland ganz behutsam und meist verdeckt vorgehen. Trotzdem wurde diese Linie bis in das Frühjahr 1930 beharrlich

[90] Dazu Peter Krüger, Ansätze zu einer europäischen Wirtschaftsgemeinschaft in Deutschland nach dem Ersten Weltkrieg. In: Helmut Berding (Hrsg.): Wirtschaftliche und politische Integration in Europa im 19. und 20. Jahrhundert. Göttingen 1984, S. 149 – 168.

verfolgt, bis in Deutschland in der Phase der Präsidialregime sich der wirtschaftliche Nationalismus wieder durchsetzte und insgesamt die Weltwirtschaftskrise ihre auch politisch destruktiven Wirkungen entfaltete. In der Völkerbundsversammlung vom September 1929, als schon der Briandsche Europaplan angekündigt wurde, kam es zum letzten großen Auftritt Stresemanns, bevor er am 3. Oktober 1929 starb, einer eindrucksvollen Rede des vom Tode Gezeichneten und einem Plädoyer für die wirtschaftliche Gemeinsamkeit Europas ungeachtet mancher Skepsis und Interessendivergenz in bezug auf den Charakter der politischen Einigungsvorstellungen Briands.

Die Außenpolitik der Stresemann-Ära endete mit der Durchsetzung des Young-Plans zu Hause und der vorzeitigen Rheinlandräumung in Frankreich. Planung und Ingangsetzung dieses Prozesses nahm Schubert in die Hand; Stresemann war über längere Phasen schwer erkrankt. Die diplomatische Aufgabe war ungemein verwickelt und schwierig, dabei von grundlegender Bedeutung für die weitere Entwicklung der Weimarer Republik. Denn es ging zunächst einmal um nicht weniger als den geeignetsten Weg zur endgültigen Regelung der Reparationszahlungen und die Art und Weise, diese schwerwiegende Entscheidung, bei deren Vorbereitung Deutschland in einer taktisch ungünstigen Lage war, möglichst geschickt einzuleiten. Weiter ging es um die innenpolitischen Rückwirkungen und finanziellen Belastungen und schließlich um die Sicherstellung weltwirtschaftlicher Zusammenarbeit und internationaler Verständigungslösungen in schwierigen Fragen. Die Reichsregierung, in erster Linie Auswärtiges Amt und Reichswirtschaftsministerium, kam nach eingehender Analyse zu dem Ergebnis, daß eine endgültige Reparationsregelung dringend erforderlich und der Moment noch günstig sei. Wenn nämlich erst einmal ab 1929 die volle Dawes-Annuität von 2,5 Milliarden Mark – möglicherweise zuzüglich gewisser Zuschläge – tatsächlich geleistet werden würde, kam eine Senkung nicht mehr in Betracht. Trat hingegen Zahlungsunfähigkeit ein, geriet also der Dawes-Plan-Mechanismus in eine Krise, konnte das für Deutschland unabsehbare Risiken zur Folge haben. Eine rechtzeitige Neuregelung war deswegen angezeigt, und sie mußte zugleich eine Verringerung der Reparationslasten bringen. Der Haushalt war streng genommen schon nicht mehr ausgeglichen. Doch eine Politik des rigorosen Sparens, des beträchtlich verschärften Steuerdrucks und der rücksichtslosen Preissenkung zum Zwekke der Aktivierung der Handelsbilanz sowie der Aufbringung und Transferierung der Reparationen kam nicht in Frage. Sie hätte wirtschaftlich und politisch katastrophale Folgen gehabt[91] und sich kaum durchsetzen lassen. Die Wirtschaft hielt jede weitere Belastung mit Abgaben für völlig unerträglich, die Arbeitnehmer und ihre Vertreter, aber auch die Parteien der Mitte wollten damals – schon um des sozialen Friedens willen – Sozialpolitik, Sozialleistungen und Transferzahlungen nicht antasten. Wie 1921 lag hier die politisch-soziale Grenze deutscher Reparationszugeständnisse, auch für konzessionsbereite Regierungen.

Die große Koalition von 1928–1930, die sowieso quasi auf Abruf bestand und deren Scheitern einer autoritären Regierung mit Hilfe der Sondervollmachten des Reichspräsidenten den Weg ebnen würde, wollte unter allen Umständen eine Reparationskrise vermeiden, die von der Rechten als Grabgeläut der Republik herbeigesehnt wurde. Eine solche Krise wäre rasch umgeschlagen in eine Kreditkrise; denn obgleich die Reichsregierung den auf Dauer belastenden Zustrom von Auslandskapital allmählich bremsen wollte: zunächst waren die Anleihen noch unentbehrlich, und angesichts der äußerst labilen Konjunktur vermochte sich eine Kreditkrise leicht in eine umfassende wirtschaftliche und politische Krise auszuweiten. Für das Auswärtige Amt bedeutete das Zwang zum Handeln und zugleich starke Einschränkung der Aktionsmöglichkeiten. Die Angelegenheit komplizierte sich weiter infolge der Rheinlandfrage und der sich wandelnden Position Frankreichs, dessen Währungs- und Finanzpolitik es allmählich in die Lage versetzen sollte, auf Grund seiner Gold- und Devisenbestände auch innerhalb der internationalen Finanzdiplomatie eine führende Rolle zu spielen. Frankreich befand sich also in einer wesentlich besseren finanziellen Situation als 1924, als der Dawes-Plan erarbeitet wurde. Dementsprechend war das besetzte Rheinland inzwischen weniger ein Faustpfand für Frankreichs Sicherheit als vielmehr für eine rasche endgültige Reparationsregelung, die den Franzosen vor allem die erforderlichen Beträge zur Beglei-

[91] In einer Ministerbesprechung am 1. Mai 1929 stellte Wirth ahnungsvoll fest, daß eine Dawes-Krise »mit den auf Grund der Verfassung gegebenen parlamentarischen Regierungsmethoden überhaupt nicht mehr lösbar erscheine«, und Stresemann fügte hinzu, »daß sich über das grauenvolle Ausmaß der sogenannten Dawes-Krise wohl die wenigsten eine klare Vorstellung machten«. Akten der Reichskanzlei. Kabinett Müller II. Boppard 1970, S. 622f.

chung der Kriegsschulden bei den Amerikanern verschaffen sollte, um auch von den USA unabhängig zu werden. Die Rheinlandräumung war nun aber für die Reichsregierung neben den Reparationen – und in der öffentlichen Meinung häufig noch vor ihnen – die wichtigste außenpolitische Frage und das vordringliche Revisionsziel. Jahrelang hatte Stresemann, mit Rücksicht auf die innenpolitische Stellung Briands vor allem, Geduld gezeigt, obwohl die Zwangsmaßnahme der Besetzung immer stärker als unvereinbar mit Locarno und der Verständigungspolitik empfunden wurde und im übrigen 1930 die zweite und 1935 die letzte Zone sowieso geräumt werden sollte. Die schon Ende 1925 von Frankreich diplomatisch ins Spiel gebrachte Idee der deutsch-französischen Generalbereinigung aller offenen Fragen, von Stresemann mit Nachdruck aufgegriffen und in Thoiry zur vollen Entfaltung gelangt, erwies sich zwar auch 1928 noch als zählebig, aber der Thoiry-Plan blieb undurchführbar; statt Teillösungen kam nur noch eine endgültige Reparationslösung in Frage, und deren Koppelung mit der Rheinlandräumung war jetzt ganz eng. Das Auswärtige Amt sah nach wie vor das Rheinland als gefährdet an und wollte unbedingt vermeiden, daß es weiterhin als Reparationsfaustpfand und ungelöste Frage übrigblieb. Außerdem gab es Anzeichen für ein Wiederaufleben der französisch-englischen Entente und damit – wie auch sonst – für ein Erlahmen der Locarno-Politik.

Für Schubert stellte sich die Situation folgendermaßen dar: Die vorzeitige Räumung mußte, wenn sie als Erfolg der innenpolitisch attackierten Verständigungspolitik noch irgendeinen Sinn haben sollte, sehr bald kommen; die Locarno-Politik mußte auf eine neue Basis gestellt und deshalb eine Regelung der immer wieder störenden offenen Fragen mit Frankreich gefunden werden; eine endgültige Reparationslösung war unentbehrlich für die Weimarer Republik wie für die Stabilisierung der internationalen wirtschaftlichen Zusammenarbeit, zur Abwehr konfliktträchtiger nationalistischer Alleingänge und zur Bewahrung vor einer großen wirtschaftlichen Krise (Schuberts Alptraum); schließlich aber mußte eine Krise des Dawes-Plans verhindert werden. Wie sollte Deutschland unter diesen Umständen ohne schwere Nachteile für seine Stellung nun Verhandlungen in Gang bringen? Stresemann war krank. Schubert, der inzwischen alle Möglichkeiten untersucht und sondiert und seine taktische Position aufgebaut hatte, setzte Ende Juli 1928 die gesamte sorgfältig kalkulierte Aktion dadurch in Gang, daß er mit großem Nachdruck vor allem in Paris und London die Forderung nach Räumung der besetzten Gebiete und nach der Fortführung der Locarno-Politik im Rahmen des europäischen Konzerts stellte. Darüber sollte unter den Locarno-Mächten während der Völkerbundsversammlung im September 1928 verhandelt werden. Dies war der Weg, Verhandlungen über die Reparationen und die Räumung zugleich in Gang zu bringen, denn die Deutschen rechneten völlig richtig damit, daß die französische Antwort in der Forderung nach einer endgültigen Reparationsregelung als Voraussetzung bestehen werde. So geschah es in Genf; in einem berühmten Kommuniqué vom 16. September 1928 wurden Verhandlungen über die Reparationen und die Räumung vereinbart. Nun verlegte sich die Reichsregierung ganz auf die Vorbereitung der Reparationsverhandlungen und konnte den Erfolg buchen, daß wie beim Dawes-Plan eine rein politische Erörterung unter den Regierungen verhindert und eine Expertenkommission unter Leitung des amerikanischen Geschäftsmannes Owen Young eingesetzt wurde. Sie tagte vom 11. Februar bis zum 7. Juni 1929 und legte den sogenannten Young-Plan vor. Es gab schwere Krisen; der eine deutsche Hauptdelegierte, der Schwerindustrielle Vögler, trat zurück, der andere, Reichsbankpräsident Schacht, stellte Revisionsforderungen als Vorbedingung und schlug sich bald darauf auf die Seite der »nationalen Opposition«. Ein Ausschuß für ein Volksbegehren gegen den Young-Plan blieb zwar erfolglos, brachte aber DNVP, Stahlhelm und NSDAP zusammen. Diese Vorgänge und die große Auseinandersetzung in der Presse beleuchten die allgemeine Erregung, die beginnende Polarisierung und die Formierung der Rechten. Das wirkte im Ausland alarmierend und kündigte die Gefahr an, daß Deutschland von einer Außenpolitik der internationalen Verständigung zum rücksichtslosen Nationalismus übergehen könnte. Nur unter größten Anstrengungen kam es auf den beiden Haager Konferenzen (6. bis 31. August 1929 und 3. bis 20. Januar 1930) zur Einigung und Regelung der Details. Mit letztem Einsatz erreichte Stresemann von den immer noch zögernden Franzosen die Rheinlandräumung zum 30. Juni 1930 – zu spät.

Der Young-Plan brachte die von der Reichsregierung erwarteten Erleichterungen, vor allem niedrige Annuitäten für die ersten zehn Jahre. Insgesamt sollten die Annuitäten bis 1966 bei durchschnittlich 2050 Millionen Mark liegen, danach bis 1988 geringer sein und nur noch die interalliierten Schulden abdekken. Die Kontrollen aus dem Dawes-Plan fielen ganz fort. Bemerkenswert und ein wichtiger Schritt hin zu einem internationalen Bankensystem war die Gründung der Bank für Internationalen Zahlungsausgleich als Treuhänder der gesamten Abwicklung der Reparationszahlungen. Sie sollte aber auch die Zusammenarbeit der Notenbanken fördern »sowie durch Gebrauch von Kredit innerhalb vernünftiger Grenzen zu der Stabilität der internationalen Finanz und der Ausdehnung des Welthandels« beitragen[92]. Hier kam am konsequentesten die intendierte Bedeutung des Young-Plans für die Stabilisierung eines kooperativen Weltwirtschaftssystems und damit für das internationale System überhaupt zum Ausdruck. In Deutschland hingegen wurde, gut zwei Wochen nach der mühevollen Annahme des Young-Plans am 12. März 1930, die große Koalition Hermann Müllers, die letzte parlamentarische Regierung, zu Fall gebracht. Sie hatte ihre Schuldigkeit getan; die neue, auf den Reichspräsidenten gestützte Rechtsgruppierung unter Heinrich Brüning (Zentrum) stand bereit. Daß der Young-Plan mit seinen begleitenden Abmachungen in der Weltwirtschaftskrise die in ihn gesetzten Erwartungen nicht mehr erfüllen konnte, zu spät kam und keine neue, bereinigte Ausgangsbasis für internationale Kooperation mehr zu schaffen vermochte, lag nur zum geringeren Teil an wirtschaftlichen Fehleinschätzungen. Erheblich war der Anteil der neuen Reichsregierung an seinem Scheitern. Sie sah in ihm nur etwas, das zu beseitigen war; sie hat überhaupt nicht erst versucht, mit ihm zu arbeiten.

[92] Bericht des auf Grund der Genfer Entschließung der sechs Mächte vom 16. September 1928 eingesetzten Sachverständigen-Ausschusses vom 7. Juni 1929. (Berlin) 1929, S. 19.

5. Die Agonie der Verständigungspolitik 1930–1933

Die Weltwirtschaftskrise, die im Oktober 1929 von den USA ihren Ausgang nahm und rasch die zahlreichen latenten Gefahren, Schwächen und strukturellen Mängel in der wirtschaftlichen Entwicklung nach 1918 bloßlegte, traf in Deutschland auf eine in den vorangegangenen Jahren ohnehin nur schwach und ungleichmäßig entwickelte Konjunktur, die schon im Verlauf des Sommers deutliche Zerfallserscheinungen gezeigt und die politisch gespannte, von den Auseinandersetzungen um den Young-Plan erhitzte Atmosphäre auch wirtschaftlich aufgeladen hatte. Dieser Zusammenhang erwies sich für die Weimarer Republik als lebensgefährlich. Ernst Troeltsch hatte bereits am 28. Januar 1919 in seinen zeitkritischen Glossen festgestellt[93], es sei »das eigentliche Hauptproblem [. . .], das in Deutschland aus Gründen innerer Not und Verwirrung meistens vergessen und ignoriert wird: die Gestaltung des Friedens, der internationalen Rechts- und Wirtschaftsverhältnisse. Davon hängt unsere künftige Lebensmöglichkeit und schließlich auch die Gestaltung der inneren Verhältnisse ab, die nur unter der Voraussetzung der Lebensmöglichkeit zur relativen Ruhe kommen können.« Die starke Auslandsabhängigkeit des Reiches sowie die langfristige Regelung und gedeihliche Entwicklung seiner weltwirtschaftlichen Beziehungen galten zu Recht als unbedingt erforderlich für die Beruhigung und Festigung der Republik, die gewaltige Veränderungen und gesellschaftliche Spannungen verarbeiten mußte. Damit die Deutschen tatsächlich zur Ruhe kamen, brauchten sie vor allem Zeit, und dies setzte besonders eine Periode wirtschaftlichen Gedeihens voraus. Der Young-Plan hatte zu diesem Zweck jene als unentbehrlich erachtete Gestaltung »der internationalen Rechts- und Wirtschaftsverhältnisse« sichern die die Krise vermeiden sollen. Die Zeitspanne der Erholung aber war zu kurz; sie lief im Frühjahr 1930 ab.

Die Entscheidungssituation wie die gegeneinanderstehenden politischen Kräfte waren den Zeitgenossen hinreichend klar. Die Verständigungspolitiker wurden immer schwerer belastet, und ihre Kritiker beeinflußten immer deutlicher die öffentliche Meinung. Die Pressestimmen, die den Young-Plan als weiteren

[93] Ernst Troeltsch, Spektatorbriefe – Aufsätze über die deutsche Revolution und die Weltpolitik 1918–1922. Hrsg. von H. Baron, Tübingen 1924, S. 34.

wesentlichen Schritt zur Liquidierung des Ersten Weltkriegs und zur internationalen Zusammenarbeit würdigten, vermochten sich kaum noch Gehör zu verschaffen. Der Ministerialdirektor im Reichswirtschaftsministerium, Schäffer, brachte das während der Entstehung des Young-Plans auf die kürzeste Formel: »Ich mache geltend, daß nicht eine Gruppe, die schon den Versailler Vertrag, das Londoner Ultimatum, den Abbruch des Ruhrkampfes auf sich genommen hat, auch dies noch könne, ohne sich auf die Dauer auszuschalten. Es hänge alles davon ab, ob die Volkspartei mitmache.«[94] So war es; und als sich die DVP Ende März 1930, weniger als ein halbes Jahr nach Stresemanns Tod, der neuen Rechtsgruppierung unter Brüning, die sich auf die Sondervollmachten des Reichspräsidenten stützen wollte, zuwandte und die große Koalition zum Scheitern brachte, bedeutete dies schon das Ende der parlamentarischen Regierungsweise in Deutschland. Der mühselige, von Anfang an gefährdete Versuch, aus Deutschland einen modernen, am westeuropäisch-angelsächsischen Modell orientierten Staat zu machen, kam zum Erliegen und damit zugleich die dementsprechende Außenpolitik der Verständigung und der Westorientierung. Es zerbrach ihre politische Basis, die auf einem fragilen Konsens einer anfälligen, nie sehr starken Mehrheit gegründet war, die von der SPD bis zur DVP und vom Deutschen Industrie- und Handelstag und einer Mehrheit im Reichsverband der deutschen Industrie bis zu den Gewerkschaften reichte und auf politische Entspannung und Kooperation als Rahmen für die Ausdehnung des deutschen Handels in einem liberalisierten Weltmarkt setzte. Die Verfechter dieser Richtung hatten in der Regel ebenso wie Stresemann die globalen Veränderungen, das Fortschreiten der Industrialisierung, die Kapital-, Verkehrs- und Kommunikationsverflechtung, die über die nationalen Grenzen hinausgreifende Integration der Märkte und Produktionsformen durchaus auch in ihrer Bedeutung für das industriell und technisch hoch entwickelte Deutschland und seine Wohlstandserfordernisse in Rechnung gestellt. Aber die Krise erreichte so unerwartete und bestürzende Ausmaße, daß später viele an Marktwirtschaft und internationaler Verflechtung irre wurden.

Die Gegenposition zur Politik der Verständigung und der Krisenvermeidung kam allerdings schon früh zum Ausdruck

[94] Schäffer-Tagebuch (Institut für Zeitgeschichte, München). Box 2, Bd. 5, S. 119 (3. 4. 1929).

und hat sich Ende der zwanziger Jahre in der Kritik an der ganzen außenpolitischen Richtung seit Locarno und ihrer angeblichen Erfolglosigkeit immer schärfer artikuliert. Eines der pointiertesten Zeugnisse dafür ist eine Denkschrift – Verfasser unbekannt – vom 5. September 1928[95]. Locarno-Politik sei das »Ende jeder Politik«, ein Tiefpunkt also, den Deutschland nur überwinden könne durch Rückbesinnung auf nationale Würde, Opfermut und einheitlichen außenpolitischen Willen. Ganz im Gegensatz zur Strategie der Krisenvermeidung hieß es hier, man brauche die internationale Krise, erst dann werde Deutschland wieder ein wichtiger politischer Faktor und es komme Bewegung in die europäische Lage. Vor allem habe »Deutschland eine Waffe von ganz außerordentlicher Schärfe in der Hand«, weil nach Ansicht einflußreicher amerikanischer Bankiers eine Krise des Dawes-Plans »den Schluß der Weltkonjunktur bedeuten würde«. Das wurde zwar verhindert, aber die große Krise kam auf anderem Wege, und nach ähnlichem Rezept nutzte man sie ab 1930 zur forcierten Revisionspolitik.

Durchsetzen ließ sich diese neue außenpolitische Linie nur, weil sie im großen und ganzen auf breite Zustimmung stieß. Denn die Weltwirtschaftskrise glich einem reißenden Wildwasser, das alles, was nur mangelhaft befestigt war, unterspülte und mit sich zog – alle Mängel, Versäumnisse und Unsicherheiten im internationalen System wie in der deutschen Entwicklung seit 1918 wurden bloßgelegt und die Krise schwoll an, bis sie weit über das Ökonomische hinausging. In Deutschland machte sich das besonders nachdrücklich darin bemerkbar, daß in der Krise nicht eigentlich die engagierten Gegner der Republik den Ausschlag gaben, sondern die große disponible Masse derer, die nicht dezidiert auf der republikanischen Seite standen. Die weitläufigen, zeitweise alles andere in den Schatten stellenden Diskussionen um den Young-Plan machten das augenfällig. Es gab viele, die sich mit ihm abfanden, ihn im Grunde aber ablehnten und in einer veränderten, katastrophale Züge annehmenden Lage leicht gegen ihn aufzubringen waren, insbesondere dann, wenn er als negatives Symbol und Ursache allen Übels herhalten mußte und in sachfremde Zusammenhänge wie nationale Ehre, Tributleistung u.ä. gepreßt wurde. Oncken etwa hatte sich schon seit dem Beginn der Locarno-Politik zum Interpreten des Volksgefühls gemacht und die Dinge so gewendet,

[95] Ein Durchschlag ebd., Box 9, Bd. 28, S. 112–139.

daß es von nun an um das langsame Emporsteigen des Volkes aus einer »seelischen Hölle« gehe. Diese seelische Hölle wurde fast zu einem Topos der gebildeten Schichten und diente etwa 1932 dem einflußreichen Staatssekretär des Auswärtigen Amts von Bülow als Rechtfertigung scharfer, offensiver Revisionsforderungen. Er glaubte selber daran, daß an den schrecklichen inneren Entwicklungen jenes Sommers die außenpolitische Misere maßgeblich Anteil habe. Nur ein rasch durchgeführtes Revisionsprogramm wäre in der Lage, »einen ungeheuren seelischen Auftrieb« im Volk zu erzielen, eine neue Variante des Primats der Außenpolitik[96]. Die sozial-psychischen Folgen des Gefühls nationaler Demütigung sollten nicht gering bewertet werden, aber es ist viel getan worden, solche Gefühle wachzuhalten und zu pflegen.

In auch vom Auswärtigen Amt beachteten Kommentaren zum Young-Plan faßte Oncken alle Anklagen zusammen, gegen den niederschmetternden Versailler Vertrag, diesen Hohn auf die Idee der Gerechtigkeit, und gegen die tiefen Eingriffe in die innere Entwicklung Deutschlands. Verfassungsrechte, soziale Rechte, wirtschaftliches Gedeihen – alles sei bedroht durch die Reparationen. Der Young-Plan wurde hingenommen, aber als unmoralisch und letzten Endes auf Dauer nicht bindend angesehen. Undenkbar sei »eine bindende Verpflichtung nach außen hin, über die eigene Generation hinweg«. Eine bedenkliche Unterminierung der langfristigen Regelungen, noch bedenklicher aber das Abschieben der Verantwortung innerer Fehlentwicklungen nach außen – unter ausdrücklicher Berufung auf den Primat der Außenpolitik, der Lehre vom Staat, »der das höchste seiner Lebensgesetze aus der Summe seiner äußeren Daseinsbedingungen empfängt«, weshalb das schwerste Verfassungsproblem Deutschlands »auch heute noch draußen« liege, »in der Welt, die uns umgibt«[97]. Die Jahre der Präsidialkabinette 1930 bis 1933 brachten die praktische politische Nutzanwendung dieser Vorstellungen und damit eine ganz andere innenpolitische Gewichtung der Außenpolitik mit schwerwiegenden Folgen, untermalt von dem andauernden Befreiungspathos, dem Weg aus der bedrückenden »Sklavennot der Enge« und der Tributlasten. Selbst Meineckes Stellungnahmen 1929/30, ob-

[96] Oncken, Nation und Geschichte, S. 73; PA, Büro Staatssekretär, Pol. A, Bd. 9 (6. 8. 1932).

[97] Oncken, Nation und Geschichte, S. 109f., 115.

wohl stärker ausgerichtet auf die nicht von der Hand zu weisende Gefährdung der parlamentarischen Demokratie in Deutschland, falls sie außenpolitisch erfolglos blieb, entgingen dieser Tendenz nicht, zeigten die Zustimmung zur – mißdeuteten – starken Demokratie durch die Machtstellung des Reichspräsidenten und gipfelten schließlich in dem Fehlurteil (vom 21. Dezember 1930): »Der Versailler Friede ist die letzte und stärkste Ursache des Nationalsozialismus.«[98]

Diese und viele ähnliche Stellungnahmen erfolgten sicher in guter Absicht und aus Sorge um die Weimarer Republik, aber sie hatten die Wirkung, von den eigentlichen inneren Brüchen, Gefahren und Erfordernissen abzulenken, Verständnis für die verfassungspolitischen Wandlungen zu wecken und die Diskussion in gefährlicher Weise in die falsche Richtung – die außenpolitische – zu lenken. So geriet man ebenfalls auf die schiefe Ebene, auf der die Republik abglitt in eine autoritärere Staatsform und schließlich in die Diktatur. Dies war zugleich der Angelpunkt für die Rechtfertigung und die Akzeptierung eines schärferen Vorgehens in der Außenpolitik. Die Betonung von Nation, Ehre, Gemeinschaft und Gleichberechtigung, das Streben nach Freiheit von den Fesseln der Pariser Friedensordnung, nach »Licht« und »Luft«, bekam angesichts der immer tiefer sich einfressenden Krise und inneren Kämpfe in Deutschland geradezu den Charakter einer Erlösungshoffnung mit Hilfe einigender außenpolitischer Erfolge. Um so leichter fiel es den Skeptikern und Gegnern der Locarno-Politik und des Young-Plans, die im Frühjahr 1930 an die Macht kamen, den außenpolitischen Kurs zu ändern – und dies ganz bewußt, um endlich Revisionspolitik statt Erfüllungspolitik zu machen, wie ein hoher Beamter des Auswärtigen Amts es ausdrückte. Beispiele solcher Art für das klare Bewußtsein eines Wandels ließen sich mehren. Die Kombination von Revisionspolitik und Friedenssicherung löste sich auf; es war nur noch und immer drängender von Revision und Deutschlands berechtigten Ansprüchen die Rede. Brüning selber hatte noch vor dem Abschluß der ersten Haager Konferenz von der Überwindung des Young-Plans als einer wesentlichen Aufgabe gesprochen und ihn am 12. März 1930 im Reichstag als »Diktat« bezeichnet, eine schwerwiegende Denunzierung, die ihn in engste Nachbarschaft zum verhaßten Versailler Vertrag rückte.

[98] Meinecke, Politische Schriften und Reden, S. 441.

Damit war der Ton angegeben, und Brünings Politik als Reichskanzler lief dann schnell darauf hinaus, zunächst die Unerfüllbarkeit des Young-Plans durch seine strikte Einhaltung und durch eine rigide Spar- und Aufbringungspolitik zu beweisen, auch auf die Gefahr hin, die Krise zu verschärfen, was den Demonstrationseffekt nur erhöhte; und dann die Reparationen ganz zu beseitigen. Dies war Brünings wichtigste Strategie zur Überwindung der furchtbaren Wirtschaftskrise; dafür forderte er von den Deutschen den Willen zum Durchhalten und nationalen Opfermut. Das Ziel war jedoch umfassender: Die große Krise und ihre ebenso durchdachte wie rücksichtslose Ausnutzung boten den Hebel, Deutschland von den »Fesseln« des Versailler Vertrags zu befreien, also neben den Reparationen vor allem von den militärischen Beschränkungen, und rascher als erwartet wieder eine starke und unabhängige, von allen zu respektierende Machtposition in Europa zu erringen. Zudem begann der Umbau des Staates, und es sollten innere Probleme und Konflikte teilweise durch außenpolitischen Druck abgeleitet oder gelöst werden. Neben die anklagende Demonstration der wirtschaftlichen Not, die durch Young-Plan, Reparationen und mangelndes Entgegenkommen der Alliierten wenigstens sehr verschärft werde, trat die mehr oder minder dezente Vorführung, wie unbequem ein unbefriedigtes Deutschland in vielerlei Angelegenheiten doch sein könne, und vor allem die Drohung mit der immer gefährlicheren Zuspitzung der inneren Verhältnisse des Reiches, falls die noch gemäßigte und verständigungsbereite Regierung keine außenpolitischen Erfolge vorzuweisen habe und falle. Dies beeindruckte in gewissem Ausmaß vor allem die Engländer. Randalierende Nationalsozialisten waren als Hintergrund des außenpolitischen Drucks manchmal nicht ungern gesehen, und ein Fazit Bülows vom 6. Januar 1933[99] unterstrich den neuen Kurs: »Mehr war unter den gegebenen Verhältnissen nicht herauszuholen, und auch unsere innenpolitischen Wirrnisse sind uns außenpolitisch gar nicht schlecht bekommen.«

Das alles trug zu einer deutlichen Verschlechterung der internationalen Atmosphäre Anfang der dreißiger Jahre bei. Die Reichsregierung griff zu neuen außenpolitischen Methoden. Dies ist ein Vorgang, der in Anbetracht der zunehmenden Verflechtung der modernen Welt von immer einschneidenderer Be-

[99] PA, Büro Staatssekretär, Pol. B, Bd. 10.

deutung für das Staatensystem wird und in aller Regel auch auf eine Verschiebung in der Zielsetzung oder in den außenpolitischen Prioritäten hindeutet. Allerdings demonstrierten die Deutschen das nicht gleich in der Reparationspolitik, sondern schlaglichtartig an Hand zweier anderer wichtiger, eng zusammengehörender Entscheidungen: der Antwort auf Briands Europaplan und des deutsch-österreichischen Zollunionsprojekts. Dem ging ein Revirement im Auswärtigen Amt voran, dessen Verschiebungen eine neue Führungsgruppe etablierten, Gegner der Locarno-Politik. Der wichtigste Wechsel war dabei die Ersetzung Schuberts durch Bernhard Wilhelm von Bülow im Juni 1930. In fast allen, gerade den ausländischen Pressekommentaren dominierte bald das Urteil, daß damit eine schärfere Gangart und eine Neuorientierung der deutschen Außenpolitik zu verzeichnen sei. Im Gegensatz zur Stresemann-Ära wollte die Reichsregierung jetzt aus internationalen Bindungen und Verpflichtungen heraus und die Voraussetzungen für eine unbehinderte, einseitige Politik der freien Hand schaffen. Deswegen bildete schon der berühmte Europaplan Briands, der am 17. Mai 1930 den europäischen Staaten übermittelt wurde, die Probe auf's Exempel[100].

Briands Plan lief auf eine konsequente Weiterentwicklung des europäischen Konzerts durch eine institutionalisierte, politische und wirtschaftliche Zusammenarbeit der Europäer im Rahmen des Völkerbundes hinaus, Zeugnis zugleich für die späte Einsicht von der Unzulänglichkeit einer nur global ausgerichteten Organisation. Ohne Zweifel war er auf das Interesse Frankreichs zugeschnitten und sollte unter anderem Deutschland einbinden und den Status quo gegenüber Revisionsansprüchen festigen. Brüning, Bülow und Außenminister Curtius indessen betonten einseitig nur diesen Aspekt – »uns neue Fesseln anzulegen« – und waren entschlossen, in freundlicher Einkleidung dem Plan »ein Begräbnis erster Klasse«[101] zu bereiten, eine Festlegung ausdrücklich von grundsätzlicher Bedeutung, obwohl Botschafter Hoesch aus Paris um eine andere Einstellung in Berlin rang, weil sich »in diesem europäischen Projekt das Beste des französischen Geistes der Nachkriegszeit« konzentriere[102].

[100] Europa.Dokumente zur Frage der europäischen Einigung. Bd. 1, München 1962, S. 29–53.

[101] Ministerbesprechung, 8. 7. 1930; Akten der Reichskanzlei. Kabinette Brüning I und II. Bd. 1, Boppard 1982, S. 283.

[102] ADAP, Serie B, Bd. 15, S. 210.

Wegen des landwirtschaftlichen und industriellen Schutzbedürfnisses lehnte Brüning sogar die wirtschaftliche Einigung Europas ab. Die schrittweise Reduzierung der deutschen Weltmarktintegration begann, ungeachtet der Proteste des Ministerialdirektors Ritter, der für alle Wirtschaftsfragen im Auswärtigen Amt zuständig war und wenigstens die Ansätze einer wirtschaftlichen Integration retten wollte[103].

Folgerichtig ging es auch mit dem deutsch-französischen Verhältnis, das einen bis dahin unbekannten Grad der Vertrautheit erreicht hatte, bergab. Der Ausgleich und die enge Verbindung beider Länder stand nicht mehr zur Debatte. Stresemann hatte noch 1926 programmatisch erklärt: »Der deutsch-französische Ausgleich und die Festigung der Beziehungen zwischen den beiden Ländern, für die der Grundstein unter Mitwirkung anderer großer Mächte in Locarno gelegt wurde, ist der Angelpunkt der Konsolidierung Europas.«[104] Nun mußte Hoesch schon im November 1930 die ernüchternde Bilanz ziehen, »daß wir am Beginn eines neuen Abschnittes der deutsch-französischen Beziehungen stehen und daß die im Frühjahr 1924 begonnene Periode zum Abschluß gekommen ist. [...] Während Deutschland und Frankreich bisher unter sorgfältiger wechselseitiger Schonung, insbesondere mit Bezug auf öffentliche Kundgebungen, bemüht waren, eine Atmosphäre herzustellen und zu wahren, unter deren Schutz sie in einem sehr weitgehenden Vertrauensverhältnis gewisse Ziele zu erreichen suchten, sind sie nunmehr wieder auf [den] Weg der öffentlichen Polemik gekommen.« Und Bülow selber sprach von einem »Zustand der Entfremdung«. Vorbedingung einer Besserung waren für ihn weitgehende französische Zugeständnisse; doch »bei der Unbeweglichkeit der Franzosen auf politischem wie auf finanziellem Gebiet können wir nicht hoffen, in kurzer Zeit wieder zu einem befriedigenden Zustand zu gelangen«[105]. Sogar zu England, das unter diesen Umständen um so wichtiger für das Reich wurde, war das Verhältnis eher indifferent, und man suchte eine Verständigung, wenn man sie brauchte. Überhaupt war die Außenpolitik kurzatmig geworden. Es fehlte ihr die große Konzeption.

[103] Siehe Dokumentenanhang, Nr. 17.
[104] Verhandlungen des Reichstags. Stenographische Berichte. Bd. 391, S. 8 145 (23. 11. 1926).
[105] ADAP, Serie B, Bd. 16, S. 184 (Hoesch) und S. 437 (Bülow).

Die Reichstagswahl vom 14. September 1930 mit dem sensationell hohen Anstieg der Stimmen für die NSDAP verschärfte das Streben nach außenpolitischen Erfolgen – und gleichzeitig begannen kaum merklich die Abschirmung und Verharmlosung der inneren Zustände nach außen, die unter Hitler dann voll entwickelt waren. In den Instruktionen wies Bülow schon vorbeugend darauf hin, daß es angesichts der innenpolitischen Verhältnisse »möglicherweise zu einer milden Form der Diktatur« kommen werde[106]. Eine Öffnung nach links, die Neuauflage der großen Koalition mit der SPD, woran vornehmlich die weltwirtschaftlich orientierten, liberaler eingestellten Wirtschaftskreise Interesse hatten, kam überhaupt nicht mehr in Frage, schon mit Rücksicht auf Hindenburg und die hinter ihm stehenden konservativen Kräfte. Unter ihnen ragten die Reichswehr und die Großgrundbesitzer durch ihren Einfluß heraus. An ihnen konnte die Außenpolitik kaum noch vorbei; ihre Einwirkungen waren nicht zu übersehen. Sie wurden unterstützt von einer wachsenden Zahl von Industriellen, darunter viele aus der Schwerindustrie, die zur Lösung der wirtschaftlichen, gesellschaftlichen und politischen Probleme einen autoritären Staat befürworteten, auf diese Weise gegen die Republik Front machten und damit zum Aufstieg Hitlers beitrugen. Der republikanisch eingestellte deutsche Botschafter in Washington, von Prittwitz, warnte dringend vor jeder Art von Diktatur. Er ging noch davon aus, daß die USA lebenswichtig seien, nicht nur für die Kredite, sondern überhaupt für die deutsche Stellung auf dem Weltmarkt und die Anstrengungen, gerade in der Krise ein Mindestmaß an Kooperation zu wahren und den Rückzug der Amerikaner auf sich selbst zu verhindern. In Berlin betrachtete man indessen diese Dinge gleichmütiger. Die Prioritäten veränderten sich: die Amerikaner blieben wichtig, aber die Rücksicht auf sie war nicht mehr so bestimmend wie früher. Man suchte sich ihre Unterstützung unter Hinweis auf ihre eigenen Interessen und ohne große deutsche Zugeständnisse zu sichern. Daher war es nicht der geringsten Erwägung wert, als Prittwitz sich mit Nachdruck für eine Koalition mit der SPD einsetzte und darauf hinwies, daß sich dies in den USA sehr günstig auswirken würde[107].

Der Blick der Reichsregierung richtete sich weniger nach We-

[106] PA, Büro Staatssekretär, Pol. B, Bd. 2 (Brief an Rieth, 30. 9. 1930).
[107] Ebd., Bd. 3 (27. 12. 1930).

sten, auf eine intensive Zusammenarbeit mit Frankreich, England und den USA oder überhaupt auf umfassende internationale Lösungen der wirtschaftlichen und politischen Probleme, als vielmehr nach dem Südosten, auf den Gewinn einer unabhängigen Machtstellung in Mitteleuropa und im Donauraum. Der erste Schritt, konzipiert als insgeheim vorbereiteter Überraschungscoup und deutsche Antwort auf Briands Europaplan, sollte das Projekt einer deutsch-österreichischen Zollunion sein. Deutlicher ließ sich der einschneidende Wandel gegenüber der Locarno-Politik der Konsultation und des Einvernehmens kaum vorführen, ein Paukenschlag, der die europäischen Machtverhältnisse in Frage stellte, vor allem Frankreich und die Tschechoslowakei alarmierte und die Lage in Europa verschärfte. Zu Zeiten Stresemanns hatte das Auswärtige Amt auf eine solche Zollunion verzichtet, und zwar im Hinblick auf die vertraglichen Bindungen Österreichs seit 1919 zum Zwecke der Aufrechterhaltung seiner Unabhängigkeit. Eine Änderung dieser Haltung bahnte sich erst an, als Curtius ziemlich überraschend den Besuch des österreichischen Bundeskanzlers Schober in Berlin vom 22. bis 24. Februar 1930 dazu benutzte, eine Übereinkunft darüber zu erzielen, daß die Frage einer Zollunion geprüft werden solle. Schober drängte Ende August 1930, als Bülow engen Kontakt in Europafragen mit Österreich halten wollte, darauf, den wirtschaftlichen Zusammenschluß nun energisch zu betreiben. Curtius war sowieso dafür, Bülow auch, und im Frühjahr 1931 war die Zollunion perfekt. Sie mußte allerdings überstürzt den anderen Regierungen am 21. März 1931 mitgeteilt werden, weil die Presse schon dahinter gekommen war. Das wirkte wie eine Bombe und stieß im Ausland wegen des Inhalts der Vereinbarung, ihres Zeitpunkts und des Verfahrens auf teilweise heftige Kritik. Denn was da als hilfreiche Verbesserung der wirtschaftlichen Lage und praktischer Ansatzpunkt europäischer Zusammenarbeit – welcher Hohn auf Briands nun endgültig torpedierte Bestrebungen – feilgeboten wurde, zielte in Wahrheit auf eine Verschiebung der europäischen Machtverhältnisse zugunsten des Reiches.

Österreich war, auch hinsichtlich seiner Geschäfts- und Bankverbindungen, das Tor zum Donauraum. Eine Zollunion, so argumentierte Bülow, würde die Tschechoslowakei, den Verbündeten Frankreichs und das wichtigste Land der Kleinen Entente, wirtschaftlich umklammern und zum Anschluß nötigen, Ungarn würde beitreten, die beiden anderen Mitglieder der

Entente, Rumänien und Jugoslawien, zu denen Deutschland vor allem seine wirtschaftlichen Kontakte vertieft hatte, würden im Sog dieser Entwicklung folgen, und dann wäre, nach einer entsprechenden Intensivierung der Beziehungen zu den baltischen Staaten, Polen eingekreist und könnte mürbe gemacht werden für die Revision der deutschen Ostgrenze[108]. Günstig gestaltete sich die Konstellation auch dadurch, daß in der Krise der Export in die Sowjetunion enorm gesteigert werden konnte – am 14. April 1931 kam ein erneutes 300-Millionen-Kredit-Abkommen zustande – und daß schon 1930 gewisse Meinungsverschiedenheiten beigelegt waren. Deutschland wurde zum weitaus bedeutendsten Handelspartner der Russen. Das paßte gut zu den sich verschärfenden deutsch-polnischen Spannungen, zu den drängender werdenden Forderungen in der deutschen öffentlichen Meinung, daß angesichts der wirtschaftlichen Schwäche Danzigs und der Abwanderung der Deutschen aus den an Polen abgetretenen Gebieten bald etwas geschehen müsse, und zu der auch innerhalb der Reichsregierung wachsenden Überzeugung, daß durch Zusammenarbeit mit Frankreich nichts zu gewinnen sei – trotz einiger Erwägungen auf französischer Seite, besonders aus wirtschaftlichen Kreisen, daß eine deutsch-polnische Verständigung über die Grenze auch für den dauerhaften Ausgleich zwischen Deutschland und Frankreich unumgänglich sei. Im Unterschied dazu hoffte Bülow sogar, daß infolge des durch die Zollunion eingeleiteten Vorstoßes schließlich auch Frankreich sich genötigt sehen werde, mit Deutschland über ähnliche wirtschaftliche Projekte zu verhandeln. Die Franzosen allerdings dachten gar nicht daran, setzten alle Hebel in Bewegung und brachten durch finanziellen und politischen Druck die ganze Initiative zum Scheitern, schon bevor am 5. September 1931 der Haager Gerichtshof mit einer Stimme Mehrheit ein Rechtsgutachten erstellte, demzufolge eine Zollunion sich mit den bestehenden Verträgen nicht vereinbaren lasse. Dieser schwere Mißerfolg beendete die Ministerkarriere von Curtius. Bülows Stellung blieb unangetastet.

Die Möglichkeiten der Reichsregierung – und ihre Hartnäkkigkeit – waren damit allerdings noch keineswegs erschöpft. Was sich hier im Rahmen der Weltwirtschaftskrise und der übrigen weltpolitischen Probleme abspielte, war wieder einmal ein deutsch-französischer Machtkampf. Die Reichsregierung

[108] Siehe Dokumentenanhang, Nr. 18.

verlegte sich jetzt stärker auf einen anderen, ebenfalls schon eingeschlagenen Weg, eine führende Position im Donauraum zu erlangen, die Handelspolitik. Die Weltwirtschaftskrise hatte besonders die südosteuropäischen Länder erfaßt, deren Volkswirtschaften vor allem vom Agrarexport abhingen. Diese Exporte waren auf Grund des katastrophalen Verfalls der Weltmarktpreise nicht mehr konkurrenzfähig. Die alten Methoden der Anleihegewährung und des politischen Einflusses, auf die sich besonders Frankreich stützte – finanziell die führende Macht in Europa und von der Krise bis dahin weniger betroffen –, halfen hier kaum. Die südosteuropäischen Staaten brauchten den Absatz ihrer Produkte, und zwar um fast jeden Preis. Das war Deutschlands Chance. Es war der bedeutendste Lieferant für diese Länder und bot nun auch den bedeutendsten Markt für sie, denn die von ihnen angebotenen Agrarprodukte ließen sich nach Überwindung einiger interner Schwierigkeiten auch mit den Interessen der deutschen Landwirtschaft vereinbaren, die zwar ihre politische Machtposition zu immer rücksichtsloserer Absicherung des heimischen Marktes ausnutzte, aber weder mengenmäßig noch von der Art der Produkte eine schwere Beeinträchtigung ihrer Interessen zu fürchten hatte. Was jedoch erforderlich war, das waren Präferenzverträge, also bevorzugte Behandlung auf dem sonst durch prohibitive Zölle abgeschlossenen deutschen Agrarmarkt. Dies suchte die Reichsregierung seit 1931 durchzusetzen, und das bedeutete letzten Endes Aufgabe des Prinzips der Meistbegünstigung und des offenen, vielfältig verflochtenen Weltmarkts. Auch Brüning sah in der Handelspolitik ein gelegentlich brutal zu handhabendes Kampfinstrument. Vor allem die deutsche Exportindustrie suchte sich derartigen Tendenzen zu widersetzen, konnte sie aber nicht verhindern, um so weniger als seit Herbst 1931 ihre noch relativ günstige Position, besonders der führende Weltmarktanteil im Bereich des Maschinenbaus, der chemischen und der Elektroindustrie, spürbare Einbußen erlitt infolge der rapide sich fortsetzenden Destruktion des Weltmarktes, also der Dominanz des wirtschaftlichen Nationalismus – wobei der rigorose deutsche Protektionismus eine wichtige Rolle spielte –, der Abwertung des Pfundes und anderer Währungen, der Absperrung bedeutender regionaler Märkte wie des amerikanischen, des britischen Empire, Frankreichs und seiner Besitzungen sowie der Verschlechterung der *terms of trade* für Fertigwaren bei fortbestehenden Überkapazitäten. Dies stärkte die

Forderung nach Ausbau einer deutschen Einflußsphäre in Mittel- und Südosteuropa, nach Binnenmarktorientierung und teilweiser Autarkie in einem solchen Großraum. Die ideologische Unterstützung dafür beruhte auf der tiefen Krise des politischen Denkens; man war irre geworden an Industrie und Technik, an Kapitalismus, Marktwirtschaft und weltweiter Verflechtung, an »westlichem« Rationalismus und moderner Funktionalität. Auch dies förderte die Chancen des Nationalsozialismus und führte mit einer gewissen Folgerichtigkeit in die Außenpolitik nach 1933.

Frankreich bekämpfte die deutschen Bestrebungen 1931 und 1932 mit einer Gegenstrategie, die selber von dem Versuch getragen war, eine Vormachtstellung in Kontinentaleuropa zu errichten und die Agrarländer im Südosten und Osten unter maßgebendem französischem Einfluß zu sanieren. Ein wesentlicher Trumpf war die finanzielle Stärke, die schon in der Zollunionskrise wirksam eingesetzt worden war, als am 11. Mai 1931 die Österreichische Creditanstalt zusammenbrach und zwei Monate später die verhängnisvolle deutsche Bankenkrise folgte. Die Abzüge ausländischer Kredite aus Deutschland hatten sich in Wellen seit der Reichstagswahl vom 14. September 1930 verstärkt; die erstaunlich hohen deutschen Exportüberschüsse 1930 und besonders 1931 – in einer Phase stark abnehmenden Welthandelsvolumens und Preisverfalls nur durch das noch stärkere Absinken der Einfuhren und der Einfuhrpreise erzielt – reichten bei weitem nicht aus, den Devisenabfluß auszugleichen. Dringend benötigte Kredite konnten nur aus Frankreich kommen, auch England war finanziell hilflos und mußte sich weithin auf diplomatische Einwirkungen beschränken. Die Franzosen verlangten allerdings neben dem Verzicht auf das Zollunionsprojekt ein längeres Stillhalten der Deutschen in der Revisionspolitik. Das war in Deutschland nicht durchzusetzen, aber die Reichsregierung lehnte eine solche Forderung ohnehin ab. Nicht einmal zur Unterbrechung des Panzerkreuzerbaus war man bereit. Er hielt sich zwar als Modernisierungsmaßnahme im Rahmen des Versailler Vertrags, brachte aber durch einen neuen Schiffstyp, der die Tonnage eines schweren Kreuzers mit der Armierung eines Schlachtschiffes verband, die für die Seeabrüstung maßgebenden Klassifizierungen durcheinander. Auch den Versuchen der Franzosen, besonders im Tardieu-Plan vom 2. März 1932, die Länder im Donauraum unter finanzieller und politischer Ägide Frankreichs wirtschaftlich zusammenzubringen und damit ihre Sanierung zu bewerkstelligen, setzte die Reichsregierung entschiedenen Widerstand entgegen, fand dabei allerdings auch internationale Unterstützung. So scheiterten die fragwürdigen französischen Pläne zur Absicherung des Status quo und einer eigenen Vormachtstellung – nicht nur auf diesem Gebiet. Schlimmer war, daß sich in grundlegenden europäischen Fragen keine gemeinsame Politik oder gar Lösung mehr fand. Die innere Zersetzung des Staatensystems setzte sich rapide fort.

Deutschland war daran keineswegs allein schuld, aber die außenpolitische Richtlinie, daß keine Zugeständnisse, schon gar nicht bei den Revisionsforderungen, in Frage kamen, trug doch erheblich zu der internationalen Destabilisierung bei. Die Reichsregierung ging davon aus, daß Deutschland lange genug an den Folgen der in ihren Augen ganz ungerechtfertigten Bestimmungen des Versailler Vertrags gelitten habe; es habe nun Forderungen zu stellen, nicht mehr Konzessionen zu machen. Möglichkeiten zur Linderung und Überwindung der furchtbaren Weltwirtschaftskrise – sei es im nationalen oder im internationalen Rahmen – waren nur diskutabel, sofern sie die deutschen Revisionsbestrebungen nicht störten, sondern unterstützten. Das zeigte sich am nachdrücklichsten bei den Reparationen, und aus demselben Grunde kam auch eine Erleichterung der wirtschaftlichen Lage durch französisches Kapital und Zusammenarbeit mit Frankreich – das hätte von erheblichem Einfluß auf den Krisenverlauf sein können – überhaupt nicht in Betracht, denn eine wesentliche Voraussetzung wäre ein »Revisions-Moratorium« gewesen. Das war auch eine grundsätzliche politische Entscheidung Brünings, was seinen durchaus vorhandenen Bemühungen um Verständigungen und Zusammenarbeit unüberwindlich im Wege stand und sie meistens, auf das schließliche Ergebnis hin betrachtet, zur Wirkungslosigkeit verurteilte. Zweifellos lastete auf ihm ein schwerer Druck, und die konservativen Kräfte um Hindenburg, an den er sich band, waren sehr einflußreich. Aber Brüning tendierte selber nach rechts. Es war seine politische Entscheidung, und er trat voll dafür ein, die Krise unbedingt durchzustehen als Weg zur Befreiung vom Versailler Vertrag und zum Wiederaufstieg des Reiches, mochte Deutschland auch neben den USA am schlimmsten von der Krise betroffen und mochten die Folgen kaum absehbar sein. Dieses politische Moment reduziert doch ein wenig die Bedeutung der in den letzten Jahren mit interessanten Ergebnissen geführten Debatte über Brünings wirtschaftliche Alternativen und Handlungsspielräume.

Der Vorrang der Revision vor allen anderen Erwägungen zeigte sich schließlich auch in den beiden weitaus wichtigsten Fragen jener Jahre, den Reparationen und der Abrüstung. Die Überwindung des Young-Plans wurde zum Kernpunkt der Politik der Regierung Brüning. Schon Ende 1930 war es offensichtlich, daß eine Verringerung der Reparationen oder eine Revision des Young-Plans durch Verhandlungen außerhalb der Mechanismen des Young-Plans eingeleitet werden sollten. Man weigerte sich also, die immer wieder beschworene Last der »Tribute« in der Krise mit Hilfe des vorhandenen, durchaus brauchbaren Instrumentariums zu erleichtern, weil man die ganze Regelung loswerden wollte. Dies war zugleich ein Angriff auf eine der wenigen institutionellen Klammern weltwirtschaftlicher Zusammenarbeit und ein weiterer schwerwiegender Versuch, sich aus internationalen Bindungen und entwicklungsfähigen multilateralen Vereinbarungen zu lösen. Das beeinträchtigte die Handlungsfreiheit, weshalb übrigens auch generell langfristige Auslandsanleihen nicht mehr erwünscht waren. Bemühungen, die USA zur Einberufung einer großen Konferenz zu bewegen, auf der dann auch die Reparationszahlungen zur Sprache kommen sollten, schlugen fehl. Die Belastung wurde immer schwerer, weil aber andere Wege der Erleichterung nicht eingeschlagen werden sollten und man vor allem an Frankreich vorbei eine Revision der Reparationsleistungen einleiten wollte, halfen nur gute Beziehungen zu den angelsächsischen Mächten und die erlösende Verkündung eines einjährigen Moratoriums für alle internationalen Schulden der Regierungen vom 6. Juni 1931. Dieses Hoover-Jahr konnte nach schwierigen Verhandlungen mit Frankreich am 7. Juli 1931 in Kraft treten. Die Franzosen vermochten sich dem allgemeinen Druck nicht zu entziehen, hatten aber die Gefahr erkannt. Die Reichsregierung wollte sich, besonders nach der Bankenkrise und der schrecklichen Verschärfung der wirtschaftlichen Lage im Winter 1931/32, endgültig von den Reparationen befreien. In Verhandlungen mit den wichtigsten Mächten und auf Grund eines unumgänglichen, aber günstigen Berichts der nach dem Young-Plan zuständigen Gremien – das hatte sich nicht vermeiden lassen – konnte Brüning den Grundstein für die Beendigung der Reparationszahlungen legen. Unter seinem Nachfolger Franz von Papen kam es zur endgültigen Regelung, die von vielen

Regierungen als eine Erleichterung der internationalen Lage begrüßt wurde. Am Ende der Lausanner Konferenz einigte man sich auf das Abkommen vom 9. Juli 1932, das die Reparationen bis auf eine – nie bezahlte – pauschale Restsumme von drei Milliarden Mark beendete.

Hierbei war Frankreich im Grunde ebenso der Verlierer wie in der Abrüstungsfrage. Die wichtigsten Instrumente der Einflußnahme auf die Haltung Deutschlands wurden ihm entwunden. Nach jahrelangen, wenig ergiebigen Verhandlungen in der Vorbereitenden Abrüstungskommission des Völkerbunds wurde schließlich am 24. Januar 1931 vom Völkerbundsrat die Eröffnung der Abrüstungskonferenz auf den 2. Februar 1932 festgesetzt – zu einem Zeitpunkt also, als der Wille zur internationalen Zusammenarbeit und zu gemeinsamer Regelung schwieriger Fragen schon erheblich nachgelassen hatte und zunehmende Spannungen und Gegensätze zwischen den Nationen die Szene beherrschten. In Deutschland trat der namentlich über Hindenburg stark gestiegene Einfluß der Reichswehr auf die Außenpolitik naturgemäß bei militärischen Fragen am deutlichsten zutage. Das Auswärtige Amt versuchte zwar, gelegentlich nicht ohne Erfolg, zu bremsen, aber die Richtlinie war klar: Gleichberechtigung in der Rüstung; das bedeutete Befreiung von den Entwaffnungsbestimmungen des Versailler Vertrags, und zwar schließlich als Voraussetzung, nicht mehr als Ergebnis von Vereinbarungen über konkrete Rüstungsbegrenzungen. Mit Hilfe einer weiteren Verschärfung des deutschen diplomatischen Stils, dem Auszug der Delegation des Reiches am 23. Juli 1932 aus der Konferenz, wurde dies schließlich de jure und mit einigen Einschränkungen in der Fünfmächte-Erklärung vom 11. Dezember 1932 tatsächlich erreicht. Die entscheidende Formulierung lautete, es sei »Deutschland [...] die Gleichberechtigung zu gewähren in einem System, das allen Nationen Sicherheit bietet«[109].

Es war ein langer Weg bis dahin, nicht nur zeitlich. Der Hinweis auf das erforderliche Sicherheitssystem war ein letzter Abglanz der Bemühungen, auch nach gemeinsamen Formen der Friedenssicherung zu suchen. Davon war bei den internen Vorarbeiten in Berlin nicht mehr die Rede, sondern allein von der Revision. Pläne zur Sicherheit und friedlichen Streitschlichtung sollten gerade nicht damit vermengt und keine neuen Bindun-

[109] Schwendemann, Abrüstung und Sicherheit, S. 479.

gen geschaffen werden. Das bedeutete nicht, daß man schrankenlos aufrüsten oder zu einer Politik der Gewalt und des Krieges schreiten wollte. Gerade Bülow, ein herausragender Spitzenbeamter des auswärtigen Dienstes, wollte das nicht. Er bekannte sich zu internationaler Verantwortung und Friedenswahrung. Aber auf Grund seines keineswegs außergewöhnlichen Versailles-Traumas mußten erst die Revision und die Stärkung der deutschen Machtstellung erreicht sein, dann sollte man über internationale Verständigung reden; also nicht mehr wie vor 1930 über Verständigung zur Revision, sondern umgekehrt – mit all den Gefahren, die das nach sich zog. Was darüber völlig verlorenging, waren die ohnehin nur schwachen Ansätze aus der zweiten Hälfte der zwanziger Jahre, Sicherheit durch politische Vereinbarungen und friedliche Streitschlichtung, nicht durch Aufrüstung zu erreichen[110].

Stresemann hatte in seiner letzten Rede vor dem Völkerbund, am 9. September 1929[111], den inneren Zusammenhang von Abrüstung, Friedenssicherung und Revision, so wie er im deutschen Interesse aussehen sollte, noch einmal betont: »Verhinderung jeder Kriegsmöglichkeit, die allgemeine Abrüstung als Konsequenz aus dieser Verhütung, die Verhinderung der Erstarrung aller Zustände durch eine fortschreitende Entwicklung auf friedlichem Wege.« Wie weit war man davon 1932 entfernt, und auch über die dringenden Warnungen Hoeschs vom 6. März 1931[112] hatte man sich hinweggesetzt: »Die Lossagung Deutschlands von den Entwaffnungsbestimmungen des Friedensvertrages würde Deutschland unter allen Umständen in Gegensatz zur gesamten Welt bringen, denn es gibt keinen Staat, mit Ausnahme vielleicht von Sowjetrußland und Ungarn, der der Perspektive eines neuen Wettrüstens, die dann entstünde, mit Wohlwollen entgegensehen würde.« Die Reichsregierung hatte Anfang der dreißiger Jahre in einem gewaltigen Kraftakt, mit Hilfe der großen Krise, erstaunlich weitgehende Revisionen des Versailler Vertrags durchgesetzt – aber um welchen Preis?

110 ADAP, Serie B, Bd. 7, S. 295f. (21. 11. 1927).
111 Schwendemann, Abrüstung und Sicherheit, S. 112.
112 ADAP, Serie B, Bd. 17, S. 14f.

1. Rede des Reichsministers des Auswärtigen, Hermann Müller, vor der Nationalversammlung am 23. Juli 1919

Quelle: Eduard Heilfron (Hrsg.), Die Deutsche Nationalversammlung im Jahre 1919. Bd. 7, Berlin (1919), S. 72 (Auszug).

Gerade wir Deutschen haben ein Interesse daran, daß ein Völkerbund entsteht, der zu einem wahrhaften Instrument des Fortschritts wird und der uns deswegen einen Ausweg zeigt aus den ungeheuren Schwierigkeiten, in die uns der *Vertrag von Versailles* versetzt. Wir haben in den Vorverhandlungen nachdrücklich auf das Unerträgliche und Unerfüllbare hingewiesen, das nach unserer Auffassung so viele Bestimmungen des Vertrages enthalten. Wir haben uns unter dem Zwange der Verhältnisse verpflichten müssen, den Vertrag loyal zu erfüllen. Wir lassen keinen Zweifel darüber, daß es uns mit dem Willen zu dieser Erfüllung bis zur Grenze unserer Fähigkeiten ernst ist, wir wollen aber auch keinen Zweifel darüber lassen, daß wir mit allen loyalen Mitteln die Revision dieses Vertrages erstreben werden (sehr richtig! bei den Sozialdemokraten), daß wir für eine gemeinsame Arbeit zur Wiederaufrichtung der darniederliegenden europäischen Kultur eine solche Revision für unerläßlich halten (sehr richtig! bei den Sozialdemokraten), und zwar nicht nur im Interesse des deutschen Volkes, sondern auch aller seiner Nachbarn.

2. Aufzeichnung des Unterstaatssekretärs im Auswärtigen Amt Haniel von Haimhausen, 24. Juli 1919

Quelle: Akten zur deutschen auswärtigen Politik 1918–1945, Serie A, Bd. 2, S. 193f. (Auszug).

Die Frage der Verantwortlichkeit am Weltkrieg wird für absehbare Zeit unsere ganze äußere Politik beherrschen, zumal, nachdem die Entente unsere Schuld zur Grundlage des Friedensvertrages gemacht hat.

Während unsere Feinde seit langem schon und mit sehr geschickten Schlagworten sich bemüht haben, die Welt von unserer ausschließlichen Schuld zu überzeugen, haben wir eigentlich erst bei den Friedensverhandlungen ernsthaft angefangen, unser Material zu verwerten.

Die zu lösende Aufgabe ist aus verschiedenen Gründen für uns viel schwieriger als für die Entente. Wir haben in unserer Politik dem Schein nicht die Bedeutung beigemessen, die er wirklich besitzt. Wir haben bei Kriegsbeginn die Rolle des Angreifers übernommen, vielleicht uns sogar hineindrängen lassen, und wir müssen jetzt festgesetzte Meinungen bekämpfen. Wir haben außerdem aber auch mit einer Mentalität in Deutschland zu rechnen, die, weit über das Maß des historisch Wahren hinaus, von unserer Schuld am Kriege überzeugt ist. Es muß auch der Weg gefunden werden, die Abkehr vom alten System in Deutschland dem Auslande klarzumachen und die Verantwortlichkeit des Volkes zu trennen von der der früheren Führer, ohne aber aus innerpolitischen Gründen im Kampfe gegen das alte Regime der Entente Vorspanndienste zu leisten.

Die von unseren Gegnern während des Krieges betriebene Propaganda ist im allgemeinen zweifellos mit sehr viel mehr politisch-psychologischem Verständnis geführt worden als die unsrige. Vor allem aber hat die Entente ihre ganze Beweisführung viel mehr auf die breiten Massen eingestellt als wir. Sie hat Schlagworte geprägt, die verstanden wurden und wirkten. Es wird kaum möglich sein, ihr jetzt noch auf diesem Wege zu folgen, schon aus dem einfachen Grunde, weil wir gleich zugkräftige und überzeugende Schlagworte an die Stelle der jetzt gebrauchten zu setzen nicht in der Lage sein werden. Es scheint aber auch fraglich, ob wir jetzt nicht in ein Stadium eintreten, wo – zumal nach Verschwinden der Kriegszensur in den Ententeländern – eine kritischere Beurteilung der Schuldprobleme überall Platz greifen kann.

Wir müssen versuchen, langsam eine Geneigtheit zu größerer Objektivität zu erwecken und geschickt zu fördern. Dies ist vor allem möglich durch Beschaffung von positivem Material, nicht in der bisher üblichen Form sofort als Tendenz- und Agitationsmittel kenntlich einseitig und gefärbt, sondern historisch richtig und dokumentarisch belegt.

3. Runderlaß des Reichsministers des Auswärtigen, Hermann Müller, vom 21. Oktober 1919

Quelle: Akten zur deutschen auswärtigen Politik 1918–1945, Serie A, Bd. 2, S. 369f. (Auszüge).

Eine der wichtigsten Aufgaben für die deutsche Politik in der nächsten Zeit wird die Vorbereitung der wirtschaftlichen Gesundung Deutschlands durch Wiedereröffnung des Weltmarktes für die deutschen Waren sein. Vorbedingung dafür ist, abgesehen von einer zielbewußten inneren Politik in Deutschland, die bei uns die Produktion und Arbeitswilligkeit wieder hebt, die Herbeiführung der Geneigtheit der großen Kapital- und Rohstoffländer der Welt, zu einer wirtschaftlichen Gesundung Deutschlands ihrerseits mitzuwirken. In erster Linie wird hierbei Amerika in Frage kommen. [...]

Eine Finanzierung des deutschen Rohstoff- und Nahrungsmittelbezuges wird nur erzielt werden können, wenn die Regierungen der uns bisher feindlichen Staaten dazu zu bringen sind, an dem Projekte selber mitzuarbeiten und eine internationale, sich auf ganz Europa erstreckende Sanierung der Wirtschaft ins Auge fassen, die letzten Endes von der Gesamtheit der Weltstaaten auszugehen hätte. [...]

Unsrerseits kommt es infolgedessen vor allem darauf an, den Gedanken der internationalen Finanzsanierung der Welt nicht schlafen zu lassen, sondern weiter zu propagieren, auch alle Anzeichen zu beobachten und für uns nutzbar zu machen, die diesen Gedanken fördern könnten. Ein aktives Hervortreten unsrer Politik in der Frage wird erst möglich sein, wenn der Friede von Amerika ratifiziert ist. In dem sich gegenwärtig dort abspielenden Kampfe um die Ratifizierung zieht Wilson auch das deutschfeindliche Register, eine gute Stimmung in Amerika für unsere Pläne ist daher zur Zeit völlig ausgeschlossen.

Der niedrige Stand der deutschen Valuta ist leider ein anderes Hindernis für diese Pläne. Dieser bietet einen starken Anreiz für das Ausland, sich an dem sich ankündigenden Ausverkaufe unsrer wertvollsten Industriewerke und unsrer nationalen Reichtümer zu beteiligen und damit unserer Wirtschaft durch dauernde Begründung einer zukünftigen passiven Zahlungsbilanz für Deutschland die Möglichkeit zur internationalen Festigung zu nehmen. Kommt es zu großen Transaktionen auf diesem Gebiete, so wird Deutschland die Gewinne seiner eigenen

Industrie immer wieder an das Ausland abzuführen haben und – da wir durch die Zahlung für unsre Kriegsschuld schon über Vermögen belastet sein werden – immer wieder durch den Versuch der Aufnahme neuer Teilanleihen im Auslande tiefer und hoffnungslos in ökonomische Abhängigkeit von anderen Ländern geraten.

Euer pp. ersuche ich ergebenst, auch Ihrerseits dem Probleme Ihre ganze Aufmerksamkeit zu schenken, beobachtend und berichtend auf diesem Gebiete zu arbeiten und in Ihrem Amtsbezirke für eine Förderung der Stimmung zugunsten einer internationalen Regelung der Wirtschafts- und Finanzverhältnisse der Welt tätig zu sein.

4. Protokoll der Ministerratssitzung vom 24. März 1922

Zwei Noten der alliierten Reparationskommission vom 21. März 1922 lösten in Deutschland Proteste und Empörung aus. Man hielt den Zahlungsaufschub für zu begrenzt und die daran geknüpften Bedingungen für inakzeptabel. Der Ministerrat besprach das weitere Vorgehen, auch im Hinblick auf die Innenpolitik und die Genua-Konferenz. Der folgende Text gibt Ausführungen des Außenministers Walther Rathenau wieder.

Quelle: Akten der Reichskanzlei. Weimarer Republik. Kabinette Wirth I und II. Boppard 1973, S. 636f. (Auszüge).

Die Erfüllungspolitik sei niemals als Selbstzweck angesehen worden. Sie mußte aber geführt werden, nachdem wir das Londoner Ultimatum unterschrieben hatten. Hätten wir gleich hinterher die Unmöglichkeit der Erfüllung betont, so wäre dies innen und außen äußerst gefährlich gewesen. Alle Mächte wären dadurch gegen uns zusammengeschweißt worden. [...]

Auf der anderen Seite sei klar, daß, wenn eine Erfüllungspolitik rein positiv sei, dies zu einer Änderung nicht führen könne. Daher hätten die rechtsgerichteten Parteien in Deutschland stets starke Argumente für sich gehabt, die man in der Öffentlichkeit nicht widerlegen dürfte, um dem Feinde nicht Waffen zu schmieden. Die Erfüllungspolitik sei nötig gewesen und sei es noch. Sie schließe aber nicht ein absolut fortgesetztes »Ja« ein, denn solches entnerve das Volk und könne uns auch keine Sozien schaffen. Er hebe also nochmals hervor, daß die Erfüllungspolitik kein Selbstzweck sei und kein restloses »Ja« bedeute.

Man werde jetzt sagen, die Erfüllungspolitik sei zusammengebrochen, die Regierung geschwenkt. Beides sei falsch. Diese Politik habe die Ruhr gerettet. Diese Politik würde auch jetzt nicht verlassen, aber sie sei eben keine Erfüllungspolitik sans phrase, sondern sei begrenzt, und von vornherein hätte festgestanden, daß ihre Grenzen einmal offenbar werden mußten. Die Aufgabe sei, jetzt zu beobachten, wieweit das Eis tragfähig sei. Um die Belastungsprobe kämen wir jetzt nicht herum. Wir würden hier auch nicht passiv bleiben, sondern eigene Schritte unternehmen, die er zur Zeit nicht mitteilen könne. Wir ständen also in der Situation, daß wir zum ersten Male »Nein« sagen müßten. Diese Tatsache würde in Frankreich in großer Aufmachung ausgenutzt werden, wovon ein gewisser Reflex wohl auch auf England hinüberschlagen würde. Denn Poincaré, der ein sehr starker Gegner sei, würde nichts unterlassen, um Stimmung gegen uns zu machen. Ein Risiko sei also zweifellos gegeben. Wir müßten es jetzt aber auf uns nehmen, obwohl es größer geworden sei, als er früher gehofft hätte. Er sei sich der Gefahr voll bewußt, aber das Risiko sei uns aufgezwungen.

5. Protokoll der Ministerratssitzung vom 5. April 1922 beim Reichspräsidenten

Quelle: Akten der Reichskanzlei. Kabinette Wirth I und II, S. 677f, 681f. (Auszüge).

[Wenige Tage vor dem Beginn der Konferenz von Genua fand eine abschließende Beratung im Kabinett statt. Dabei erklärte Reichskanzler Wirth:] Eine weitere wichtige Frage sei die, ob wir bei Beginn der Konferenz aktiv auftreten sollten. Am Sonntag solle eine Vorkonferenz der Alliierten stattfinden, er fürchte, daß wir bei dieser Situation etwas spät kämen. Sollten wir bei dieser Lage uns zurückhalten, bis die Problemstellung von anderer Seite erfolgt sei? Sollten wir das russische und mitteleuropäische [Anleihe- und Versorgungs-] Problem selbst aufwerfen? Er sei der Ansicht, daß wer nicht durch Stellung dieser Probleme aktiv werde, in den Hintergrund gedrängt werden würde. Daher sei er für eine gewisse Aktivität auf der Konferenz, die auch innenpolitisch nötig sei. Wenn wir uns auf das Schweigen beschränkten, so könnten wir uns innenpolitisch nicht halten.

[Rathenau stellte fest,] daß die russische Frage stark politisch geworden sei. Die Russen wollten jetzt über alle möglichen Dinge mit uns sprechen. Wie weit wir Rußland unterstützen würden, hänge von dem Maß seines Entgegenkommens ab. Ihm sei der Beitritt zum Versailler Vertrag vorbehalten. Hierüber würden wir uns mit Rußland einigen, müßten aber vermeiden, durch diese Einigung mit den Westmächten in einen Konflikt zu kommen. [...] Es sei außerordentlich schwer, mit den Russen in ein wirkliches Verhältnis zu kommen, denn sie trieben die Unzuverlässigkeit auf die Spitze. Aber die Russen brauchten uns mehr als wir sie.

[Im Hinblick auf die Ostpolitik war auch der – akzeptierte – Vorschlag des Vizekanzlers Bauer wichtig:] In der Frage der Enthaltung von Angriffen müßten wir sagen, daß wir die jetzigen Grenzen nicht anerkennen könnten, weil das Selbstbestimmungsrecht der Völker nicht gewahrt worden sei. Aber wir dächten nicht an Angriffe und seien daher zu einem entsprechenden Abkommen bereit.

6. Der Vertrag von Rapallo, 16. April 1922

Im folgenden wird sowohl der Vertragstext als auch der geheime Notenwechsel zwischen Georgij Tschitscherin und Walther Rathenau vom 16. April 1922 wiedergegeben.

Quellen: Reichsgesetzblatt 1922, Teil II, S. 677f.; Historische Zeitschrift 204 (1967), S. 608.

Die Deutsche Regierung, vertreten durch Reichsminister Dr. Walther Rathenau und
die Regierung der Russischen Sozialistischen Föderativen Sowjetrepublik, vertreten durch Volkskommissar Tschitscherin
sind über nachstehende Bestimmungen übereingekommen:

Artikel 1
Die beiden Regierungen sind darüber einig, daß die Auseinan-

dersetzung zwischen dem Deutschen Reiche und der Russischen Sozialistischen Föderativen Sowjetrepublik über die Fragen aus der Zeit des Kriegszustandes zwischen Deutschland und Rußland auf folgender Grundlage geregelt wird:

a) Das Deutsche Reich und die Russische Sozialistische Föderative Sowjetrepublik verzichten gegenseitig auf den Ersatz ihrer Kriegskosten sowie auf den Ersatz der Kriegsschäden, d. h. derjenigen Schäden, die ihnen und ihren Angehörigen in den Kriegsgebieten durch militärische Maßnahmen einschließlich aller in Feindesland vorgenommenen Requisitionen entstanden sind. Desgleichen verzichten beide Teile auf den Ersatz der Zivilschäden, die den Angehörigen des einen Teiles durch die sogenannten Kriegsausnahmegesetze oder durch Gewaltmaßnahmen staatlicher Organe des anderen Teiles verursacht worden sind.
b) Die durch den Kriegszustand betroffenen öffentlichen und privaten Rechtsbeziehungen, einschließlich der Frage der Behandlung der in die Gewalt des anderen Teiles geratenen Handelsschiffe, werden nach dem Grundsatz der Gegenseitigkeit geregelt werden.
c) Deutschland und Rußland verzichten gegenseitig auf Erstattung der beiderseitigen Aufwendungen für Kriegsgefangene. Ebenfalls verzichtet die Deutsche Regierung auf Erstattung der von ihr für die in Deutschland internierten Angehörigen der Roten Armee gemachten Aufwendungen. Die Russische Regierung verzichtet ihrerseits auf Erstattung des Erlöses aus von Deutschland vorgenommenen Verkäufen des von diesen Internierten nach Deutschland gebrachten Heeresgutes.

Artikel 2
Deutschland verzichtet auf die Ansprüche, die sich aus der bisherigen Anwendung der Gesetze und Maßnahmen der Russischen Sozialistischen Föderativen Sowjetrepublik auf deutsche Reichsangehörige oder ihre Privatrechte sowie auf die Rechte des Deutschen Reichs und der Länder gegen Rußland sowie aus den von der Russischen Sozialistischen Föderativen Sowjetrepublik oder ihren Organen sonst gegen Reichsangehörige oder ihre Privatrechte getroffenen Maßnahmen ergeben, vorausgesetzt, daß die Regierung der Russischen Sozialistischen Föderativen Sowjetrepublik auch ähnliche Ansprüche dritter Staaten nicht befriedigt.

Artikel 3
Die diplomatischen und konsularischen Beziehungen zwischen dem Deutschen Reiche und der Russischen Sozialistischen Föderativen Sowjetrepublik werden sogleich wieder aufgenommen. Die Zulassung der beiderseitigen Konsuln wird durch ein besonderes Abkommen geregelt werden.

Artikel 4
Die beiden Regierungen sind sich ferner auch darüber einig, daß für die allgemeine Rechtsstellung der Angehörigen des einen Teiles im Gebiete des anderen Teiles und für die allgemeine Regelung der beiderseitigen Handels- und Wirtschaftsbeziehungen der Grundsatz der Meistbegünstigung gelten soll. Der Grundsatz der Meistbegünstigung erstreckt sich nicht auf die Vorrechte und Erleichterungen, die die Russische Sozialistische Föderative Sowjetrepublik einer Sowjetrepublik oder einem solchen Staate gewährt, der früher Bestandteil des ehemaligen Russischen Reiches war.

Artikel 5
Die beiden Regierungen werden den wirtschaftlichen Bedürfnissen der beiden Länder in wohlwollendem Geiste wechselseitig entgegenkommen. Bei einer grundsätzlichen Regelung dieser Frage auf internationaler Basis werden sie in vorherigen Gedankenaustausch eintreten. Die Deutsche Regierung erklärt sich bereit, die ihr neuerdings mitgeteilten, von Privatfirmen beabsichtigten Vereinbarungen nach Möglichkeit zu unterstützen und ihre Durchführung zu erleichtern.

Artikel 6
Die Artikel 1 b und 4 dieses Vertrags treten mit der Ratifikation, die übrigen Bestimmungen dieses Vertrags treten sofort in Kraft.

Ausgefertigt in doppelter Urschrift in Rapallo am 16. April 1922.

gez. Rathenau gez. Tschitscherin

G. Tschitscherin
Vice-Président de la Délégation Russe
16. April 1922

Sehr geehrter Herr Reichsminister!

Mit Beziehung auf den heute unterzeichneten Vertrag beehre ich mich Ihnen namens meiner Regierung folgendes mit der Bitte um vertrauliche Behandlung zu bestätigen:

In Bezug auf die in Artikel 2 des Vertrages getroffenen Vereinbarungen sind sich die beiden Vertragsschließenden darüber einig, daß im Falle einer späteren Anerkennung der in diesem Artikel erwähnten Ansprüche seitens Rußland einem dritten Staate gegenüber die Regelung dieser Frage zwischen Deutschland und Rußland besonderen künftigen Verhandlungen vorbehalten wird, und zwar auf der Grundlage, daß die früheren deutschen Unternehmungen ebenso behandelt werden sollen wie gleichartige Unternehmungen des betreffenden dritten Staates.

Die Deutsche Regierung verpflichtet sich, an den einzelnen Unternehmungen des internationalen Wirtschaftskonsortiums in Rußland nur nach vorheriger Vereinbarung mit der Regierung der R. S. F. S. R. teilzunehmen.

Die Deutsche Regierung behält sich ausdrücklich vor die volle Handlungsfreiheit in bezug auf etwaige selbständige industrielle und kaufmännische Unternehmungen in Rußland außerhalb des Rahmens des Internationalen Wirtschaftskonsortiums.

Genehmigen Sie, Herr Reichsminister, die Versicherung meiner ausgezeichneten Hochachtung

(gez.) Georg Tschitscherin

7. Memorandum der Reichsregierung an die Alliierten vom 7. Juni 1923

Die wichtigste offizielle Initiative der Regierung Cuno während des Ruhrkampfes war die Reparationsnote vom 2. Mai 1923; sie fand eine überwiegend kritische Aufnahme und war auch intern wegen ihrer Vagheit umstritten. Das Memorandum vom 7. Juni 1923 sollte den Eindruck korrigieren, was auch gelang, und enthielt Vorschläge, die später im Dawes-Plan verwirklicht wurden.

Quelle: Die den Alliierten seit Waffenstillstand übermittelten deutschen Angebote und Vorschläge zur Lösung der Reparations- und Wiederaufbaufrage. Berlin 1923, S. 109f.

1. Die Deutsche Regierung hat nach sorgfältiger und gewissenhafter Untersuchung ihre ehrliche Ansicht darüber zum Ausdruck gebracht, was Deutschland an Reparationen zu leisten fähig ist. Sie würde nicht aufrichtig handeln und das Problem seiner wirklichen Lösung nicht näherbringen, wenn sie, nur um die politischen Schwierigkeiten des Augenblicks vorübergehend zu erleichtern, mehr versprechen wollte, als nach ihrer Überzeugung das deutsche Volk bei Anspannung aller seiner Kräfte zu halten imstande ist.

Die Frage nach der deutschen Leistungsfähigkeit ist jedoch eine Tatsachenfrage, über die verschiedene Meinungen möglich sind. Deutschland verkennt nicht, daß es unter den augenblicklichen Verhältnissen ungemein schwer ist, zu einer sicheren Schätzung zu gelangen. Aus diesem Grunde hat die Deutsche Regierung sich erboten, die Entscheidung einer unparteiischen internationalen Instanz über Höhe und Art der Zahlungen anzunehmen. Ein stärkerer Beweis für den Reparationswillen Deutschlands ist nicht denkbar.

Die Deutsche Regierung ist bereit, alle Unterlagen für eine zuverlässige Beurteilung der deutschen Leistungsfähigkeit beizubringen. Sie wird auf Erfordern vollen Einblick in die staatliche Finanzgebarung gewähren und alle gewünschten Auskünfte über die Hilfsquellen der deutschen Volkswirtschaft erteilen.

2. Die Deutsche Regierung hatte die Ausgabe großer Anleihen in Aussicht genommen, um den reparationsberechtigten Mächten baldmöglichst erhebliche Kapitalbeträge zuzuführen. Solange sich die Ausgabe von Anleihen in großen Beträgen als undurchführbar erweist, ist die Deutsche Regierung auch damit einverstanden, daß an Stelle der Kapitalsummen ein System von Jahresleistungen tritt.

3. Da die Alliierten Regierungen Wert darauf legen, schon jetzt genauere Angaben über die Auswahl und die Ausgestaltung der von Deutschland ins Auge gefaßten Sicherheiten zu erhalten, schlägt die Deutsche Regierung folgende Garantien für die Durchführung des endgültigen Reparationsplanes vor:

a) Die Reichsbahn wird mit allen Anlagen und Einrichtungen von dem sonstigen Reichsvermögen losgelöst und in ein Sondervermögen umgewandelt, das in Einnahmen und Ausgaben von der allgemeinen Finanzverwaltung unabhängig ist und unter eigener Verwaltung steht. Die Reichsbahn gibt Goldobligationen in Höhe von 10 Milliarden Goldmark aus, die alsbald als erststelliges Pfandrecht auf das Sondervermögen eingetragen werden und vom 1. Juli 1927 ab mit 5% verzinslich sind, also eine Jahresleistung von 500 Millionen Goldmark sicherstellen.

b) Um eine weitere Jahresleistung von 500 Millionen Goldmark vom 1. Juli 1927 ab sicherzustellen, wird die Deutsche Regierung alsbald die gesamte deutsche Wirtschaft, Industrie, Banken, Handel, Verkehr und Landwirtschaft zu einer Garantie heranziehen, die als erststelliges Pfandrecht in Höhe von 10 Milliarden Goldmark auf den gewerblichen, den städtischen und den land- und forstwirtschaftlichen Grundbesitz eingetragen wird. Die 500 Millionen Goldmark Jahresleistung werden entweder mittelbar im Rahmen einer allgemeinen, auch den übrigen Besitz erfassenden Steuer oder unmittelbar von den belasteten Objekten aufgebracht.

c) Außerdem werden die Zölle auf Genußmittel und die Verbrauchssteuern auf Tabak, Bier, Wein und Zucker sowie die Erträge des Branntweinmonopols als Sicherheit für die Jahresleistungen verpfändet. Der Rohertrag dieser Zölle und Verbrauchsabgaben, der sich im Durchschnitt der letzten Vorkriegsjahre auf rund 800 Millionen Mark belief, ist zwar seitdem infolge des Verlustes an Land und Volk und infolge des verminderten Verbrauchs auf etwa ein Viertel zurückgegangen. Mit der Gesundung der Wirtschaft wird er jedoch automatisch wieder steigen.

4. Zum Schluß glaubt die Deutsche Regierung folgendes betonen zu müssen: In einer so großen und so verwickelten Frage können entscheidende Fortschritte nicht durch schriftliche Darlegungen, sondern nur durch mündlichen Gedankenaustausch am Verhandlungstisch erzielt werden. Deutschlands Zahlungsvermögen hängt von der Art der Lösung des Gesamtproblems ab. Die Zahlungsmethode kann nur in unmittelbarer Aussprache mit den Empfangsberechtigten geregelt werden. Die Festlegung der Garantien in ihren Einzelheiten bedarf der Mitwirkung derjenigen, denen die Garantien dienen sollen. Zur Lösung aller dieser Fragen sind mündliche Verhandlungen nötig.

Deutschland erkennt seine Verpflichtung zur Reparation an. Die Deutsche Regierung wiederholt ihr Ersuchen, eine Konferenz zu berufen, um den besten Weg zur Erfüllung dieser Verpflichtung zu vereinbaren.

8. Rede Stresemanns in Dortmund am 13. November 1924

Wenige Tage nach der Freigabe Dortmunds durch die Franzosen im Zuge der auf der Londoner Konferenz vereinbarten schrittweisen Räumung des Ruhrgebiets hielt Stresemann eine grundsätzliche Rede über den Stand der auswärtigen Beziehungen des Reiches und die Bedeutung der Verständigungspolitik, vor allem in wirtschaftlicher Hinsicht. Der folgende Text ist ein Auszug aus dem von Stresemann überarbeiteten Entwurf des Auswärtigen Amtes.

Quelle: Politisches Archiv des Auswärtigen Amts, Bonn. Nachlaß Stresemann, Allg. Akten, Bd. 18 (Auszüge).

Die künftige Geschichtsschreibung wird, wie ich mit Sicherheit glaube sagen zu können, bei ihrer Schilderung der Auswirkungen des Weltkrieges das Jahr 1924 als das Jahr bezeichnen, das nach fünfjährigem fruchtlosem Hader den Umschwung zum Besseren gebracht hat. Wir haben in diesem Jahre zum erstenmal Anzeichen dafür gesehen, daß die Erkenntnis der Notwendigkeit des Zusammenarbeitens der Völker und eines friedlichen Ausgleichs ihrer Interessen Herr zu werden beginnt über die Gegensätze des Krieges und seine furchtbaren Folgen. [...]

Wenn wir [...] das System der Meistbegünstigung zum Mittelpunkt unserer [Handels-] Verhandlungen machen, so geschieht das nicht nur, weil dieses System am besten geeignet ist, die wirtschaftlichen Beziehungen mit den einzelnen Vertragsländern auf einer gerechten und dauernden Basis zu regeln, sondern noch viel mehr, weil dieses System allein eine wirtschaftliche Verständigung und Annäherung aller Länder in Europa gewährleistet. Jedes andere System von Zollvereinbarungen führt zur Abschließung der Länder unter sich [...]. Die Wirtschaftsverhandlungen, die jetzt eingeleitet sind [...], werden darüber entscheiden, ob in Europa in den nächsten Jahrzehnten wirtschaftliche Verständigung und Zusammenarbeit oder ein wirtschaftlicher Kampf aller gegen alle herrschen wird. Wirtschaftskampf drängt aber immer zu gewaltsamen Lösungen. [...]

Wir müssen uns andererseits aber darüber klar sein, daß, wenn wir nach dem Ausland ausführen wollen und müssen, wir *dem Ausland auch unseren eigenen Markt öffnen müssen.* Wir können von dem Ausland nicht verlangen, daß es unsere Waren aufnimmt, wenn wir uns gegen die Waren des Auslands absperren. [...]

Die besondere Wichtigkeit, die den Verhandlungen mit

Frankreich zukommt, ist darin begründet, daß es sich hier darum handelt, die politische Entspannung, die durch das Londoner Abkommen eingeleitet worden ist, nicht nur nicht zu gefährden, sondern im Gegenteil zu erhalten und zu kräftigen. *Eine wirtschaftliche Verständigung mit Frankreich wird eines der wichtigsten Werkzeuge für eine Befriedung Europas in den nächsten Jahrzehnten sein.*

9. Rede Stresemanns vom 16. April 1925 vor dem Übersee-Klub in Hamburg

Quelle: Politisches Archiv des Auswärtigen Amts, Bonn. Nachlaß Stresemann, Allg. Akten, Bd. 23 (Auszüge).

Auch außerhalb der Reparationsfrage, außerhalb der engeren uns zunächst berührenden deutschen Interessen, sehen Sie in der Welt das Bestreben, weltwirtschaftliche Ziele mit staatspolitischen Machtmitteln zu erreichen. [...] Der stärkste Ausdruck der Verbindung beider Interessen aber, schon mit der neuen Entwicklung das Gefüge der Weltwirtschaft wieder zusammenzubringen, ist letzten Endes jener Versuch, den man mit Rücksicht auf einen der amerikanischen Mitarbeiter das »Dawes-Gutachten« nennt, jene wirtschaftliche Verständigung, die in der Londoner Konferenz des vergangenen Jahres ihren Ausdruck fand. Verstehe ich die Initiative der Vereinigten Staaten in Bezug auf dieses Gutachten richtig, dann war einer der leitenden Gesichtspunkte, der hierzu führte, der Versuch, den friedlichen Gang der weltwirtschaftlichen Entwicklung dadurch zu sichern, daß man diese weltwirtschaftliche Entwicklung frei machte von den ewigen politischen Spannungen um die nicht ausführbare Lösung der Reparationsfrage [...]. Ich glaube das eine sagen zu können, daß wir heute noch viel enger mit dem Auslande verflochten sind, als es früher der Fall war, daß die Frage der Gestaltung der Weltwirtschaft deshalb auch viel schicksalsentscheidender für uns geworden ist, als sie in der Vorkriegszeit gewesen ist. [...]

Die Abhängigkeit der deutschen Wirtschaft von ihrer Umwelt ist ungemein gesteigert, und sie wird sich um so stärker auswirken, je mehr sich die deutsche Produktionskraft voll entfalten kann. Dabei gilt auch für die Wirtschaft, was für die Politik gilt: wir verfügen nicht mehr über die machtpolitischen Mittel. Das stolze Wort, das wir früher oft ausgesprochen haben, daß der Kaufmann der Flagge folgen muß, gilt nicht mehr für die heutige Zeit. Wir haben nur noch ein wirtschaftliches Machtinstrument: das ist die Bedeutung unseres eigenen Volkes als Konsument in der Welt. [...]

Wir müssen die fremden Völker nicht nur durch die Logik der weltwirtschaftlichen Gedankengänge dazu bringen, daß sie ein Interesse haben, daß Deutschland nicht zugrunde geht, sondern ihr eigenes Interesse muß mit dem Aufstieg oder dem Niedergange Deutschlands unmittelbar verbunden sein. [...]

Ich möchte weiter – nicht offiziös oder offiziell, sondern lediglich für meine Person – sagen: Mir scheint gegenüber der Balkanisierung Europas die Frage einer möglichen Vergrößerung eines zollfreien Wirtschaftsgebietes geradezu entscheidend zu sein für die Entwicklung unserer deutschen Produktion. Es sind schließlich zwei große Grundsätze, um die gekämpft wird, nicht jetzt abschließend, aber doch wohl für die Zukunft; der eine heißt: möglichste Abschließung des deutschen Marktes durch hohe Zölle; der andere heißt: möglichste Erweiterung des Wirtschaftsradius durch Vergrößerung des Wirtschaftsgebietes. Ich glaube nicht, daß der erste Weg auf die Dauer gangbar ist. [...] Ich darf ein weiteres, auch rein persönliches, sagen: Ohne den Wettbewerb von draußen verkümmert der technische Fortschritt im Innern. [...] Wir sind auf die Weltwirtschaft angewiesen; in der Weltwirtschaft draußen muß man auch den frischen Wind, den Sturm internationalen Wettbewerbs bestehen können, wenn man glaubt, auf die Dauer überhaupt ein Rolle spielen zu können. Ich glaube, daß wir von diesen Gesichtspunkten aus, wenn wir zu diesem alten Gedanken zurückkommen, auch Zollunionen weniger zu fürchten haben als vielleicht andere Länder. Wir werden gegenüber der Kapitalkraft, dem Goldvorrat, der technischen Durchbildung Amerikas in Europa nicht bestehen können, wenn wir dieses System der Zollmauer der einzelnen Staaten, die unmögliche ökonomische Autarkie, behalten wollen. [...]

Ehre und Würde des deutschen Namens und des deutschen Reiches haben nichts, aber auch gar nichts zu tun mit starken Worten, sondern werden am besten gewahrt durch sachliche Arbeit und durch Pflichterfüllung. [...] Ich sehe unsere Aufgabe in der Sicherung der Grenzen des Reiches, in der Erkämpfung der freien Entwicklung im Innern und in der Sicherung des Friedens zur Konsolidierung der deutschen Verhältnisse. Wir wollen von den andern, daß man uns in Frieden läßt, daß wir in Ruhe unsere Wirtschaft wieder aufrichten, daß wir empor kommen können, um unsere Pflichten gegen unser deutsches Volk und die übernommenen Pflichten gegen andere durchzuführen.

10. Vertrag von Locarno, 16. Oktober 1925

Quelle: Reichsgesetzblatt 1925, Teil II, S. 977–981.

Die Vertreter der Deutschen, Belgischen, Britischen, Französischen, Italienischen, Polnischen und Tschechoslowakischen Regierung, die vom 5. bis zum 16. Oktober 1925 in Locarno versammelt waren, um gemeinsam die Mittel zum Schutze ihrer Völker vor der Geißel des Krieges zu suchen und für die friedliche Regelung von Streitigkeiten jeglicher Art, die etwa zwischen einigen von ihnen entstehen könnten, zu sorgen, haben ihre Zustimmung zu den Entwürfen der sie betreffenden Verträge und Abkommen gegeben, die im Laufe der gegenwärtigen Konferenz ausgearbeitet worden sind und sich aufeinander beziehen:

Vertrag zwischen Deutschland, Belgien, Frankreich, Großbritannien und Italien (Anlage A)
Schiedsabkommen zwischen Deutschland und Belgien (Anlage B)
Schiedsabkommen zwischen Deutschland und Frankreich (Anlage C)
Schiedsvertrag zwischen Deutschland und Polen (Anlage D)
Schiedsvertrag zwischen Deutschland und der Tschechoslowakei (Anlage E).

Diese Urkunden, die schon jetzt *»ne varietur«* paraphiert werden, sollen das heutige Datum tragen. Die Vertreter der beteiligten Parteien kommen überein, am 1. Dezember d. J. in London zusammenzutreten, um in einer Sitzung die förmliche Unterzeichnung der sie betreffenden Urkunden vorzunehmen.

Der Französische Minister der auswärtigen Angelegenheiten macht Mitteilung davon, daß im Anschluß an die obenerwähnten Entwürfe von Schiedsverträgen Frankreich, Polen und die Tschechoslowakei in Locarno gleichfalls Entwürfe zu Abkommen aufgestellt haben, um sich gegenseitig den Nutzen dieser Verträge zu sichern. Diese Abkommen werden regelrecht beim Völkerbund hinterlegt werden; Herr Briand hält aber schon jetzt Abschriften davon zur Verfügung der hier vertretenen Mächte.

Der Großbritannische Staatssekretär für auswärtige Angelegenheiten schlägt vor, daß zur Beantwortung gewisser, vom Deutschen Reichskanzler und Außenminister gestellter Forderungen nach Aufklärungen über den Artikel 16 der Völkerbundssatzung das im Entwurf hier gleichfalls angeschlossene Schreiben (Anlage F) gleichzeitig mit der förmlichen Unterzeichnung der obenerwähnten Urkunden an sie gerichtet wird. Dieser Vorschlag wird angenommen.

Die Vertreter der hier vertretenen Regierungen erklären ihre feste Überzeugung, daß die Inkraftsetzung dieser Verträge und Abkommen in hohem Maße dazu beitragen wird, eine moralische Entspannung zwischen den Nationen herbeizuführen, daß sie die Lösung vieler politischer und wirtschaftlicher Probleme gemäß den Interessen und Empfindungen der Völker stark erleichtern wird, und daß sie so, indem sie Frieden und Sicherheit in Europa festigt, das geeignete Mittel sein wird, in wirksamer Weise die im Artikel 8 der Völkerbundssatzung vorgesehene Entwaffnung zu beschleunigen.

Sie verpflichten sich, an den vom Völkerbund bereits aufgenommenen Arbeiten hinsichtlich der Entwaffnung aufrichtig mitzuwirken und die Verwirklichung der Entwaffnung in einer allgemeinen Verständigung anzustreben.

Geschehen zu Locarno am 16. Oktober 1925

(gez.) Dr. Luther
Stresemann
Emile Vandervelde
A. Briand
Austen Chamberlain
Benito Mussolini
Al. Skrzynski
Dr. Eduard Benes

Anlage A.

Der Deutsche Reichspräsident, Seine Majestät der König der Belgier, der Präsident der Französischen Republik, Seine Majestät der König des Vereinigten Königreichs von Großbritannien und Irland und der überseeischen britischen Lande, Kaiser von Indien, Seine Majestät der König von Italien;

bestrebt, dem Wunsche nach Sicherheit und Schutz zu genügen, der die Völker beseelt, die unter der Geißel des Krieges 1914 bis 1918 zu leiden gehabt haben;

im Hinblick auf die Tatsache, daß die Verträge zur Neutralisierung Belgiens hinfällig geworden sind, und im Bewußtsein der Notwendigkeit, den Frieden in dem Gebiete zu sichern, das so oft der Schauplatz der europäischen Konflikte gewesen ist;

in gleicher Weise beseelt von dem aufrichtigen Wunsche, allen beteiligten Signatarmächten im Rahmen der Völkerbundssatzung und der zwischen ihnen in Kraft befindlichen Verträge ergänzende Garantien zu gewähren;

haben beschlossen, zu diesen Zwecken einen Vertrag zu schließen, und haben zu Bevollmächtigten ernannt:

....

....

die, nachdem sie ihre Vollmachten ausgetauscht und in guter und gehöriger Form befunden haben, über folgende Bestimmungen übereingekommen sind:

Artikel 1

Die Hohen Vertragschließenden Teile garantieren, jeder für sich und insgesamt, in der in den folgenden Artikeln bestimmten Weise die Aufrechterhaltung des sich aus den Grenzen zwischen Deutschland und Belgien und zwischen Deutschland und Frankreich ergebenden territorialen Status quo, die Unverletzlichkeit dieser Grenzen, wie sie durch den in Versailles am 28. Juni 1919 unterzeichneten Friedensvertrag oder in dessen Ausführung festgesetzt sind, sowie die Beobachtung der Bestimmungen der Artikel 42 und 43 des bezeichneten Vertrages über die demilitarisierte Zone.

Artikel 2

Deutschland und Belgien und ebenso Deutschland und Frankreich verpflichten sich gegenseitig, in keinem Falle zu einem

Angriff oder zu einem Einfall oder zum Kriege gegeneinander zu schreiten.
Diese Bestimmung findet jedoch keine Anwendung, wenn es sich handelt

1. um die Ausübung des Rechtes der Selbstverteidigung, das heißt um den Widerstand gegen eine Verletzung der Verpflichtung des vorstehenden Absatzes oder gegen einen flagranten Verstoß gegen die Artikel 42 oder 43 des Vertrags von Versailles, sofern ein solcher Verstoß eine nicht provozierte Angriffshandlung darstellt und wegen der Zusammenziehung von Streitkräften in der demilitarisierten Zone eine sofortige Aktion notwendig ist;

2. um eine Aktion auf Grund des Artikel 16 der Völkerbundssatzung;

3. um eine Aktion, die auf Grund einer Entscheidung der Versammlung oder des Rates des Völkerbundes oder auf Grund des Artikel 15 Abs. 7 der Völkerbundssatzung erfolgt, vorausgesetzt, daß sich die Aktion in diesem letzten Falle gegen einen Staat richtet, der zuerst zum Angriff geschritten ist.

Artikel 3
Im Hinblick auf die von ihnen im Artikel 2 beiderseits übernommenen Verpflichtungen verpflichten sich Deutschland und Belgien sowie Deutschland und Frankreich, auf friedlichem Wege, und zwar in folgender Weise, alle Fragen jeglicher Art zu regeln, die sie etwa entzweien und die nicht auf dem Wege des gewöhnlichen diplomatischen Verfahrens gelöst werden können.

Alle Fragen, bei denen die Parteien untereinander über ein Recht im Streite sind, sollen Richtern unterbreitet werden, deren Entscheidung zu befolgen die Parteien sich verpflichten.

Jede andere Frage ist einer Vergleichskommission zu unterbreiten. Wird der von dieser Kommission vorgeschlagenen Regelung nicht von beiden Parteien zugestimmt, so ist die Frage vor den Völkerbundsrat zu bringen, der gemäß Artikel 15 der Völkerbundssatzung befindet.

Die Einzelheiten dieser Methoden friedlicher Regelung bilden den Gegenstand besonderer Abkommen, die am heutigen Tage unterzeichnet worden sind.

Artikel 4
1. Ist einer der Hohen Vertragschließenden Teile der Ansicht,

daß eine Verletzung des Artikel 2 dieses Vertrages oder ein Verstoß gegen die Artikel 42 oder 43 des Vertrages von Versailles begangen worden ist oder begangen wird, so wird er die Frage sofort vor den Völkerbundsrat bringen.

2. Sobald der Völkerbundsrat festgestellt hat, daß eine solche Verletzung oder ein solcher Verstoß begangen worden ist, zeigt er dies unverzüglich den Signatarmächten dieses Vertrages an, und jede von ihnen verpflichtet sich, in solchem Falle der Macht, gegen die sich die beanstandete Handlung richtet, sofort ihren Beistand zu gewähren.

3. Im Falle einer flagranten Verletzung des Artikel 2 dieses Vertrages oder eines flagranten Verstoßes gegen die Artikel 42 oder 43 des Vertrages von Versailles durch einen der Hohen Vertragschließenden Teile verpflichtet sich schon jetzt jede der anderen vertragschließenden Mächte, sobald ihr erkennbar geworden ist, daß diese Verletzung oder dieser Verstoß eine nicht provozierte Angriffshandlung darstellt, und daß im Hinblick, sei es auf die Überschreitung der Grenze, sei es auf die Eröffnung der Feindseligkeiten oder die Zusammenziehung von Streitkräften in der demilitarisierten Zone, ein sofortiges Handeln geboten ist, demjenigen Teile, gegen den eine solche Verletzung oder ein solcher Verstoß gerichtet worden ist, sofort ihren Beistand zu gewähren. Dessen ungeachtet wird der gemäß Absatz 1 dieses Artikels mit der Frage befaßte Völkerbundsrat das Ergebnis seiner Feststellungen bekanntgeben. Die Hohen Vertragschließenden Teile verpflichten sich, in solchem Falle nach Maßgabe der Empfehlungen des Rates zu handeln, die alle Stimmen mit Ausnahme derjenigen der Vertreter der in die Feindseligkeiten verstrickten Teile auf sich vereint haben.

Artikel 5

Die Bestimmung des Artikel 3 dieses Vertrages wird in nachstehender Weise unter die Garantie der Hohen Vertragschließenden Teile gestellt:

Wenn sich eine der im Artikel 3 genannten Mächte weigert, das Verfahren zur friedlichen Regelung zu befolgen oder eine schiedsgerichtliche oder richterliche Entscheidung auszuführen, und eine Verletzung des Artikel 2 dieses Vertrages oder einen Verstoß gegen die Artikel 42 oder 43 des Vertrages von Versailles begeht, so finden die Bestimmungen des Artikel 4 Anwendung.

Falls eine der im Artikel 3 genannten Mächte, ohne eine Verletzung des Artikel 2 dieses Vertrages oder einen Verstoß gegen die Artikel 42 oder 43 des Vertrages von Versailles zu begehen, sich weigern sollte, das Verfahren zur friedlichen Regelung zu befolgen oder eine schiedsgerichtliche oder richterliche Entscheidung auszuführen, so wird der andere Teil die Angelegenheit vor den Völkerbundsrat bringen, der die zu ergreifenden Maßnahmen vorschlagen wird; die Hohen Vertragschließenden Teile werden diese Vorschläge befolgen.

Artikel 6
Die Bestimmungen dieses Vertrages lassen die Rechte und Pflichten unberührt, die sich für die Hohen Vertragschließenden Teile aus dem Vertrag von Versailles sowie aus den ergänzenden Vereinbarungen, einschließlich der in London am 30. August 1924 [Dawes-Plan] unterzeichneten, ergeben.

Artikel 7
Dieser Vertrag, der die Aufrechterhaltung des Friedens sichern soll und der Völkerbundssatzung entspricht, kann nicht so ausgelegt werden, als beschränke er die Aufgabe des Völkerbundes, die zur wirksamen Wahrung des Weltfriedens geeigneten Maßnahmen zu ergreifen.

Artikel 8
Dieser Vertrag soll gemäß der Völkerbundssatzung beim Völkerbund eingetragen werden. Er bleibt solange in Kraft, bis der Rat, auf den drei Monate vorher den anderen Signatarmächten anzukündigenden Antrag eines der Hohen Vertragschließenden Teile, mit einer Mehrheit von mindestens zwei Dritteln der Stimmen feststellt, daß der Völkerbund den Hohen Vertragschließenden Teilen hinreichende Garantien bietet. Der Vertrag tritt alsdann nach Ablauf einer Frist von einem Jahr außer Kraft.

Artikel 9
Dieser Vertrag soll keinem der britischen Dominions noch Indien irgendeine Verpflichtung auferlegen, es sei denn, daß die Regierung des Dominions oder Indiens anzeigt, daß sie diese Verpflichtungen annimmt.

Artikel 10
Dieser Vertrag soll ratifiziert werden, und die Ratifikationsur-

kunden sollen sobald als möglich in Genf im Archiv des Völkerbundes hinterlegt werden.

Er soll in Kraft treten, sobald alle Ratifikationsurkunden hinterlegt sind und Deutschland Mitglied des Völkerbundes geworden ist.

11. Rede Stresemanns vor der Reichskonferenz der Reichszentrale für Heimatdienst am 28. Januar 1927

In dieser Rede vor der Vorgänger-Institution der Bundeszentrale für politische Bildung findet sich folgende Betrachtung über die Revision der Ostgrenze (die Vorstellungen des Auswärtigen Amtes sind einer Karte im Anhang der Akten zur deutschen auswärtigen Politik, Serie B, Bd. 2/1 zu entnehmen) und die Langfristigkeit der Locarno-Politik.

Quelle: Akten zur deutschen auswärtigen Politik 1918–1945. Serie B, Bd. 4, S. 600f. (Auszüge).

Auch nach einer anderen Richtung hin bitte ich Sie, die Dinge zu betrachten. Irgendeine Art kriegerischer Auseinandersetzung zwischen Polen und Deutschland wird von Deutschland nie begonnen werden. Was wir tun werden, ist, daß wir uns wehren, wenn Polen unsere Lebensinteressen verletzt. Aber wenn wir auf friedlichem Wege an den Verhältnissen, die heute dort bestehen, etwas ändern wollen, dann muß sich doch jeder darüber klar sein, daß das nur dann und erst dann möglich ist, wenn wir mit den westeuropäischen Mächten in einem Verhältnis stehen, daß wir ihrer Toleranz oder ihrer Unterstützung sicher sind. (Sehr richtig!) Wenn heute jemand den Gedanken hätte, der ja so leicht einem in den Kopf schießt, um diese Dinge mit Polen kämpfen zu wollen, dann weiß ich einmal nicht, ob wir selbst diesen Kampf führen könnten, von allem abgesehen, was gegen den Krieg überhaupt spricht. Wir sollen nicht andere Nationen verachten. Es sind mit die besten preußischen Soldaten gewesen, die einst von den Freiheitskriegen an in diesen Provinzen gekämpft haben. Und wir leiden oft an einer Überschätzung. Aber davon abgesehen: wenn Sie nicht eine Politik der Verständigung mit Frankreich führen, dann werden Sie in jedem Kampfe mit Polen Frankreich und Polen gegen sich haben und von links und rechts zermalmt werden. Deswegen ist es so töricht, zu sagen: dieser Außenminister treibt nur Westpolitik, ist ganz einseitig, guckt nur nach dem Westen. Ich habe nie mehr an unsern Osten gedacht als in der Zeit, wo ich mit dem Westen eine Verständigung suchte. (Bravo!) Ich bin der Überzeugung, daß man weit hinaus in der Welt sieht, daß diese Landkarte von Europa mit der Abschnürung von Ostpreußen unmöglich ist, daß man das einem Volke nicht zumuten kann, und an vielen Beispielen, auch von Franzosen und französischen Blättern, ist das zu belegen [...]. Man muß in der Beziehung auch lernen, daß die Dinge Zeit haben wollen. Ich glaube, Bismarck hat einmal gesagt, der Deutsche liebe es, wenn er Radieschen pflanzt, von Zeit zu Zeit die Erde aufzustechen, um zu sehen, ob sie bald herauskommen. (Heiterkeit.) Das fördert das Wachstum nicht. Wir müssen in unserer Politik ganz konsequent und methodisch vorgehen, mindestens in bezug auf das Zeitmaß, wenn nicht die Verhältnisse es anders gestatten. Was damals in jenen Oktober-Sonnentagen in Locarno begonnen wurde, hat zum mindesten die Hemmnisse weit zurückgedrängt, die sich einer vernünftigen Auslegung des Friedensvertrages entgegenstellen. Der Mensch vergißt ja nichts so leicht wie überstandene Gefahren. Wenn erst die Revolution vorüber ist, ärgert sich der Berliner, daß der Verkehr am Potsdamer Platz nicht vollkommen geregelt ist. Das eine hat er vergessen, das andere ist zur Hauptsache geworden.

12. Aufzeichnung des Staatssekretärs von Schubert, 16. Juli 1927

Quelle: Akten zur deutschen auswärtigen Politik 1918–1945. Serie B, Bd.6, S.84.

Nachdem ich heute anläßlich der Revolten in Wien dem Herrn Reichsminister Vortrag über meine Beobachtungen gehalten hatte, die ich seinerzeit in Wien gemacht hatte, sowie über die französische Kampagne in der Anschlußfrage, fragte ich den Herrn Reichsminister, wie er eigentlich zu der Anschlußfrage stehe.

Der Herr Reichsminister erwiderte, er betrachte den Anschluß als ein Opfer, das vielleicht einmal gebracht werden müsse. Vorläufig sei es seiner Ansicht nach richtig, zwischen beiden Staaten auf allen möglichen Gebieten eine Ausgleichung stattfinden zu lassen, die im Endeffekt das Ziel verfolge, die beiden Staaten aneinander zu ketten. Seiner Ansicht nach würde es am besten sein, wenn es schließlich und endlich bei diesem Zustande verbleibe, bei welchem Österreich eben als Staat selbständig erhalten bleibe und nicht an Deutschland angegliedert würde.

Ich erwiderte dem Herrn Reichsminister, das sei in allen Punkten durchaus meine Ansicht.

13. Staatssekretär von Schubert an die Botschaften in London, Paris, Rom und die Gesandtschaft in Brüssel, 28. Juli 1928

Quelle: Akten zur deutschen auswärtigen Politik 1918–1945. Serie B, Bd. 9, S. 476–479.

Nach der Entwicklung der politischen Gesamtlage ist es unvermeidlich, daß wir im September in Genf oder vielleicht schon bei Gelegenheit der Unterzeichnung des Kellogg-Paktes in Paris in den politischen Unterhaltungen die Räumungsfrage in bestimmterer Form zur Diskussion stellen, als dies bisher geschehen ist. Ich bitte Sie daher, Sir Austen Chamberlain aufzusuchen und ihm streng vertraulich mitzuteilen, Reichsminister Stresemann werde in Paris oder Genf zwei Fragen an ihn und Briand richten, 1. ob sie bereit seien, die Locarnopolitik tatkräftig weiterzuführen und 2. wenn ja, ob sie bereit seien, mit uns à l'amiable die Rheinlandfrage zu behandeln und hierzu eine Möglichkeit sähen. Wir hielten es für ein Gebot der Loyalität und der Zweckmäßigkeit, ihn und die anderen Beteiligten schon jetzt auf die Notwendigkeit dieser Besprechungen hinzuweisen, damit unsere Fragen sie nicht unvorbereitet träfen und die Unterredungen etwa ohne Ergebnis verliefen.

Vorweg bemerke ich, daß Zweck und Ziel Ihres Schrittes lediglich der ist, diese politische Aussprache über das Räumungsproblem vorzubereiten, nicht aber, dieses Problem irgendwie jetzt schon anhängig zu machen. Es handelt sich also für Sie nicht um eine Demarche im eigentlichen Sinne, sondern lediglich um die Vorbereitung einer solchen. Mit dieser Maßgabe bitte ich, bei Ihren Unterhaltungen von nachstehenden Ausführungen und politischen Erwägungen für den Fall Gebrauch zu machen, daß Chamberlain das Gespräch vertiefen sollte.

Ich brauche den Stand der Räumungsfrage und die dabei in Betracht kommenden Gesichtspunkte, insbesondere auch ihren Zusammenhang mit der Saarfrage nicht noch einmal im einzelnen darzulegen.

Wir sind überzeugt, einen Rechtsanspruch auf vorzeitige Räumung zu besitzen und leiten diesen aus Art. 431 V. V. her, der ausdrücklich die Möglichkeit einer vorzeitigen Räumung vor Ablauf der für die einzelnen Zonen festgesetzten Räumungsfrist vorsieht, falls Deutschland allen ihm aus dem Versailler Vertrag erwachsenden Verpflichtungen Genüge getan hat. Herr Briand hat unser unbestreitbares Recht, auf Grund des Art. 431 die Forderung nach vorzeitiger Räumung zu erheben, in einem Gespräch mit mir am 13. September 1927 bestätigt und bei der Besprechung der Locarnomächte vom 15. September 1927 von neuem ausdrücklich anerkannt.

Wir wollten aber nicht die rechtlichen Gesichtspunkte in den Vordergrund stellen, sondern die politischen. Hierzu ist folgendes zu sagen: Es ist für uns nötig, volle Klarheit über die Absichten der beteiligten Regierungen hinsichtlich der Räumungsfrage zu schaffen, da sonst die ganzen Beziehungen zwischen Deutschland und den Westmächten unklar und unsicher zu werden drohen. Der Kernpunkt unserer Außenpolitik ist das, was man als Locarnopolitik zu bezeichnen pflegt. Seit der deutschen Initiative im Februar 1925 haben wir unter dieser Politik eine ständig enger werdende Annäherung zwischen Deutschland und den Westmächten verstanden, und zwar eine Annäherung auf der Grundlage, wie sie durch den konkreten Inhalt der Locarnoverträge geschaffen worden ist. Wir sehen also diesen Vertragsinhalt nicht als ein Endresultat, sondern als Basis für ein ständiges vertrauensvolles Zusammenwirken in allen Fragen der europäischen Politik an. An einem solchen Zusammenwirken sind nach unserer Beurteilung der gesamteuropäischen Lage alle beteiligten Regierungen in gleichem Maße interessiert.

Der Verwirklichung dieses politischen Grundgedankens steht die Fortdauer der Besatzung als ein Hindernis im Wege. Es ist völlig verkehrt und entspricht auch nicht den historischen Tatsachen, die Dinge so darzustellen, als sei Locarno für uns nur ein taktisches Mittel gewesen, um für Deutschland einseitig bestimmte Einzelvorteile, wie die vorzeitige Räumung, zu erzielen. Wir haben Locarno stets von einem viel allgemeineren und höheren Gesichtspunkt aus bewertet. Wenn die Realisierung der Locarnopolitik in diesem allgemeinen und höheren Sinne die alsbaldige Beendigung der Besetzung erfordert, so ist das eine notwendige Konsequenz der nun einmal durch den Versailler Vertrag geschaffenen Ordnung der Dinge, eine Konsequenz, die nicht als einseitiges und unmotiviertes Geschenk von seiten der ehemaligen Alliierten hingestellt werden darf. Wir würden eine Außenpolitik im Sinne der Locarnopolitik auch dann angestrebt haben, wenn der Versailler Vertrag die Besetzung gar nicht vorgesehen hätte. Die Beseitigung der Besetzung ist demnach für uns, wie wir stets betont haben, nicht der Endzweck der Locarnopolitik, sondern nur ein – allerdings notwendiger – Schritt auf dem politischen Wege, der uns vorschwebt.

Es muß jetzt in offener Aussprache Klarheit darüber geschaffen werden, ob und inwieweit diese grundsätzliche Auffassung von der Gegenseite geteilt wird. Wir sind dem Rate Briands und Chamberlains gefolgt, die Räumungsfrage nicht zu überstürzen; nach Thoiry ist es für uns keine leichte Mühe gewesen, die deutsche Außenpolitik über die Stagnation der letzten beiden Jahre hinwegzubringen. Jetzt sind die Wahlen in Deutschland und Frankreich vorüber. Sie haben in Deutschland einen neuen und unwiderleglichen Beweis dafür erbracht, daß Herr Stresemann in seiner Außenpolitik den weitaus überwiegenden Teil des Volkes hinter sich hat. Er muß aber bei seiner Rückkehr aus Genf der deutschen Öffentlichkeit klipp und klar Auskunft darüber geben können, wie es mit der Räumung steht. Ein weiteres Hinhalten ist ausgeschlossen.

Falls Chamberlain auf die Frage der deutschen Gegenleistungen zu sprechen kommt, so ist folgendes zu berücksichtigen. Wie wir wissen, vertritt die französische Regierung den Standpunkt, daß sie unserer Räumungsforderung nur gegen angemessene deutsche Gegenleistungen stattgeben kann.

Auf der anderen Seite steht fest, daß zur Zeit eine Möglichkeit deutscher Gegenleistungen nicht gegeben ist. Gegenleistungen auf dem Gebiete der Sicherheitsfrage scheiden von vornherein aus und werden auch von der französischen Regierung selbst nicht mehr in Betracht gezogen; wir können also alle früheren Erörterungen über die Schaffung von »éléments stables« in der entmilitarisierten Zone als endgültig erledigt betrachten. Das gleiche gilt von dem sogenannten Ostlocarno. Auch Gegenleistungen Deutschlands, wie sie seinerzeit in Thoiry behandelt wurden, sind durch die Ereignisse überholt. Ebensowenig erscheint es angängig, irgendwelche Änderungen an Einzelheiten des Dawesplans vorzunehmen, weil alle diese Fragen für die Revision des Dawesplans mit endgültiger Festsetzung der Reparationsverpflichtungen Deutschlands vorbehalten bleiben müssen. Die Lösung dieser Frage steht aber noch in weitem Felde, so daß jede Verquickung der Räumungsfrage mit dem Dawesplan gleichbedeutend mit einer Vertagung der Räumung sein würde. Hieraus ergibt sich, daß das Problem zur Zeit nur nach allgemeinpolitischen Gesichtspunkten behandelt werden kann.

Sollte Chamberlain erklären, daß eine vorzeitige Räumung ohne Gegenleistung nicht möglich sei und daß es Sache Deutschlands sei, wegen solcher Gegenleistungen Vorschläge zu machen, so wäre zu erwidern, daß wir diesen Standpunkt nicht akzeptieren können. Wir haben in und nach Thoiry bewiesen, daß wir trotz unserer vorstehend dargelegten grundsätzlichen Auffassung bereit waren, uns den Gedanken finanzieller Gegenleistungen zu eigen zu machen. Solche Gegenleistungen haben sich aber, ohne daß Deutschland daran schuld ist, praktisch als undurchführbar erwiesen. Wenn die Gegenseite trotzdem auch jetzt noch auf Gegenleistungen besteht, so muß sie ihrerseits Vorschläge machen, die sich unter Berücksichtigung der Gesamtlage verwirklichen lassen.

Fügt sich die Gegenseite diesen Notwendigkeiten nicht, so bleibt dem deutschen Volk nichts anderes übrig, als die Last der Besetzung weiter zu tragen. Der Gegenseite fällt dann aber die Verantwortung für die unvermeidliche Hemmung des Versöhnungsprozesses zu.

Sollte endlich die Unterhaltung dazu führen, daß Chamberlain mit dem Gedanken der Räumung der zweiten Zone hervortritt, ein Thema, das ich Sie keinesfalls Ihrerseits anzuschneiden bitte, so wäre dazu in der bereits im Erlaß von 3. Juli – IIb R. 1351 – bezeichneten Weise Stellung zu nehmen. Ich wiederhole, daß eine derartige Teilräumung an sich schon nur von geringem Wert sein würde, daß sie aber zu einer Gefahr für uns werden könnte, wenn sie von der Gegenseite nicht gedacht und auch äußerlich ausgeführt würde als Auftakt für die Gesamträumung, sondern als Abspeisung, damit wir für längere Zeit Frankreich mit Räumungsansprüchen in Ruhe lassen müssen.

Abschließend betone ich nochmals, daß der Zweck Ihres

Schrittes lediglich ist, Sir Austen Chamberlain loyal zu erklären, welche Fragen wir in Genf oder in Paris an ihn und die anderen Beteiligten richten werden. An einer Vertiefung oder gar an einem Abschluß dieser Diskussion vor Genf haben wir kein Interesse. Es muß aber vermieden werden, daß die Genfer Besprechungen aus Mangel an Vorbereitung oder ähnlichen Vorwänden ergebnislos verlaufen, d.h. die notwendige Klärung der Situation nicht bringen.

Zu Ihrer persönlichen und vertraulichen Information bemerke ich noch, daß ein wesentliches Ziel unserer bevorstehenden Verhandlungen in Genf sein wird, die Gegenseite zu zwingen, sich endlich über die Räumungsfrage und ihre eventuellen Bedingungen klar zu werden und auszusprechen. In der Klarheit über die gegnerischen Forderungen liegt für uns bereits ein Gewinn. Es geht nicht an, daß wegen der Unmöglichkeit von Gegenleistungen, die Frankreichs weitgehende Wünsche befriedigen, die Räumungsfrage weiter wie bisher in der Schwebe bleibt und die allgemein politischen Momente, die für die Räumung sprechen, keine Berücksichtigung finden. Die Andauer des Schwebezustands schwächt unsere Haltung sowohl in bezug auf das Räumungsverlangen wie auch gesamtpolitisch. Das Odium einer Ablehnung einer Räumung würde dagegen Frankreich so gut wie allein zu tragen haben, und man darf in Paris und London nicht voraussetzen, daß wir uns etwa aus innerpolitischen Erwägungen scheuen würden, eine eindeutige Stellungnahme der Besatzungsmächte herbeizuführen.

14. Aufzeichnung des Ministerialdirektors Ritter, 21. August 1928

Ritter notiert hier seine Auffassung zum inneren Zusammenhang von Rheinlandräumung und endgültiger Reparationsregelung, nachdem er dargelegt hat, daß der Dawes-Plan und sein Funktionieren keine Ansatzpunkte für eine solche Regelung böten.

Quelle: Akten zur deutschen auswärtigen Politik 1918–1945. Serie B, Bd. 9, S. 608f. (Auszüge).

Gibt es andere Möglichkeiten, die endgültige Reparationsregelung in Angriff zu nehmen? [...] Die eine liegt in der Forderung der Gegenseite, die vorzeitige Räumung der Rheinlande mit Gegenleistungen zu verbinden, wobei nach Lage der Dinge nur an eine endgültige Reparationsregelung und Flüssigmachung der Reparationsforderungen gedacht werden kann. Sofern man die endgültige Regelung als ein erstrebenswertes Ziel ansieht und sich nicht etwa mit der Geltung des Dawesplans in seiner jetzigen Form auf unbestimmte Dauer abfinden will, sehe ich in dieser Verknüpfung – vom Reparationsstandpunkt aus – daher nicht eine Erschwerung, sondern eine Chance. Nur muß die Verknüpfung so geformt werden, daß unser Anspruch auf vorzeitige Räumung nicht kompromittiert wird, wenn die endgültige Reparationsregelung allzu lange auf sich warten läßt oder etwa überhaupt nicht möglich ist. [...] Die zweite Chance liegt darin, daß Frankreich aus verschiedenen Gründen an einer baldigen endgültigen Reparationsregelung interessiert ist. [...] Drittens wird das Jahr 1929 voraussichtlich für das französische Budget aus verschiedenen Gründen schwer sein. Aus allen diesen Gründen hat Frankreich jetzt ein unmittelbar drängendes Interesse an einer endgültigen Regelung, die Frankreich größere Barsummen bringt.

15. Außenminister Stresemann an den Reichstagspräsidenten Löbe (SPD), 19. September 1929

Quelle: Akten zur deutschen auswärtigen Politik 1918–1945. Serie B, Bd. 13, S. 59f.

Von den vielen Briefen, die ich nach den Zeiten im Haag und in Genf erhalten habe, haben mich Ihre Zeilen besonders erfreut. Ich denke noch daran, wie Sie seinerzeit nach den Verhandlungen in London die Aufforderung an mich richteten, den Eintritt Deutschlands in den Völkerbund zu vollziehen. Dieser »offene Brief« erreichte mich, als ich mich nach den Londoner Verhandlungen in Norderney befand. Seitdem haben Sie mit außerordentlicher Freundlichkeit den Weg der Außenpolitik verfolgt, und ich durfte mich auf meinen Wegen, die ich gegangen bin, Ihrer Zustimmung versichert glauben. In den Haager Verhandlungen sehe ich einen gewissen Abschluß, und ich hoffe, daß er eine Etappe der Außenpolitik abschließt und uns die

Möglichkeit gibt, frei und unabhängig von den ewigen Kämpfen um die Reparationsfrage und das besetzte Gebiet, eine großzügigere Verständigungspolitik in Zukunft zu treiben.

Sie schreiben mir davon, daß ich im Haag stark enttäuscht gewesen sei, und das ist insofern richtig, als ich die finessierende Taktik des Herrn Briand in den ersten Wochen kaum habe ertragen können. Politisch habe ich verstanden, daß Herr Briand einen endgültigen Räumungstermin nicht nennen wollte, ehe er sicher war, wie die Auseinandersetzungen über den Youngplan endeten. Aber angesichts unserer mehrjährigen Zusammenarbeit hätte er mir wohl mit größerem Vertrauen entgegenkommen können, anstatt mir die lächerlichen Argumente vorzubringen, daß die französischen Truppen im Winter nicht transportiert werden könnten, und ähnlichen Unsinn mehr. Wenn ich einmal Gelegenheit habe, mit Ihnen über diese Dinge zu sprechen, will ich Ihnen auch sagen, wodurch wir schließlich die Räumung zu einem Termin durchgesetzt haben, der doch erträglich ist, während die ersten Vorschläge von Briand ganz unmöglich waren.

Ich erhole mich hier in Vitznau und lese mit einiger Schadenfreude von den großen Erfolgen des Hugenbergschen Reichsausschusses. Ich kenne diesen Mann seit einem Vierteljahrhundert und weiß, daß er ein rücksichtsloser Organisator ist, der vor allem – mit Hilfe der Mittel, die ihm zur Verfügung stehen – Menschen und Organisationen für seine Politik anzuspannen weiß. Aber von den Imponderabilien der Volksseele versteht er nicht das geringste. Trotzdem muß man sehr vorsichtig gegenüber dem Reichsausschuß sein. Mit seinem Volksbegehren gegen den Youngplan wird er eine große Niederlage erleiden. Aber er wird es verstehen, Stahlhelm, Hitler-Organisationen und andere für seine Organisation für eine dauernde Kooperation mit ihm zu gewinnen – und die Ziele dieser Organisation gehen viel weiter, als man in Deutschland annimmt.

16. Staatssekretär von Schubert an den Gesandten in Wien, Graf Lerchenfeld, 4. Februar 1930

Quelle: Akten zur deutschen auswärtigen Politik 1918–1945. Serie B, Bd. 14, S. 179f.

Bei Ihrem letzten Besuch in Berlin haben Sie darauf hingewiesen, daß im Hinblick auf den bevorstehenden Besuch des Bundeskanzlers Schober in Berlin vielleicht von österreichischer Seite Ihnen gegenüber die Frage des Abschlusses einer deutsch-österreichischen Zollunion angeschnitten werden würde. Bei einer etwaigen Unterhaltung über diese Frage bitte ich, damit nicht auf österreichischer Seite eine irrige Auffassung über unsere Stellungnahme zu dem Problem als solchem entsteht, folgendes zu berücksichtigen.

Die deutsche Regierung würde es selbstverständlich für einen im Rahmen der deutsch-österreichischen freundschaftlichen Gesamtbeziehungen sehr begrüßenswerten Fortschritt halten, wenn eine Zollunion zwischen Deutschland und Österreich herbeigeführt werden könnte. Sie glaubt aber, daß dieser Gedanke unter den gegenwärtigen Verhältnissen aus folgenden Gründen leider noch nicht ohne weiteres verwirklicht werden kann:

Österreich hat bekanntlich im Genfer Protokoll I vom 4. Oktober 1922 gegenüber Großbritannien, Frankreich, Italien und der Tschechoslowakei die Verpflichtung übernommen, sich »gemäß dem Wortlaut des Artikels 88 des Vertrages von St. Germain« jeder Verhandlung und jeder wirtschaftlichen oder finanziellen Bindung zu enthalten, die geeignet wäre, seine Unabhängigkeit mittelbar oder unmittelbar zu beeinträchtigen. Dabei wurde die Freiheit Österreichs in bezug auf Zolltarife, Handels- und Finanzabkommen zwar formell bestätigt, jedoch unter dem Vorbehalt, daß Österreich seine wirtschaftliche Unabhängigkeit nicht dadurch antasten dürfe, daß es irgendeinem Staat ein Sonderregime oder ausschließliche Vorteile zugestehe, die geeignet wären, diese Unabhängigkeit zu gefährden. Die Verpflichtungen des Genfer Protokolls sind nicht befristet. Sie erstrecken sich also auf die ganze Laufzeit der Völkerbundsanleihe. Zu bemerken ist noch, daß die Zölle zu den Einnahmequellen des österreichischen Staates gehören, die der Pfandhaftung für die Völkerbundsanleihe unterliegen. Auch hieraus können sich für Österreich Beschränkungen der Handlungsfreiheit ergeben.

Der Abschluß von Zoll- und Wirtschaftsbündnissen in der Form kündbarer, befristeter Verträge ist zwar an sich nicht ohne weiteres als Beeinträchtigung der staatlichen und wirtschaftlichen Unabhängigkeit der beteiligten Länder aufzufassen. Es ist aber kaum daran zu zweifeln, daß die Signatarmächte der Genfer Protokolle den Abschluß einer Zollunion zwischen Österreich und Deutschland als eine Maßnahme ansehen würden, die geeignet wäre, die wirtschaftliche Unabhängigkeit Österreichs zu gefährden, und daß sie deshalb ihre Zustimmung versagen würden. Eine Lösung der Frage würde sich daher wohl nur auf dem Wege einer diese außenpolitischen Momente berücksichtigenden, behutsam vorbereiteten Verständigung erreichen lassen. Diese anzubahnen, wäre gegebenenfalls Sache Österreichs.

Einer Erörterung der für den Abschluß einer Zollunion im übrigen zu schaffenden Voraussetzungen, wie Angleichung des materiellen und formellen Zollrechts sowie der indirekten und direkten Besteuerung einschließlich der sozialen Lasten, wird es im gegenwärtigen Zeitpunkt nicht bedürfen.

17. Vermerk des Ministerialdirektors Ritter, 7. August 1930

Ritter wandte sich mit diesem Vermerk gegen Erlasse Bülows nach Paris und London, die Briands Europaplan weiter erschwerten.

Quelle: Akten zur deutschen auswärtigen Politik 1918–1945. Serie B, Bd. 15, S. 463 Anm. 2.

Unter einer Voraussetzung bin ich grundsätzlich anderer Auffassung als der Entwurf. Diese Voraussetzung ist, daß es die Absicht Briands ist und daß es gelingt, jetzt an die positive Bearbeitung der Wirtschaftsfragen zu gehen und die politischen Fragen, nachdem sie in dem Briand-Memorandum und in den Antworten genügend erörtert sind, in den Hintergrund treten zu lassen. Unter dieser Voraussetzung halte ich den Vorschlag Briands für richtig, daß außerhalb und am Vorabend der Völkerbundsversammlung von den europäischen Staaten ein Ausschuß zur Bearbeitung der wirtschaftlichen Europafragen eingesetzt wird. Wenn überhaupt, so kann nur auf diese Weise die Idee des Zusammenschlusses vorwärtsgebracht werden. Eine Erörterung in der Völkerbundsversammlung oder gar in einem Komitee à la Vorbereitende Abrüstungskommission würde nur den Gegnern der Europaidee Gelegenheit geben, die Arbeiten zu sabotieren.

18. Staatssekretär von Bülow an den Gesandten in Prag, Koch, 15. April 1931

Quelle: Akten zur deutschen auswärtigen Politik 1918–1945. Serie B, Bd. 17, S. 220 (Auszug).

Die Einbeziehung der Tschechoslowakei in unser Wirtschaftssystem läge ganz in der Richtung der Außenpolitik des Reichs auf weite Sicht, wie sie mir vorschwebt. Ist die deutsch-österreichische Zollunion einmal Tatsache geworden, so rechne ich damit, daß der Druck wirtschaftlicher Notwendigkeiten den Beitritt der Tschechoslowakei nach wenigen Jahren in der einen oder anderen Form erzwingen wird. Ich würde darin den Anfang einer Entwicklung sehen, die geeignet wäre, lebenswichtige politische Interessen des Reichs einer auf anderem Wege kaum möglich erscheinenden Lösung zuzuführen. Ich denke dabei an die deutsch-polnischen Grenzprobleme. Wenn es uns gelingt, die Tschechoslowakei unserem Wirtschaftsblock anzugliedern, und wenn wir inzwischen auch mit den [baltischen] Randstaaten nähere wirtschaftliche Beziehungen geschaffen haben werden, dann ist Polen mit seinem wenig gefestigten Wirtschaftskörper eingekreist und allerhand Gefährdungen ausgesetzt: Wir haben es in einer Zange, die es vielleicht doch über kurz oder lang reif machen kann, dem Gedanken des Austauschs politischer Konzessionen gegen handgreifliche wirtschaftliche Vorteile näherzutreten.

Das sind nun freilich zunächst alles Zukunftsphantasien, die für die praktische Tagespolitik nur beschränkte Bedeutung haben. Ich wollte Ihnen aber doch, s[ehr] verehrte Exzellenz, von diesen Gedanken, die mich jetzt viel beschäftigen, Kenntnis geben, damit Sie in die Lage versetzt werden, alles, was sich in der weiteren Entwicklung als diesen Plänen günstig andeuten sollte, mit besonderer Sorgfalt zu verfolgen und, wo sich eine Gelegenheit bietet, auch nach Möglichkeit zu fördern.

Ich darf Sie bitten, diese Zeilen als ganz vertraulich zu behandeln, und stelle Ihnen anheim, mir etwaige Beobachtungen und Anregungen zu diesen Fragen ebenfalls auf privat-schriftlichem Wege zugehen zu lassen.

19. Aufzeichnung des Staatssekretärs in der Reichskanzlei, Pünder, 8. Januar 1932

Quelle: Akten zur deutschen auswärtigen Politik 1918–1945. Serie B, Bd. 19, S. 391 f. (Auszug).

Im Anschluß an die gestrige Reparationssitzung hatte der Herr Reichskanzler unter Beteiligung von Herrn Staatssekretär von Bülow und mir eine weitere vertrauliche Aussprache mit den drei hierher gebetenen deutschen Botschaftern von Hoesch, von Neurath und von Schubert. [...] Außer den eingangs erwähnten Persönlichkeiten nahmen noch die Herren Reichsminister Dietrich und Warmbold und Reichsbankpräsident Dr. Luther teil.

Die nochmalige eingehende Durchsprache der Gesamtlage ergab allseits die klare Erkenntnis, daß die katastrophale Weltwirtschaftskrise reparationspolitisch für uns auch ihr Gutes habe. Abgesehen von dem politischen Widerstand in Frankreich ist eigentlich auf der ganzen Welt die Erkenntnis durchgedrungen, daß der Zeitabschnitt der Reparationen abgelaufen ist. Wenn aber erst einmal der Zeitabschnitt der schlimmsten Depression behoben und eine leichte Besserung zu verspüren ist, haben wir diese reparationspolitischen Trümpfe aus der Hand verloren. Diese Argumente sprechen gegen ein neues Provisorium, auch wenn an sich gegen ein längeres Provisorium von etwa 5 Jahren eigentliche wirtschaftliche Bedenken weniger geäußert werden könnten. Solche wirtschaftlichen Bedenken sprechen aber ganz bestimmt gegen ein kürzeres Provisorium von etwa 2-3 Jahren, wie es augenblicklich nach dem Stande der französisch-englischen Verhandlungen in der Luft liegt. Die übereinstimmende Auffassung ging aus diesem Grunde heute dahin, den Gedanken eines neuen Provisoriums nicht weiter zu verfolgen, sondern an dem Gedanken einer endgültigen Lösung, und zwar in Gestalt einer völligen Streichung der Reparationen festzuhalten. [...]

Bei der bevorstehenden Entscheidung spielte naturgemäß der Umstand eine große Rolle, daß nach einer kurzfristigen Vertagung der Lausanner Konferenz die französischen Wahlen vorüber sind und außerdem unter der dann noch stärker in Erscheinung getretenen Einwirkung der Weltwirtschaftskrise auf die französische Wirtschaft die Ansätze in der französischen Einstellung zu einer vernünftigeren Erkenntnis gewachsen sein werden.

20. Das Auswärtige Amt an das Reichswehrministerium, 18. Januar 1932

Quelle: Akten zur deutschen auswärtigen Politik 1918–1945. Serie B, Bd. 19, S. 439–441.

Unter Bezugnahme auf das Telefongespräch [...] vom heutigen Tag wird in der Anlage ein Abdruck der Richtlinien für die deutsche Delegation zur Abrüstungskonferenz in ihrer vom Reichskabinett angenommenen Fassung ergebenst übersandt.
Im Auftrag F[rohwein]

(Anlage)

I.
Unser erstes Ziel auf der Abrüstungkonferenz, ohne dessen Erreichung eine Teilnahme Deutschlands an einer Konvention überhaupt nicht in Frage kommt, ist die restlose Beseitigung des durch den Versailler Vertrag (Teil V) geschaffenen Zustandes, daß Deutschland einem System einseitiger Rüstungsbeschränkungen unterworfen ist. Die Abrüstungskonvention muß uns vor allem aus dieser erniedrigenden Ausnahmestellung befreien. Für Deutschland dürfen künftig nur militärische Bestimmungen gelten, die in derselben Art und mit derselben Zeitdauer auch für unsere Nachbarstaaten gültig sind (Gleichheit in der Methode).

Das zu erreichende Endziel der allgemeinen Abrüstung ist die Wiederherstellung eines militärischen Kräfteverhältnisses, das die Verteidigungsfähigkeit des Deutschen Reiches gewährleistet (Gleichberechtigung in der Sicherheit).

Der Erreichung dieses Zieles dient in erster Linie eine möglichst weitgehende und wirksame Rüstungsverminderung unserer hochgerüsteten Nachbarstaaten. Wir müssen mit der Forderung auf Gleichberechtigung eine Erhöhung unserer Verteidigungsfähigkeit zu erreichen suchen, ohne daß wir formell die Forderung nach Aufrüstung Deutschlands erheben.

Inwieweit Deutschland von dem ihm auf Grund der Gleichberechtigung in der Sicherheit zustehenden Rüstungsstand zunächst keinen vollen Gebrauch machen wird, bleibt späterer Entscheidung der Reichsregierung vorbehalten. Jedenfalls müssen in der Konvention oder gleichzeitig mit ihr die notwendigen

Schritte festgelegt werden, durch die der endgültige Rüstungsausgleich verwirklicht werden soll.

II.
Falls infolge des Drängens der französischen Staatengruppe auf der Konferenz eine Verhandlung über die Frage der Sicherheit nicht zu vermeiden ist, so ist grundsätzlich daran festzuhalten, daß eine effektive Rüstungsverminderung bei den hochgerüsteten Staaten schon auf der Grundlage der zur Zeit bestehenden Sicherheit (Völkerbundssatzung, Locarno, Kellogg-Pakt, Schiedsgerichtsverträge, Weltgerichtshof) durchgeführt werden muß und nicht von dem Zustandekommen weiterer Abmachungen auf diesem Gebiete abhängig gemacht werden darf. In etwaigen Verhandlungen über die Sicherheitsfrage wären für uns Abmachungen jeglicher Art unannehmbar, die unmittelbar oder mittelbar eine Anerkennung oder Verewigung der Gebietsregelungen des Versailler Vertrages bedeuten oder zur Folge haben würden. Außerdem kommt ein System der gegenseitigen militärischen Unterstützung im Falle eines Angriffes – durch Ausbau der Sanktionen des Völkerbundes oder auf andere Weise – für uns so lange nicht in Frage, als nicht ein für die deutsche Sicherheit befriedigender Ausgleich der Rüstungsniveaus erreicht ist. Sonstige Maßnahmen auf dem Gebiete der vertraglichen Sicherheit, die weder einen den status quo verewigenden Charakter haben noch die militärische Vorherrschaft der zur Zeit stark gerüsteten europäischen Staaten festigen, könnten von uns in Erwägung gezogen werden; jedoch ist dabei Voraussetzung, daß die Verhandlungen hierüber nicht dazu benutzt werden, die Abrüstung hinauszuschieben.

III.
Bei den Verhandlungen dürfen die anderen Staaten nicht im unklaren darüber bleiben, daß ein Scheitern der Konferenz, wie es durch die Nichterfüllung unserer grundlegenden Forderungen herbeigeführt würde, uns vor schwerwiegende Entschlüsse stellen müßte. Es muß aber stets im unklaren bleiben, welche Folgerungen wir im Falle eines solchen Scheiterns ziehen werden.

Bei der Haltung der Delegation ist stets darauf Rücksicht zu nehmen, daß wir uns, wenn dieser Fall eintritt, nicht in einer unsere Handlungsfreiheit einengenden außenpolitischen Isolierung befinden. Es muß daher nach Möglichkeit Fühlung mit den unseren Anschauungen nahestehenden Großmächten (Amerika, England und Italien) sowie einem möglichst großen Kreis kleiner Staaten gehalten werden, so daß wir uns, wenn die Frage der aus einem Scheitern der Konferenz zu ziehenden Folgerung zur Entscheidung gelangen sollte, in einer möglichst breiten moralischen Front gegenüber Frankreich und seinen Verbündeten befinden. Andererseits ist unsere Gegnerschaft gegenüber Frankreich nicht stärker zu akzentuieren, als dies durch sein eigenes Verhalten und die bestehenden sachlichen Meinungsverschiedenheiten nötig wird. Jedenfalls muß die Bereitschaft Deutschlands zu einer unseren berechtigten Interessen Rechnung tragenden und auf dem Prinzip der Gleichberechtigung beruhenden Verständigung mit Frankreich stets erkennbar bleiben.

Quellen, Forschungsstand, Literatur

Quellenlage

Basis der Forschung sind die sehr reichhaltigen Akten im Politischen Archiv des Auswärtigen Amts, Bonn. Sie werden ergänzt durch Bestände im Bundesarchiv, Koblenz und Potsdam[1]. Für spezielle Fragen sind neben den Staatsarchiven der Länder Zeitungsarchive, Wirtschaftsarchive und Nachlässe von Bedeutung[2]. Im übrigen lohnt ein Aufenthalt im Institut für Zeitgeschichte, München, immer.

Bei den gedruckten Quellen ist die Lage ungewöhnlich günstig. Die umfangreiche Edition der *Akten zur deutschen auswärtigen Politik 1918–1945* ist fast vollständig. Die Serie B (Bd. 1–21 vom 1. 12. 1925 bis zum 29. 1. 1933, Göttingen 1966–83) ist abgeschlossen; von der Serie A (9. 11. 1918–30. 11. 1925) sind Band 1–10, bis zum 4. 8. 1924 (Göttingen 1982–92) erschienen. Als wertvolle Ergänzung liegen die Kabinettsprotokolle und ergänzendes Material vor in den nach Kabinetten gegliederten *Akten der Reichskanzlei. Weimarer Republik* (Boppard 1968–90). Für die Verträge des Reiches und damit zusammenhängende Veränderungen und amtliche Bekanntmachungen sollte man auf die authentischen Texte im *Reichsgesetzblatt* zurückgreifen. Eine wichtige Quelle sind die – manchmal unterschätzten – *Verhandlungen der Verfassunggebenden Deutschen Nationalversammlung* und *des Reichstags*, und zwar sowohl die *Stenographischen Berichte* als auch die *Anlagen* (z.B. die begleitenden Denkschriften und Materialien der durch Gesetz zu verabschiedenden Verträge). Außerdem sollten, vor allem für die

[1] Christoph Kimmich (Hrsg.), German foreign policy, 1918–1945. A guide to research and research materials. Wilmington (Del.) 1981. Detaillierte Auflistung vor allem der gefilmten Akten des Auswärtigen Amts: A catalogue of files and microfilms of the German Foreign Ministry Archives, 1867–1920. Hrsg. von The American Historical Association, Oxford 1959; George Kent, A catalog of files and microfilms of the German Foreign Ministry Archives, 1920–1945. 4 Bde, Stanford (Cal.) 1962–72. Außerdem: Übersicht über die Bestände des Deutschen Zentralarchivs Potsdam, Berlin (Ost) 1957 (Bestände des ehemaligen, jetzt in das Bundesarchiv bzw. das Politische Archiv des Auswärtigen Amts eingegliederten zentralen Archivs der DDR); Das Bundesarchiv und seine Bestände, 3. erg. u. neubearb. Aufl., Boppard 1977.

[2] Verzeichnis der schriftlichen Nachlässe in deutschen Archiven und Bibliotheken, 2 Bde, Boppard 1971, 2. Aufl. 1981; Gerhart Hagelweide, Deutsche Zeitungsbestände in Bibliotheken und Archiven. Düsseldorf 1974; Thomas Trumpp/Renate Köhne, Archivbestände zur Wirtschafts- und Sozialgeschichte der Weimarer Republik. Boppard 1979.

Verflechtung von Innen- und Außenpolitik, die *Quellen zur Geschichte des Parlamentarismus und der politischen Parteien* (1.–3. Reihe) herangezogen werden. Eine reichhaltige Dokumentation auch außenpolitischer Vorgänge findet sich in den Bänden 1–9 von *Ursachen und Folgen. Vom deutschen Zusammenbruch 1918 und 1945 bis zur staatlichen Neuordnung Deutschlands in der Gegenwart.* Berlin 1958 ff. Besonders als Unterlage für alle außenwirtschaftlichen Fragen: *Statistisches Jahrbuch für das Deutsche Reich.* Hrsg. vom Statistischen Reichsamt, Berlin 1919 ff. Eine erste Orientierung bietet: *Schultheß' Europäischer Geschichtskalender 60* (1919 ff.), München 1923 ff.

Außerdem gibt es weitere größere und kleinere Dokumentenveröffentlichungen, Tagebücher, Memoiren etc., die leicht zu finden sind[3]. Erwähnt sei hier nur noch *Gustav Stresemann, Vermächtnis. Der Nachlaß in drei Bänden.* Hrsg. von Henry Bernhard, Berlin 1932/33, eine Auswahl, die reiches Material enthält, aber editorisch mangelhaft ist mit z. T. nicht kenntlich gemachten Kürzungen.

Forschungsstand und Literatur

1. Literatur über den Gesamtzeitraum:

Obwohl die Literatur seit Anfang der fünfziger Jahre auf Grund der sich schnell verbessernden Quellenlage sprunghaft angestiegen ist, erweist sich der Forschungsstand als ungleichmäßig. Die erste Gesamtdarstellung erschien trotzdem schon vor fast 30 Jahren von einem Historiker, der Mitarbeiter im Auswärtigen Amt gewesen war. Erst 1977 folgte ein instruktiver und die neue Forschung zusammenfassender Abriß, erst 1985 eine aus den Akten gearbeitete Geschichte der Weimarer Außenpolitik und 1987 ein knapper, an den wichtigen Streitfragen der Forschung orientierter Überblick[4].

[3] Eine ausgezeichnete Darstellung mit reichhaltiger, gut gegliederter Quellen- und Literaturübersicht, auch über die ausländischen Akteneditionen zur Außenpolitik: Eberhard Kolb, Die Weimarer Republik, München, Wien ^{2}1988. Beste fortlaufende Bibliographie: Bibliographie zur Zeitgeschichte, Beilage der Vierteljahreshefte für Zeitgeschichte 1 (1953) ff. Siehe auch Kimmich, German foreign policy 1918–1945. Außerdem sei auf die Parallelbände in dieser Taschenbuchreihe von Fritz Blaich und Horst Möller verwiesen (siehe Verzeichnis im Anhang).

[4] Ludwig Zimmermann, Deutsche Außenpolitik in der Ära der Weimarer Republik. Göttingen 1958; John Hiden, Germany and Europe, 1919–1939. London, New York 1977; Peter Krüger, Die Außenpolitik der Republik von Weimar. Darmstadt 1985; Marshall M. Lee/Wolfgang Michalka, German foreign policy 1917–1933. Continuity or break? Leamington Spa, Hamburg, New York 1987. Zum europäischen Rahmen lesenswert: Hermann Graml, Europa zwi-

Durchaus lückenhaft präsentiert sich die nächste Gruppe von Untersuchungen, diejenigen, die den gesamten Zeitraum der Weimarer Republik für einzelne Probleme umfassen. So gibt es noch keine Geschichte des Auswärtigen Amts und seiner Stellung in einer sich nachhaltig verändernden Welt[5], ebensowenig Untersuchungen über das Verhältnis von Parlament, Parteien, Interessenverbänden etc. zur Außenpolitik oder eine Geschichte des außenpolitischen Denkens[6]. Auch Außenwirtschaftsfragen wurden bisher nicht umfassend für die Weimarer Republik abgehandelt, ähnlich steht es um die Reparationen[7], aber auch die Handelspolitik, der Weltverkehr und das Verhältnis von Außenpolitik und Finanzoperationen sind noch nicht für den gesamten Zeitraum untersucht worden[8]. Das gleiche gilt für Fragen des europäischen Zusammenschlusses und den schwierigen Komplex Sicherheit, Völkerrechtsentwicklung, Rüstung und Abrüstung und Völkerbund[9].

schen den Kriegen. München 1969. Und schließlich zum größeren Zusammenhang in der deutschen Geschichte Andreas Hillgruber, Die gescheiterte Großmacht. Düsseldorf 1980 und Raymond Poidevin, Die unruhige Großmacht. Deutschland und die Welt im 20. Jahrhundert. Würzburg 1985.

[5] Einen gewissen Ersatz bietet Klaus Schwabe (Hrsg.), Das diplomatische Korps 1871–1945. Boppard 1985, mit weiteren Literaturhinweisen.

[6] Eine Ausnahme bildet: Jürgen Heß, »Das ganze Deutschland soll es sein«. Demokratischer Nationalismus in der Weimarer Republik am Beispiel der Deutschen Demokratischen Partei: Stuttgart 1978. Neuansatz auf einem überfälligen Untersuchungsfeld: Peter Grupp/Pierre Jardin. Das Auswärtige Amt und die Entstehung der Weimarer Verfassung. In: Francia 9 (1982), S. 473–493.

[7] Zur Außenwirtschaft ein erster, die Russengeschäfte betonender Ansatz: Jürgen Bellers, Außenwirtschaftspolitik und politisches System der Weimarer Republik und der Bundesrepublik. Münster 1988 (ohne unter den innenpolitischen Akteuren Kabinett und Ministerien zu behandeln). Allgemein über die Reparationen, gründlich und wegen der Betonung der Innenpolitik, die eine zweckdienliche Behandlung der Frage von vornherein verhindert habe, bemerkenswert Bruce Kent, The spoils of war. The politics, economics, and diplomacy of reparations 1918–1932. Oxford 1989, wobei der größere außenpolitische Kontext etwas zu kurz kommt. Über einige Probleme siehe Peter Krüger, Das Reparationsproblem der Weimarer Republik in fragwürdiger Sicht. In: Vierteljahrshefte für Zeitgeschichte 29 (1981), S. 21–47.

[8] Als Versprechen einer umfassenderen Untersuchung aber Hans-Jürgen Schröder, Zur politischen Bedeutung der deutschen Handelspolitik nach dem Ersten Weltkrieg. In: Gerald Feldman u. a. (Hrsg.), Die deutsche Inflation. Eine Zwischenbilanz. Berlin, New York 1982, S. 235–251. Im übrigen finden sich wichtige Beiträge zu außenwirtschaftlichen Fragen in: Hans Mommsen/Dietmar Petzina/Bernd Weisbrod (Hrsg.), Industrielles System und politische Entwicklung in der Weimarer Republik. Düsseldorf 1974 (Tb. 1977), und Gerald Feldman (Hrsg.), Die Nachwirkungen der Inflation auf die deutsche Geschichte 1924–1933. München 1985.

[9] Allerdings sind einzelne Aspekte analysiert worden, teilweise über den Zeitraum der Weimarer Republik hinaus (wichtig für die Kontinuitätsfrage): Peter Stirk (Hrsg.), European unity in context. The interwar period. London, New York 1989; fast schon ein Klassiker Hans Gatzke, Stresemann and the rearma-

Die Zeit von 1918–1933 ist im Überblick besser abgedeckt auf dem Gebiet der wichtiger werdenden Presse- und Kulturpolitik: Kurt Düwell, *Deutschlands auswärtige Kulturpolitik, 1918–1932. Grundlinien und Dokumente.* Köln, Wien 1976; Kurt Düwell/Werner Link (Hrsg.), *Deutsche auswärtige Kulturpolitik seit 1871.* Köln, Wien 1981; zu impressionistisch, aber mit interessanten Details Markus Schöneberger, *Diplomatie im Dialog. Ein Jahrhundert Informationspolitik des Auswärtigen Amts.* München, Wien 1981. Gerade für das Verhältnis zwischen dem Auswäritgen Amt und der Presse oder überhaupt der Öffentlichkeit sind noch gründliche Detailstudien nötig und vielversprechend. Für einen wichtigen Teilbereich, die Behandlung der Kriegsschuldfragen, ist die Lücke geschlossen von Ulrich Heinemann, *Die verdrängte Niederlage, Politische Öffentlichkeit und Kriegsschuldfrage in der Weimarer Republik.* Göttingen 1983. Auf einem anderen wichtigen Gebiet, dem Pazifismus, zeigen sich erfolgversprechende Ansätze: Karl Holl/Wolfram Wette (Hrsg.), *Pazifismus in der Weimarer Republik.* Paderborn 1981. Zum gerade in der Öffentlichkeit so bedeutsamen Revisionismus-Problem schließlich stammt der jüngste Überblick von Andreas Hillgruber[10]; eine grundlegende Behandlung steht noch aus. Zusammenfassend läßt sich zu diesem Themenbereich sagen, daß es nicht nur Lücken in der Erforschung bestimmter Teilgebiete der Außenpolitik gibt, sondern auch deren Verknüpfung mit der politischen, wirtschaftlichen und gesellschaftlichen Entwicklung noch eine wesentliche Forschungsaufgabe ist.

Da es sinnvoll ist, einzelne Probleme der Weimarer Außenpolitik für den gesamten Zeitraum, also entwicklungsgeschichtlich zu untersuchen, spielen naturgemäß die Beziehungen des Reiches zu einzelnen

ment of Germany. Baltimore 1954; grundlegend für ein auch technisch sehr verwickeltes Problem. Michael Salewski. Entwaffnung und Militärkontrolle in Deutschland. 1919–1927. München 1966; Jost Dülffer, Weimar, Hitler und die Marine. Reichspolitik und Flottenbau 1920–1939. Düsseldorf 1973; unter Fehlern in der Quellenbehandlung und einer nicht haltbaren Grundthese leidet das im übrigen interessante Buch von Gaines Post Jr., The civil-military fabric of Weimar foreign policy. Princeton 1973; ein modernes Grundproblem erörtert – wenn auch mit Mängeln in bezug auf die Weimarer Außenpolitik – eindrucksvoll Michael Geyer, Aufrüstung oder Sicherheit. Die Reichswehr in der Krise der Machtpolitik. Wiesbaden 1980; informativ der Überblick von Wilhelm Deist über Abrüstung und Rüstung in: Das Deutsche Reich und der Zweite Weltkrieg. Bd. 1, Stuttgart 1979; schließlich als erster aus den Akten gearbeiteter, wenn auch einige wichtige Bereiche (Wirtschaft, Sicherheit und Völkerrecht) vernachlässigender Überblick Christoph Kimmich, Germany and the League of Nations. Chicago, London 1976, sowie ein gründlich erarbeiteter Teilbereich bei Bastiaan Schot, Nation oder Staat? Deutschland und der Minderheitenschutz. Zur Völkerbundspolitik der Stresemann-Ära. Marburg 1988.

[10] Andreas Hillgruber, »Revisionismus« – Kontinuität und Wandel in der Außenpolitik der Weimarer Republik. In: Historische Zeitschrift 237 (1983), S. 597–621.

Ländern oder Ländergruppen ebenfalls eine bedeutende Rolle. Im Zentrum stand Frankreich. Zwar liegt noch keine Gesamtdarstellung vor, aber die grundlegende, umfangreiche Darstellung von Jacques Bariéty für die Jahre 1918–1925 (*Les relations franco-allemandes après la première guerre mondiale.* Paris 1977) soll fortgesetzt werden[11]. Im größeren Zusammenhang Franz Knipping/Ernst Weisenfeld (Hg.), *Eine ungewöhnliche Geschichte. Deutschland-Frankreich seit 1870.* Bonn 1988; Jacques Bariéty/Alfred Guth/Jean-Marie Valentin (Hg.), *La France et l'Allemagne entre les deux guerres mondiales.* Nancy 1987; einen wichtigen Aspekt behandelt Hermann Hagspiel, *Verständigung zwischen Deutschland und Frankreich. Die deutsch-französische Außenpolitik der zwanziger Jahre im innenpolitischen Kräftefeld beider Länder.* Bonn 1987. Für die Beziehungen zu England ist noch keine Gesamtdarstellung in Sicht, aber die deutsch-amerikanischen Beziehungen sind von Werner Link (*Die amerikanische Stabilisierungspolitik in Deutschland 1921–1932.* Düsseldorf 1970) grundlegend und mit dem Nachdruck auf der wirtschaftlichen Verflechtung behandelt worden; außerdem Manfred Berg, *Gustav Stresemann und die Vereinigten Staaten von Amerika. Weltwirtschaftliche Verflechtung und Revisionspolitik 1907–1929.* Baden-Baden 1990. Eingehend und interessant: Stewart Stehlin, *Weimar and the Vatican 1919–1933.* Princeton 1983.

Im übrigen sieht es mit Darstellungen, die den gesamten Zeitraum von 1918–1933 umfassen, schlecht aus[12], Osteuropa ausgenommen. Die neueste Gesamtdarstellung der deutsch-sowjetischen Beziehungen stammt noch aus der DDR, daneben gibt es eine Analyse der Wirtschaftsbeziehungen[13]. Nützlich im größeren Zusammenhang Gottfried

[11] Für einen Teilaspekt Michael-Olaf Maxelon, Stresemann und Frankreich. Düsseldorf 1972 (gestützt vor allem auf die Reden und den Nachlaß Stresemanns).

[12] Das gilt nicht nur für Lateinamerika und das britische Commonwealth, sondern auch für Vorderasien (Ausnahme: Ahmad Mahrad, Die deutsch-persischen Beziehungen von 1918–1933. 2. Aufl. Frankfurt a. M., Bern, Las Vegas 1979), Afrika, den Fernen Osten (Überblick: Fritz van Briessen, Grundzüge der deutsch-chinesischen Beziehungen. Darmstadt 1977, und Josef Kreiner/Regine Mathias (Hg.), Deutschland-Japan in der Zwischenkriegszeit. Bonn 1990; Ansatzpunkt der Forschung: Bernd Martin (Hrsg.), Die deutsche Beraterschaft in China, 1927–1938. Düsseldorf 1981) und den Rest Europas (ein Beispiel umfassender Deutung: Horst Lademacher, Zwei ungleiche Nachbarn. Wege und Wandlungen der deutsch-niederländischen Beziehungen im 19. und 20. Jahrhundert. Darmstadt 1990). Hinzuweisen wäre höchstens auf: Manfred Enssle, Stesemann's territorial revisionism. Germany, Belgium and the Eupen Malmedy question 1919–1929. Wiesbaden 1980 oder Harm Schröter, Außenpolitik und Wirtschaftsinteressen. Skandinavien im außenwirtschaftlichen Kalkül Deutschlands und Großbritanniens 1918–1939. Frankfurt a. M., Bern 1983. Zur Kolonialfrage immer noch am ergiebigsten Klaus Hildebrand, Vom Reich zum Weltreich. Hitler, NSDAP und koloniale Frage 1919–1945. München 1969.

[13] Günter Rosenfeld, Sowjetrußland und Deutschland 1917–1922. 2. Aufl. Berlin (Ost) 1984; ders., Sowjetunion und Deutschland 1922–1933. Berlin (Ost)

Niedhart (Hrsg.), *Der Westen und die Sowjetunion.* Paderborn 1983. Für Polen, Danzig und den baltischen Raum: Harald von Rieckhoff, *German-Polish relations, 1918–1933.* Baltimore, London 1971; immer noch wertvoll Christian Höltje, *Die Weimarer Republik und das Ostlocarno-Problem 1919–1934.* Würzburg 1958; außerdem Norbert Krekeler, *Revisionsanspruch und geheime Ostpolitik der Weimarer Republik.* Stuttgart 1973 (Minderheitensubvention); konzentriert, mit großem Überblick, John Hiden, *The Baltic states and Weimar Ostpolitik.* Cambridge 1987; materialreich Wolfgang Ramonat, *Der Völkerbund und die Freie Stadt Danzig 1920–1934.* Osnabrück 1979. Dringend erforderlich wäre eine eingehende Untersuchung der deutsch-polnischen Wirtschaftsbeziehungen – ebenso für die baltischen Staaten – und eine neue Geschichte der deutsch-litauischen Beziehungen. Grundlegend für das Verhältnis zur Tschechoslowakei: Gregory Campbell, *Confrontation in Central Europe. Weimar Germany and Czechoslovakia.* Chicago 1975, außerdem Karl Bosl (Hrsg.), *Gleichgewicht – Revision – Restauration. Die Außenpolitik der Ersten Tschechoslowakischen Republik im Europasystem der Pariser Vororteverträge.* München 1976. In bezug auf Österreich konzentrierte sich bisher das Interesse auf die Anschlußfrage (Stanley Suval, *The Anschluss question in the Weimar era.* Baltimore, London 1974) oder auf Mitteleuropa (Harro Molt, *»... wie ein Klotz inmitten Europas«. »Anschluß« und »Mitteleuropa« während der Weimarer Republik 1925–1931.* Frankfurt a.M. 1986, materialreich, aber unübersichtlich und zu begrenzte Sicht deutscher Kontinuität; Forschungsstand von ca. 1976), während für Südosteuropa endlich eine sorgfältige Untersuchung vorliegt: Hans Paul Höpfner, *Deutsche Südosteuropapolitik in der Weimarer Republik.* Frankfurt a.M., Bern 1983. Sie wird ergänzt durch eine Spezialstudie von Hans Tonch, *Wirtschaft und Politik auf dem Balkan. Untersuchungen zu den deutsch-rumänischen Beziehungen in der Weimarer Republik unter besonderer Berücksichtigung der Weltwirtschaftskrise.* Frankfurt a.M., Bern 1984.

Noch ein Blick auf die Biographien: Stresemann hat natürlich die Aufmerksamkeit in besonderem Maße auf sich gezogen. Trotzdem fehlt, ungeachtet vieler Bücher über ihn seit dem Ende der zwanziger Jahre, immer noch eine Biographie, die den wissenschaftlichen Anforderungen genügt[14]. Eine solche Biographie liegt indessen über Simons,

1984; Werner Beitel/Jürgen Nötzold, Deutsch-sowjetische Wirtschaftsbeziehungen in der Weimarer Republik. Baden-Baden 1979; anregend: Jürgen Förster u.a., Deutschland und das bolschewistische Rußland von Brest-Litowsk bis 1941. Berlin 1991.

[14] Zum Stand der Debatte: Wolfgang Michalka/Marshall Lee (Hrsg.), Gustav Stresemann. Darmstadt 1982; Kurz Koszyk, Gustav Stresemann. Der kaisertreue Demokrat. Köln 1989 (gut für Stresemanns öffentliches Wirken; ohne Anmerkungen). Ein bemerkenswerter Beitrag: Eberhard Kolb, Probleme einer modernen Stresemann-Biographie. In: Otmar Franz (Hrsg.), Am Wendepunkt der europäischen Geschichte. Göttingen, Zürich 1981, S. 107 bis 134.

Außenminister 1920/21, von Horst Gründer vor: *Walter Simons als Staatsmann, Jurist und Kirchenpolitiker,* Neustadt a. d. Aisch 1975. Über den Nachfolger Stresemanns, eine Figur des Übergangs: *William Ratliff, Faithful to the fatherland. Julius Curtius and Weimar foreign policy.* New York 1990. Durch Auswertung auch bisher unbekannter Quellen beachtlich, aber zu unkritisch: John Heinemann, *Hitler's first foreign minister: Constantin Freiherr von Neurath, diplomat and statesman.* Berkeley (Cal.) 1979. Im übrigen gibt es knappe Darstellungen der politischen Karrieren *Brockdorff-Rantzaus* (von Leo Haupts, Göttingen, Zürich 1984, abgewogen und präzise) sowie *Adolf Kösters,* des Außenministers von 1920, später Gesandter in Riga und Belgrad, und *Ulrich Rauschers,* des bedeutenden Gesandten in Warschau (von Kurt Doß, Düsseldorf 1977 bzw. 1984). Sie können und sollen eingehende Biographien nicht ersetzen. Jedenfalls liegt hier für die Forschung noch ein weites Feld.

2. Literatur zu Einzelthemen:

1918–1923:
Bei allen folgenden Hinweisen auf Lücken in der eingehenden Bearbeitung ist zu beachten, daß die meisten dieser Themen in den neuesten Darstellungen zum Gesamtzeitraum in knapperer Form durchaus analysiert sind.

Eine knappe, abgewogene und informative Darstellung der Pariser Friedenskonferenz: Alan Sharp, *The Versailles settlement. Peacemaking in Paris, 1919.* Houndmills, London 1991; eine gute Einordnung in den größeren historischen Zusammenhang: Gerhard Schulz, *Revolutionen und Friedensschlüsse 1917–1920.* München 1980. Grundlegend, auch für das Weiterwirken der Kriegsziele: Georges-Henri Soutou, *L'or et le sang. Les buts de guerre économiques de la Première Guerre mondiale.* Paris 1989. Für 1918/19 mit unterschiedlichen Schwerpunkten: Klaus Schwabe, *Deutsche Revolution und Wilson-Frieden.* Düsseldorf 1971; Peter Krüger, *Deutschland und die Reparationen 1918/19.* Stuttgart 1973; Udo Wengst, *Graf Brockdorff-Rantzau und die außenpolitischen Anfänge der Weimarer Republik.* Frankfurt a. M., Bern 1973; Leo Haupts, *Deutsche Friedenspolitik 1918–19.* Düsseldorf 1976; Henning Köhler, *Novemberrevolution und Frankreich.* Düsseldorf 1980[15]. Alle genannten Bücher enthalten viele weitere Literaturhinweise. Eine Analyse der Anfänge Weimarer Außenpolitik insgesamt: Peter Grupp, *Deutsche Außenpolitik im Schatten von Versailles 1918–1920.* Paderborn 1988. Auch gibt es eine Reihe nützlicher

[15] Neuere ausländische Abhandlungen: Lorna Jaffe, The decision to disarm Germany. Boston 1985; A. Lentin, Guilt at Versailles. London 1985.

Untersuchungen über Einzelfragen[16] sowie über die Beziehungen zu den wichtigeren europäischen Staaten. Dabei steht erwartungsgemäß das Verhältnis zu Frankreich im Vordergrund, außerdem die Sowjetunion und England, aber auch Italien ist behandelt worden[17]. Bariéty wurde für Frankreich schon erwähnt; zusätzlich sei auf Jean-Jacques Boisvert und Georges Soutou verwiesen[18]. Die Beziehungen zu England haben für 1918–1923 noch keine umfassende Würdigung erfahren, aber es liegen gründliche Einzeluntersuchungen vor[19]. Über den Weg nach Rapallo schrieb Horst Günther Linke eine präzise Darstellung[20]. Rapallo selbst hat nichts von seiner Faszination eingebüßt; es wird unentwegt darüber geschrieben. Für die ältere Literatur sei verwiesen auf die kritische Übersicht von Hermann Graml, für die Genua-Konferenz auf Carole Fink, für den Stand der Forschung auf die Ergebnisse einer internationalen Konferenz[21]. Trotzdem gibt es auch heute noch offene Fragen. Schließlich hat auch der Ruhrkampf das Interesse der Forschung in besonderem Maße auf sich gezogen, wobei die französische Politik nach wie vor unterschiedlich beurteilt wird[22].

[16] Gut fundiert über ein lange vernachlässigtes Thema Walter Schwengler, Völkerrecht, Versailler Vertrag und Auslieferungsfrage. Stuttgart 1982. Aufschlußreich und klärend über den Hintergrund der Außenpolitik in dieser Phase Carl-Ludwig Holtfrerich, Die deutsche Inflation 1914–1923. Ursachen und Folgen in internationaler Perspektive. Berlin, New York 1980 (mit informativen Kapiteln über Reparationen und Außenhandel).

[17] Josef Muhr, Die deutsch-italienischen Beziehungen in der Ära des Ersten Weltkriegs (1914–1922). Göttingen, Frankfurt a. M., Zürich 1977.

[18] Jean Jacques Boivert, Les relations franco-allemandes en 1920. Montreal 1977. Mit neuen Ergebnissen in wichtigen Fragen: Georges Soutou, Die deutschen Reparationen und das Seydoux-Projekt 1920/21. In: Vierteljahrshefte für Zeitgeschichte 23 (1975), S. 237–270; ders., Le coke dans les relations internationales en Europe de 1914 au plan Dawes (1924). In: Relations internationales 43 (1985), S. 249–267. Zum Hintergrund die z. T. noch kontroverse neue Deutung der französischen Politik bei Walter McDougall, France's Rhineland diplomacy, 1914–1924. Princeton 1978, und Marc Trachtenberg, Reparation in world politics. France and European economic diplomacy, 1916–1923. New York 1980.

[19] Erwähnt seien u. a. Gisela Bertram-Libal, Aspekte der britischen Deutschlandpolitik, 1919–1922. Göppingen 1972; Christoph Stamm, Lloyd George zwischen Innen- und Außenpolitik. Die britische Deutschlandpolitik 1921/22. Köln 1977; Bernd Dohrmann, Die englische Europapolitik in der Wirtschaftskrise 1921–1923. München, Wien 1980.

[20] Horst Günther Linke, Deutsch-sowjetische Beziehungen bis Rapallo. 2. Aufl. Köln 1972. Dazu Gerhard Wagner, Deutschland und der polnisch-sowjetische Krieg. Wiesbaden 1979.

[21] Hermann Graml, Die Rapallo-Politik im Urteil der westdeutschen Forschung. In: Vierteljahrshefte für Zeitgeschichte 18 (1970), S. 366–391; Carole Fink, The Genoa Conference. European diplomacy, 1921–1922. Chapel Hill 1984; Carole Fink u. a. (Hg.), Genoa, Rapallo, and European reconstruction in 1922. Cambridge 1991.

[22] Neben den in Anm. 18 genannten Titeln noch – breit angelegt und gründlich – Hermann Rupieper, The Cuno government and reparations 1922–1923.

1924–1930:
Die Phase ist von den Bemühungen um Sicherheits- und Reparationsregelungen gekennzeichnet und politisch beherrscht von Locarno. Dieser Versuch einer Neufundierung des europäischen Staatensystems ist allerdings in der Deutung immer noch umstritten und wird auch interpretiert als großangelegter Versuch zu aktiver Revisionspolitik[23], als von vornherein vom Scheitern bedroht, weil unvereinbare Ziele der Partner damit verbunden waren[24], oder allgemeiner als Illusion, Vorstufe für München 1938 oder für die NATO und gegen die Sowjetunion. Jedenfalls muß sich jeder mit ihr auseinandersetzen, auch wenn er sich mit der Ostpolitik oder den internationalen Wirtschaftsbeziehungen jener Jahre befaßt. Wesentlich für die Interpretation sind die mit Locarno eng verknüpften oder benachbarten, ebenfalls kontrovers behandelten Fragen[25]. Für das schwierige Verhältnis zwischen Ost- und

Den Haag, Boston, London 1979. Nützlich wegen der konzentrierten Übersicht über die internationale Lage Klaus Schwabe (Hrsg.), Die Ruhrkrise 1923. Paderborn 1984. Wie wenig fundiert sich die vielbesprochenen Pläne des Kölner Oberbürgermeisters Adenauer, der an eine gewisse Autonomie des Rheinlandes als Brücke und wirtschaftliche Verbindung zu Frankreich dachte, neben der Politik der Reichsregierung und besonders Stresemanns im Grunde ausnehmen, zeigt Henning Köhler, Adenauer und die rheinische Republik. Der erste Anlauf 1918–1924. Opladen 1986, in einer quellenkritischen Neuinterpretation.

[23] Klaus Megerle, Deutsche Außenpolitik 1925. Ansatz zu aktivem Revisionismus. Frankfurt a. M., Bern 1974.

[24] Jon Jacobson, Locarno diplomacy. Germany and the West. Princeton 1972 (eine breit angelegte Untersuchung).

[25] Dawes-Plan und Verschlechterung der Stellung Frankreichs: Stephen Schuker, The end of French predominance in Europe. The financial crisis of 1924 and the adoption of the Dawes Plan. Chapel Hill 1976; Sicherheitsfrage: Clemens Wurm, Die französische Sicherheitspolitik in der Phase der Umorientierung 1924–1926. Frankfurt a. M., Bern, Las Vegas 1979, und Karl Mayer, Die Weimarer Republik und das Problem der Sicherheit in den deutsch-französischen Beziehungen, 1918–1925. Frankfurt a. M. 1990; deutsch-englische Beziehungen 1923/24: Werner Weidenfeld, Die Englandpolitik Gustav Stresemanns. Mainz 1972, und Angela Kaiser, Lord D'Abernon und die englische Deutschlandpolitik 1920–1926. Frankfurt a. M. 1989; Hans-Werner Würzler, Großbritanniens Interesse an der westeuropäischen Stahlverständigung und die Gründung der internationalen Rohstahlgemeinschaft (1923/24–1926/27). Bochum 1991; für Italien Vera Torunsky, Entente der Revisionisten? Mussolini und Stresemann 1922–1929. Köln 1986; Völkerbund: Jürgen Spenz, Die diplomatische Vorgeschichte des Beitritts Deutschlands zum Völkerbund, 1924–1926. Göttingen 1966; Ostschiedsverträge: Manfred Alexander, Der deutsch-tschechoslowakische Schiedsvertrag von 1925 im Rahmen der Locarno-Verträge. München, Wien 1970, und Peter Krüger, Der Deutsch-polnische Schiedsvertrag im Rahmen der deutschen Sicherheitsinitiative von 1925. In: Historische Zeitschrift 230 (1980), S. 577–612; Innenpolitik: Robert Grathwol, Stresemann and the DNVP: Reconciliation or revenge in German foreign policy, 1924–1928. Lawrence 1980; Hans-Jürgen Müller, Auswärtige Pressepolitik und Propaganda zwischen Ruhrkampf und Locarno (1923–1925). Frankfurt a. M. 1991; und Kurt Holz, Die Diskussion um

Westpolitik ist wichtig Martin Walsdorff, *Westorientierung und Ostpolitik. Stresemanns Rußlandpolitik in der Locarno-Ära.* Bremen 1971. Er bezieht auch die Politik gegenüber Polen und den baltischen Ländern mit ein[26]. Wesentlich ist schließlich der Zusammenhang zwischen Entspannung und internationaler Wirtschaftsverflechtung; hierfür erweist sich als sehr ergiebig Gustav Schmidt (Hrsg.), *Konstellationen internationaler Politik 1924–1932.* Bochum 1983[27].

1930–1933:
Die Endphase der Weimarer Republik ist außenpolitisch noch nicht ausreichend erforscht. Wichtige Beiträge enthält der Sammelband von Josef Becker und Klaus Hildebrand (Hrsg.), *Internationale Beziehungen in der Weltwirtschaftskrise 1929–1933.* München 1980. Für das deutsch-französische Verhältnis, allerdings mit zweifelhafter Analyse für 1928/29: Franz Knipping, *Deutschland, Frankreich und das Ende der Locarno-Ära 1928–1931.* München 1987. Ein gewisser Schwerpunkt der Forschung liegt auf den Außenwirtschaftsfragen[28]. Auch für

den Dawes- und Young-Plan in der deutschen Presse. Frankfurt a.M. 1977; im größeren historischen Zusammenhang: Henning Köhler (Hrsg.), Deutschand und der Westen. Berlin 1984.

[26] Außerdem Harvey Dyck, Weimar Germany and Soviet Russia, 1926–1933. London 1966; Berthold Puchert, Der Wirtschaftskrieg des deutschen Imperialismus gegenüber Polen, 1925–1933. Berlin (Ost) 1963 (einseitig, zu schmale Quellenbasis); La pologne entre Paris et Berlin de Locarno à Hitler (1925–1933), Gesamtthema in Revue d'Histoire diplomatique 95 (1981), S. 236–348.

[27] Außerdem Gerd Hardach, Weltmarktorientierung und relative Stagnation. Währungspolitik in Deutschland 1924–1931. Berlin 1976; Reinhard Frommelt, Paneuropa oder Mitteleuropa. Einigungsbestrebungen im Kalkül deutscher Wirtschaft und Politik 1925–1933. Stuttgart 1977 (zu grobe Fragestellung); Karl Heinrich Pohl, Weimars Wirtschaft und die Außenpolitik der Republik 1924–1926. Düsseldorf 1979 (begrenzt auf die – überbewertete – Schwerindustrie); William McNeill, American money and the Weimar Republic. New York 1986.

[28] Lesenswert in bezug auf die zeitgenössische Diskussion: Friedrich Hoffmann. Der Ruf nach Autarkie in der deutschen politischen Gegenwartsideologie. In: Weltwirtschaftliches Archiv 36 (1932), S. 496–511; Wolfgang Helbich, Die Reparationen in der Ära Brüning. Berlin 1962; dazu Henning Köhler, Arbeitsbeschaffung, Siedlung und Reparationen in der Schlußphase der Regierung Brüning. In: Vierteljahrshefte für Zeitgeschichte 17 (1969), S. 276–307; ausführlich Winfried Glashagen. Die Reparationspolitik Heinrich Brünings 1930–1931, 2 Bde, Diss. Bonn 1980 (etwas überpointierte These); Gerd Meyer, Die deutsche Reparationspolitik von der Annahme des Youngplans im Reichstag (12. März 1930) bis zum Reparationsabkommen der Lausanner Konferenz (9. Juli 1932), Bonn 1991; instruktiv Dieter Gessner, Agrarprotektionismus und Welthandelskrise 1929/32. In: Zeitschrift für Agrargeschichte und Agrarsoziologie 26 (1978), S. 161–187; nützlich und materialreich: Verena Schröter, Die deutsche Industrie auf dem Weltmarkt 1929 bis 1933. Frankfurt a.M., Bern 1984; Hans-Jürgen Perrey, Der Rußlandausschuß der deutschen Wirtschaft. München 1985; David Kaiser, Economie diplomacy and the origins of the Second World War. Princeton 1980; Harold James, The German slump. Oxford 1986; Sören Dengg,

die Abrüstungskonferenz liegen eingehende Untersuchungen vor, und in letzter Zeit wurde endlich auch die deutsche Politik in der Fernostkrise behandelt[29]. Weitere Forschungsergebnisse sind in nächster Zeit vor allem zum deutsch-französischen Verhältnis zu erwarten.

Deutschlands Austritt aus dem Völkerbund und Schachts Neuer Plan. Zum Verhältnis von Außen- und Außenwirtschaftspolitik in der Übergangsphase von der Weimarer Republik zum Dritten Reich (1929–1934). Frankfurt a. M., Bern 1986.

[29] Sten Nadolny, Abrüstungsdiplomatie 1932/33. Deutschland auf der Genfer Konferenz im Übergang von Weimar zu Hitler. München 1978; Edward Bennett, German rearmament and the West, 1932–1933. Princeton 1979; John Fox, Germany and the Far Eastern crisis, 1931–1938. Oxford 1982; Gabriele Ratenhof. Das Deutsche Reich und die internationale Krise um die Mandschurei 1931 bis 1933. Frankfurt a. M., Bern 1984.

1919	
7. 5.	Übergabe des Friedensvertragsentwurfs in Versailles
16. 6.	Ultimatum der Alliierten zur Annahme des Friedensvertrags
28. 6.	Unterzeichnung des Versailler Vertrags
1920	
10. 1.	Versailler Vertrag tritt in Kraft
3. 2.	Alliierte Forderung, 895 Kriegsverbrecher auszuliefern
19. 3.	Der Senat der USA lehnt den Versailler Vertrag und den Beitritt zum Völkerbund ab
6. 4.	Französische und belgische Truppen besetzen Frankfurt, Darmstadt und Hanau als Antwort auf die Verletzung der neutralen Zone durch die Reichswehr beim Kampf gegen den bewaffneten Aufstand der Arbeiter im Ruhrgebiet im Anschluß an den Kapp-Putsch
5.–16. 7.	Konferenz von Spa zwischen den Alliierten und dem Reich (Vereinbarung über Kohlelieferung und Entwaffnung)
16.–22. 12.	Konferenz der Reparationsexperten in Brüssel (mit deutscher Beteiligung)
1921	
24.–29. 1.	Alliierte Reparationskonferenz in Paris (Plan: in 42 Jahren soll Deutschland 226 Milliarden Goldmark und dazu 12 Prozent seiner Exporteinnahmen zahlen)
1.–7. 3.	Gescheiterte Reparationskonferenz in London (Simons' 30-Milliarden-Gegenangebot). Folge: Besetzung von Düsseldorf, Duisburg und Ruhrort, Zollgrenze an der Besatzungsgrenze
24. 4.	Deutsches Reparationsangebot (50 Milliarden Gegenwartswert)
5. 5.	Londoner Ultimatum (Reparationen und Entwaffnung), 132 Milliarden Mark (effektiv zunächst 50 Milliarden) als deutsche Reparationssumme
6. 5.	Deutsch-sowjetisches Handelsabkommen
25. 8.	Friedensvertrag mit den USA
12. 10.	Entscheidung des Völkerbundsrates: Polen erhält den wirtschaftlich wichtigsten Teil Oberschlesiens
14. 12.	Die Reichsregierung beantragt ein Reparations-Moratorium

18.–22. 12.	Besprechungen zwischen Lloyd George und Briand in London; Plan für die Genua-Konferenz
1922	
4.–13. 1.	Konferenz von Cannes, Vorbereitung der Genua-Konferenz, Rücktritt Briands, Nachfolger Poincaré
10. 4.–19. 5.	Konferenz von Genua
16. 4.	Vertrag von Rapallo
24. 6.	Ermordung Rathenaus
1923	
11. 1.	Beginn der Ruhrbesetzung durch Franzosen und Belgier nach einer Reihe vergeblicher Reparations- und Expertenkonferenzen; passiver Widerstand
13. 8.	Stresemann wird Reichskanzler (Rücktritt 23. Nov. 1923) und Außenminister (bis zu seinem Tod am 3. Okt. 1929)
26. 9.	Abbruch des passiven Widerstands im Ruhrgebiet
1924	
14. 1.– 9. 4.	Erarbeitung des Dawes-Plans durch die von den Alliierten einberufene Sachverständigen-Konferenz
28. 5.	Alliierte Entwaffnungsnote: Forderung einer abschließenden Generalinspektion
16. 7. –16. 8.	Londoner Konferenz, Annahme des Dawes-Plans, Ruhrräumung binnen eines Jahres, 29. August Annahme im Reichstag
4. 9.	Premierminister MacDonald fordert die Reichsregierung zum Eintritt in den Völkerbund auf
1925	
5. 1.	Note der Alliierten: wegen Rückstandes in der Entwaffnung unterbleibt die am 10. Januar fällige Räumung der Kölner Zone
20. 1./9. 2.	Deutsches Sicherheitsmemorandum an England und Frankreich
26. 4.	Wahl Hindenburgs zum Reichspräsidenten
5.–16. 10.	Locarno-Konferenz und Locarno-Verträge
25. 10.	Rücktritt der DNVP-Minister (seit 15. Januar im Kabinett) wegen Locarno
27. 11.	Annahme der Locarno-Verträge im Reichstag
30. 11.	Beginn der Räumung der Kölner Zone
1926	
16. 3.	Kommuniqué der Locarno-Mächte über die gescheiterte Sondersitzung des Völkerbundes zur Aufnahme Deutschlands

24. 4.	Berliner Vertrag mit der Sowjetunion
8. 9.	Aufnahme Deutschlands in den Völkerbund
17. 9.	Briand-Stresemann-Gespräch in Thoiry
10. 12.	Friedensnobelpreis für Briand, Chamberlain und Stresemann
1927	
31. 1.	Abzug der Internationalen Militärkontrollkommission
4.–23. 5.	Weltwirtschaftskonferenz des Völkerbundes in Genf
24. 5.	England bricht die Beziehungen zur Sowjetunion ab, Grund: Spionage und Propaganda
19. 3./5. 6.	Balkankrisen (Jugoslawien/Albanien, Druck Italiens)
17. 8.	Deutsch-französisches Handelsabkommen nach fast dreijährigen Verhandlungen
15. 10.–10. 12.	Litauisch-polnische Spannung wegen Wilna, beigelegt im Völkerbundsrat
1928	
Juni/Juli	Annäherung Englands und Frankreichs in der Abrüstungsfrage, deutsche Befürchtung einer erneuten Entente
27. 8.	Feierliche Unterzeichnung des Kellogg-Paktes in Paris über die Ächtung des Krieges
16. 9.	Gemeinsames Kommuniqué Deutschlands und der Alliierten in Genf über die Vorbereitung der Rheinlandräumung und einer endgültigen Reparationslösung
1929	
11. 2.–7. 6.	Erarbeitung des Young-Plans durch die am 16. 9. 1928 beschlossene Sachverständigenkommission
6.–31. 8.	1. Haager Konferenz über den Young-Plan
24. 10.	New Yorker Börsenkrach, Beginn der Weltwirtschaftskrise
31. 10.	Abschluß des Liquidationsabkommens mit Polen nach jahrelangen Verhandlungen
1930	
3.–20. 1.	2. Haager Konferenz über den Young-Plan
12. 3.	Annahme der Young-Gesetze im Reichstag
17. 3.	Abschluß des deutsch-polnischen Handelsabkommens nach über fünfjährigen Verhandlungen
17. 5.	Briands Europa-Plan
30. 6.	Rheinlandräumung abgeschlossen
1931	
21. 3.	Diplomatische Information über den deutsch-österreichischen Zollunionsplan

7. 7. Inkrafttreten des von Präsident Hoover vorgeschlagenen einjährigen Zahlungsmoratoriums
13. 7. Beginn der deutschen Bankenkrise
18. 9. Beginn des militärischen Vordringens der Japaner in der Mandschurei
21. 9. Lösung des britischen Pfunds vom Goldstandard

1932
2. 2. Eröffnung der Abrüstungskonferenz des Völkerbunds
16. 6.–9. 7. Konferenz von Lausanne, Ende der Reparationen
23. 7. Einstellung der deutschen Mitarbeit in der Abrüstungskonferenz bis zur Gleichberechtigungserklärung vom 11. Dezember 1932

Deutsche Geschichte der neuesten Zeit
vom 19. Jahrhundert bis zur Gegenwart
Herausgegeben von Martin Broszat, Wolfgang Benz, Hermann Graml in Verbindung mit dem Institut für Zeitgeschichte

Die »neueste« Geschichte setzt ein mit den nachnapoleonischen Evolutionen und Umbrüchen auf dem Wege zur Entstehung des modernen deutschen National-, Verfassungs- und Industriestaates. Sie reicht bis zum Ende der sozial-liberalen Koalition (1982). Die großen Themen der deutschen Geschichte des 19. und 20. Jahrhunderts werden, auf die Gegenwart hin gestaffelt, in dreißig konzentriert geschriebenen Bänden abgehandelt. Ihre Gestaltung folgt einer einheitlichen Konzeption, die die verschiedenen Elemente der Geschichtsvermittlung zur Geltung bringen soll: die erzählerische Vertiefung einzelner Ereignisse, Konflikte, Konstellationen; Gesamtdarstellung und Deutung; Dokumentation mit ausgewählten Quellentexten, Statistiken, Zeittafeln; Workshop-Informationen über die Quellenproblematik, leitende Fragestellungen und Kontroversen der historischen Literatur. Erstklassige Autoren machen die wichtigsten Kapitel dieser deutschen Geschichte auf methodisch neue Weise lebendig.

4501 Peter Burg: Der Wiener Kongreß
Der Deutsche Bund im europäischen Staatensystem
4502 Wolfgang Hardtwig: Vormärz
Der monarchische Staat und das Bürgertum
4503 Hagen Schulze: Der Weg zum Nationalstaat
Die deutsche Nationalbewegung vom 18. Jahrhundert bis zur Reichsgründung
4504 Michael Stürmer: Die Reichsgründung
Deutscher Nationalstaat und europäisches Gleichgewicht im Zeitalter Bismarcks
4505 Wilfried Loth: Das Kaiserreich
Liberalismus, Feudalismus, Militärstaat
4506 Richard H. Tilly: Vom Zollverein zum Industriestaat
Die wirtschaftlich-soziale Entwicklung Deutschlands 1834 bis 1914
4507 Helga Grebing: Arbeiterbewegung
Sozialer Protest und kollektive Interessenvertretung bis 1914
4508 Hermann Glaser: Bildungsbürgertum und Nationalismus
Politik und Kultur im Wilhelminischen Deutschland
4509 Michael Fröhlich: Imperialismus
Deutsche Kolonial- und Weltpolitik 1880 bis 1914
4510 Gunther Mai: Das Ende des Kaiserreichs
Politik und Kriegsführung im Ersten Weltkrieg
4511 Klaus Schönhoven: Reformismus und Radikalismus
Gespaltene Arbeiterbewegung im Weimarer Sozialstaat

Personenregister

Deutsche Geschichte der neuesten Zeit

vom 19. Jahrhundert bis zur Gegenwart

Originalausgaben, herausgegeben von Martin Broszat, Wolfgang Benz und Hermann Graml in Verbindung mit dem Institut für Zeitgeschichte, München

Peter Burg:
Der Wiener Kongreß
Der Deutsche Bund im europäischen Staatensystem
dtv 4501

Wolfgang Hardtwig:
Vormärz
Der monarchische Staat und das Bürgertum
dtv 4502

Hagen Schulze:
Der Weg zum Nationalstaat
Soziale Kräfte und nationale Bewegung
dtv 4503

Michael Stürmer:
Die Reichsgründung
Deutscher Nationalstaat und europäisches Gleichgewicht im Zeitalter Bismarcks
dtv 4504

Wilfried Loth:
Das Kaiserreich
Liberalismus, Feudalismus, Militärstaat
dtv 4505 (i. Vorb.)

Richard H. Tilly:
Vom Zollverein zum Industriestaat
Die wirtschaftlich-soziale Entwicklung Deutschlands 1834 bis 1914
dtv 4506

Helga Grebing:
Arbeiterbewegung
Sozialer Protest und kollektive Interessenvertretung bis 1914
dtv 4507

Hermann Glaser:
Bildungsbürgertum und Nationalismus
Politik und Kultur im Wilhelminischen Deutschland
dtv 4508

Michael Fröhlich:
Imperialismus
Deutsche Kolonial- und Weltpolitik 1880 – 1914
dtv 4509 (i. Vorb.)

Gunther Mai:
Das Ende des Kaiserreichs
Politik und Kriegführung im Ersten Weltkrieg
dtv 4510

Deutsche Geschichte
der neuesten Zeit
Klaus Schönhoven:
Reformismus
und Radikalismus
Gespaltene Arbeiterbewegung
im Weimarer Sozialstaat
dtv

Klaus Schönhoven:
Reformismus und Radikalismus
Gespaltene Arbeiterbewegung im Weimarer Sozialstaat
dtv 4511

Horst Möller:
Weimar
Die unvollendete Demokratie
dtv 4512

Peter Krüger:
Versailles
Deutsche Außenpolitik zwischen Revisionismus und Friedenssicherung
dtv 4513

Corona Hepp:
Avantgarde
Moderne Kunst, Kulturkritik und Reformbewegungen nach der Jahrhundertwende
dtv 4514

Deutsche Geschichte der neuesten Zeit

vom 19. Jahrhundert bis zur Gegenwart

Fritz Blaich:
Der Schwarze Freitag
Inflation und Wirtschaftskrise
dtv 4515

Martin Broszat:
Die Machtergreifung
Der Aufstieg der NSDAP und die Zerstörung der Weimarer Republik
dtv 4516

Norbert Frei:
Der Führerstaat
Nationalsozialistische Herrschaft 1933 bis 1945
dtv 4517

Bernd-Jürgen Wendt:
Großdeutschland
Außenpolitik und Kriegsvorbereitung des Hitler-Regimes
dtv 4518

Hermann Graml:
Reichskristallnacht
Antisemitismus und Judenverfolgung im Dritten Reich
dtv 4519

Hartmut Mehringer/ Peter Steinbach:
Emigration und Widerstand
Das NS-Regime und seine Gegner
dtv 4520 (i. Vorb.)

Lothar Gruchmann:
Totaler Krieg
Vom Blitzkrieg zur bedingungslosen Kapitulation
dtv 4521

Wolfgang Benz:
Potsdam 1945
Besatzungsherrschaft und Neuaufbau
dtv 4522

Wolfgang Benz:
Die Gründung der Bundesrepublik
dtv 4523

Dietrich Staritz:
Die Gründung der DDR
Von der sowjetischen Besatzungsherrschaft zum sozialistischen Staat. dtv 4524

Kurt Sontheimer:
Die Adenauer-Ära
Grundlegung der Bundesrepublik
dtv 4525

Manfred Rexin:
Die Deutsche Demokratische Republik
dtv 4526 (i. Vorb.)

Ludolf Herbst:
Option für den Westen
Vom Marshallplan bis zum deutsch-französischen Vertrag
dtv 4527

Peter Bender:
Neue Ostpolitik
Vom Mauerbau bis zum Moskauer Vertrag
dtv 4528

Thomas Ellwein:
Krisen und Reformen
Die Bundesrepublik seit den sechziger Jahren
dtv 4529

Helga Haftendorn:
Sicherheit und Stabilität
Außenbeziehungen der Bundesrepublik zwischen Ölkrise und NATO-Doppelbeschluß
dtv 4530

Carl Friedrich von Weizsäcker im dtv

Foto: Isolde Ohlbaum

Wege in der Gefahr
Eine Studie über Wirtschaft, Gesellschaft und Kriegsverhütung

Dieses Buch »ist geeignet, den Blick für die politischen Realitäten im Atomzeitalter zu schärfen, die sonst gelegentlich an Konturen verlieren... Für Weizsäcker, wie für viele Kulturkritiker der Gegenwart, ist das bloße wissenschaftliche Denken ohnmächtig. Das Ziel eines Bewußtseinswandels ist eine ›von Liebe ermöglichte Vernunft‹.«
(Wehrwissenschaftliche Rundschau)
dtv 1452

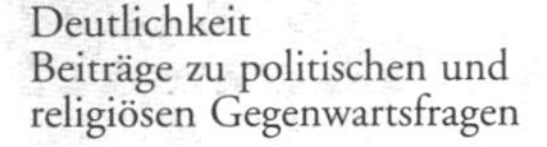

Deutlichkeit
Beiträge zu politischen und religiösen Gegenwartsfragen

Was heißt Verteidigung der Freiheit gegen Terrorismus und Repression? Hat das parlamentarische System eine Zukunft? Welche Chancen und Risiken birgt die friedliche Nutzung der Kernenergie? Gehen wir einer asketischen Weltkultur entgegen? Wie läßt sich die Frage nach Gott mit dem naturwissenschaftlichen Denken vereinen? – Vielfältige Fragen, die Weizsäcker klar zu beantworten versucht.
dtv 1687

Wahrnehmung der Neuzeit

Die Wahrnehmung der Neuzeit und ihrer Krise ist Weizsäckers Hauptanliegen in diesem Band mit Aufsätzen und Vorträgen von 1945 bis heute: »Das Ziel ist, die Neuzeit sehen zu lernen, um womöglich besser in ihr handeln zu können.«
dtv 10498

Bewußtseinswandel

Carl Friedrich von Weizsäcker beschäftigt sich in diesen tief durchdachten Aufsätzen mit der zentralen Krise der Menschheit.
»Von Weizsäcker tritt auf als ein Prediger, ein Warner vor dem Untergang der Menschheit, einer, der den Quellen der Weisheit ganz nahe sitzt.«
(Kurt Kister in der Süddeutschen Zeitung) dtv 11388

Das Carl Friedrich von Weizsäcker Lesebuch

Ein Querschnitt aus dem Gesamtwerk Carl Friedrich von Weizsäckers, einer der herausragendsten Persönlichkeiten der geistigen Kultur Deutschlands.
dtv 30305